PARTIES INTIMES

PARTIES INTIMES

seconde édition

GUÉRIN

Révision linguistique: Bernard Sicotte
Illustrations: David D. Rolling
Illustration de la couverture: Stuart N Dee ©/The Image Bank

LE «PHOTOCOPILLAGE» TUE LE LIVRE

Ce livre est dédié
à ma mère et
à la mémoire de mon père

Table des matières

Préface

L'édition anglaise de *Private Parts* est devenue un best-seller au Canada et a été traduite ou est en voie de traduction dans cinq langues: français, espagnol, japonais, chinois et russe. J'ai été enchanté non seulement de la réaction du public mais aussi de l'accueil chaleureux que m'ont réservé les étudiants et les médecins. Le témoignage qui m'a fait le plus plaisir est celui d'un urologue de l'Ouest canadien. Lors d'un congrès d'urologues à Halifax, quelqu'un que je ne connaissais pas s'est approché de moi en me disant:

– Permettez-moi de vous serrer la main et de vous dire merci.

– Merci pourquoi? lui demandai-je.

– Vous nous avez rendu un grand service. Votre livre donne un sérieux coup de pouce à notre spécialité.

J'étais tellement ravi que j'en ai oublié de lui demander son nom.

Plus tard, le médecin-chef de mon hôpital m'a invité à présenter un exposé devant un groupe de médecins. Ce n'était pas un mince honneur pour un chirurgien spécialiste. Il m'a présenté comme celui qui avait réalisé le rêve de tout médecin: écrire un best-seller.

Sept ans se sont écoulés depuis la parution de la première édition de *Private Parts* et il était temps de procéder à une mise à jour.

Je suis fier de pouvoir dire qu'aucun énoncé dans la première édition n'exige de rétractation. (En fait, cela n'est pas tout à fait exact, il y a peut-être un énoncé à rectifier. J'ai affirmé que les vésicules séminales emmagasinaient les spermatozoïdes. Ce n'est pas entièrement exact. Il y a des spermatozoïdes dans le liquide séminal mais en quantité insuffisante pour justifier le terme emmagasinage.) Certains lecteurs m'ont signalé quelques erreurs.

– J'ai trouvé une faute dans votre livre, m'a dit un patient.

– C'est tout à fait possible, ai-je répliqué. Quelle est-elle?

– À la page quatre-vingt-quatorze, vous écrivez: «Un aveugle est venu me voir...». C'est impossible, un aveugle ne peut pas vous voir.

J'ai admis mon erreur et j'ai promis de la corriger dans la deuxième édition.

Une autre personne m'a montré une coupure d'un journal britannique, relatant la découverte du plus long lombric au monde qui faisait plusieurs mètres de longueur. C'était sa façon de réagir devant l'un de mes énoncés: lors d'une prostatectomie, le résecteur permet d'enlever des copeaux de prostate, «de la grosseur d'un ver de terre».

Un client m'a téléphoné pour me dire qu'il avait un problème dont je ne traitais pas dans mon livre.

– Qu'est-ce que c'est? lui ai-je demandé.

– Je suis trop gros, a-t-il répliqué.

Bien sûr, sa réponse m'a fait penser à cet autre homme qui m'avait téléphoné lors d'une campagne de promotion de mon livre pour me dire qu'il avait un problème avec son éjaculat.

– Quel problème? lui avais-je demandé en ne flairant pas le piège.

– Quand j'éjacule, je remplis une cruche , m'avait-il répondu.

Je me souviens de lui avoir rétorqué:

– Cher monsieur, vous avez une imagination très vive.

Mon client au téléphone était peut-être un autre farceur aux prises avec un problème d'égo. Mais je décidai de m'occuper de son cas.

– Pour pouvoir vous aider, j'ai besoin de mieux comprendre votre problème. Vous pouvez venir à mon bureau en apportant une photo Polaroïd de votre pénis en érection ou, si vous préférez, vous pouvez passer à la clinique et notre technicien vous fera une injection pour provoquer une érection.

– Je vais aller à la clinique, m'a dit le client.

Après l'injection, mon technicien, dans tous ses états, m'a fait demander. «Il faut que vous voyiez ça!» m'a-t-il dit.

Le pénis en érection avait une circonférence de 31 cm (12,5 pouces). Le client n'était pas un farceur, il avait réellement un problème. J'avouai n'avoir jamais vu un tel phénomène. Le client, un homme d'affaires de cinquante-cinq ans, m'informa que jusqu'au décès de son épouse, survenu quelques années plus tôt, il avait eu une vie sexuelle normale. Après le décès, pendant quelques années, il avait été sexuellement inactif jusqu'à ce qu'il rencontre sa nouvelle compagne, une femme de son âge. Il ne pouvait pas dire quand exactement son pénis en érection avait atteint ses dimensions actuelles mais il était certain que le problème avait empiré petit à petit. Au repos, le pénis était normal.

– Nous en rions parfois, me dit-il, mais c'est vraiment loin d'être drôle.

Le phallus était grotesquement gonflé à mi-longueur. La base et la tête étaient normales, mais le gonflement du corps du phallus donnait à ce dernier l'apparence d'un ballon de football. Je pensai à une rupture possible de la paroi d'un cylindre, rupture que masquait la peau, mais la paroi des cylindres de tissu érectile ne présentait aucun défaut.

Je suggérai d'enlever une partie de chaque côté du pénis, en laissant intacts le nerf principal, le long de la face supérieure du pénis et l'urètre, le long de la face inférieure. Des dommages aux filets nerveux étaient peu probables mais je ne pouvais garantir la puissance sexuelle. Le client a accepté l'opération, qui s'est déroulée relativement facilement, avec des résultats fort acceptables pour tous les gens concernés.

– Hé, docteur, j'ai une phrase que vous pourriez utiliser dans votre prochain livre, m'a dit un autre client. «De la non-vasectomie à la vasectomie, il n'y a qu'un changement de canal... déférent.» C'est une bonne phrase mais voici mon anecdote favorite au sujet de la vasectomie.

En préparation de l'opération, un patient rasait son scrotum. Il avait oublié de verrouiller la porte de la salle de bains. Il fut surpris par son fils de cinq ans:

– Hé! papa, qu'es-tu en train de faire?

– Je me prépare pour une opération qui me permettra de ne plus avoir de bébés, répondit le père, bien obligé, dans les circonstances, de dire la vérité.

Perplexe, son fils le regarda pendant un long moment et soudain lui dit:

– Mais papa, ce n'est pas toi, c'est maman qui a les bébés!

Dans cette deuxième édition, j'inclus beaucoup de nouvelles informations d'un grand intérêt au sujet de la prostate. J'indique comment une hypertrophie bénigne de la prostate peut maintenant être traitée sans intervention chirurgicale. Je traite de la signification du test sanguin d'antigène spécifique de la prostate (PSA) dans le cas d'un cancer et du moment où un examen transrectal aux ultra-sons devrait être effectué. Je mets aussi à jour les informations concernant la médication utilisée dans le traitement des prostatites.

Certaines affirmations récentes à l'effet que le test sanguin PSA a rendu l'examen rectal désuet me consternent. Le test sanguin est certainement préférable à un examen rectal sommaire qui permet difficilement de diagnostiquer une asymétrie de la glande ou la présence d'un nodule dur. Mais les cancers ne présentent pas tous un taux élevé d'antigène spécifique.

On m'a référé un client qui avait un «problème de prostate». La ponction-biopsie a révélé la présence d'un nodule cancéreux. L'épouse du client voulut savoir pourquoi le médecin de la compa-gnie que son mari avait consulté avant d'aller voir son omnipraticien n'avait pas diagnostiqué la maladie. Je lui suggérai de retourner voir le médecin de la compagnie pour le mettre au courant de notre conversation. Un peu plus tard, elle est revenue me voir et m'a raconté ce qui suit.

Elle avait expliqué au médecin de la compagnie que j'avais procédé à un examen rectal et que j'avais tout de suite diagnostiqué un cancer à cause de la présence d'une masse dure dans la prostate.

– Mais toutes les prostates durcissent avec l'âge, avait répliqué le médecin. (Ce n'est pas le cas.)

– Le spécialiste a enfoncé une aiguille et a su tout de suite qu'il y avait un cancer, avait-elle dit.

– Ah! ils enfoncent beaucoup trop d'aiguilles dans les gens aujourd'hui, avait conclu le médecin.

Dans cette édition, les informations concernant les MTS, incluant le sida, sont mises à jour. Il est aussi question des plus nouveaux médicaments utilisés pour provoquer une érection.

J'ai aussi ajouté trois nouveaux chapitres, l'un concernant les infections des voies urinaires où je fais une synthèse des informations éparpillées dans la première édition, un deuxième qui traite de l'incontinence, l'un des plus humiliants problèmes qui affectent les personnes âgées et un troisième qui traite des affections du rein.

Remerciements

Mon amie Merrily Weisbord m'a tellement bien guidé lors de la rédaction de la première édition de *Private Parts* et tellement amélioré mes capacités d'écrivain que, pour la présente édition, j'ai moins eu à compter sur elle, ce qui est tout à l'honneur de son talent et de ses habiletés. Je tiens à remercier mon éditeur, Doug Gibson, qui m'a permis de produire cette deuxième édition, et Alex Schultz, mon chargé de projet chez McClelland & Stewart, qui a assumé la tâche admirablement exécutée par Patrick Crean lors de la première édition. À chaque fois que mon style manquait un peu de clarté, Alex me ramenait sur le droit chemin de la précision.

Lors de la première édition, j'avais remercié ceux qui m'avaient encouragé à écrire, dont Mike Rosenbloom, J.J. Brown et Jack Kelly. J'aurais dû aussi remercier Louis Dudek qui, à une certaine époque, avait été mon professeur d'anglais.

J'avais délibérément omis de remercier mes professeurs et mes collègues médecins, croyant qu'ils ne souhaiteraient peut-être pas voir leur nom associé à mon projet «intime». L'accueil chaleureux réservé à la première édition de *Private Parts* m'a fait changer d'avis. Je désire maintenant remercier Kenneth J. Mackinnon, ancien directeur du département d'urologie, et John B. Dossetor, qui m'a orienté vers la recherche médicale. J'ai eu aussi le privilège de profiter des enseignements de Andrew W. Bruce qui, au cours de sa brillante carrière, a été titulaire de la chaire d'urologie des universités Queen's, McGill et Toronto. Je suis fier d'être aujourd'hui associé avec Mostafa M. Elhilali, l'actuel directeur du département d'urologie de l'université McGill. Sa rapide compréhension des nouveaux développements en urologie et ses grandes habiletés directoriales font merveille.

J'aimerais aussi mentionner mes collègues médecins, Doug Ackman, Sam Aronson, Armen Aprikian, Michel Bazinet, Alex Brezinski, Gerry Brock, Michel Carmel, Jacques Corcos, Norm Halpern, Anne-Marie Houle, Brahm Hyams, Steve Jacobson, Irwin Kuzmarov, Mike Laplante, Doug Morehouse, John Oliver et Simon Tanguay ainsi que mes ex-collègues qui se sont orientés vers d'autres activités, dont John Foote, Magdy Hassouna, Yves Monsy, George Kiruluta, Dale McClure, Duke McIsaac, Bal Mount, Jacques Susset, John Trachtenburg et Howard Winfield. Je tiens beaucoup à leur amitié et je sais que nos échanges de vues m'ont enrichi. J'aimerais aussi pouvoir nommer tous les résidents qui ont fréquenté mes cours à l'université McGill et dont l'amitié m'est chère.

Enfin, comment ne pas remercier mon épouse, Joan, et mes enfants maintenant adultes, Kathleen, Edwin, Jocelyn et Carolin, de leur amour, de leurs conseils et de leur soutien constants.

Introduction

Il y a une génération à peine, l'information médicale constituait un secret réservé aux seuls professionnels de la santé. Et c'était un secret si bien gardé qu'on aurait pu croire que la santé était la propriété même du corps médical. En fait ce qu'on voulait cacher, c'était le peu d'étendue des connaissances médicales de l'époque.

On employait toutes sortes de faux-fuyants ingénieux pour laisser les gens dans l'ignorance. Quand un patient se mêlait de poser des questions, on lui répondait à peu près ceci: «Ça ne vous donnerait rien que je vous dise ce que vous avez, vous ne comprendriez pas. Ne pensez qu'à une chose: guérir, et laissez-moi me faire du souci à votre place.»

D'autres fois, on vous sortait un mot long comme ça. Vous ne compreniez évidemment pas. De toute façon, vous n'étiez pas supposé comprendre. Ce jeu de cache-cache se jouait même avec les nouveaux venus dans la profession.

Jeune interne dans le service d'orthopédie, je demandai un jour au patron:

– Pourquoi poser un pansement humide sur une blessure déjà guérie?

– Combien de fois le fais-tu par jour, mon petit?

– Une fois, docteur.

– Bon, à partir d'aujourd'hui, tu le feras deux fois par jour. Fin de la conversation!

De nos jours, il y a abondance de livres d'information populaire: «Comment telle partie du corps fonctionne-t-elle?» «Pourquoi ceci?», «Pourquoi cela?», «Tout sur ceci», «Tout sur cela.» Mais il n'y a rien encore sur les «parties intimes de monsieur et leurs maladies.» C'est que, même aujourd'hui, cette partie du corps de l'homme est taboue.

En voici une preuve. Un jour, je recommandai à mes étudiants de dévoiler leurs patients jusqu'à mi-cuisse, avant de faire l'examen de l'abdomen. C'était pour leur faire comprendre qu'ils doivent montrer ainsi à leurs patients que, pour le médecin, il n'y a rien de sacro-saint ou de secret ou de laid dans le corps humain. N'oublions pas, de plus, que la région génito-urinaire est le siège de plus d'affections et de problèmes d'ordre médical qu'il n'y en a 30 cm plus bas ou 30 cm plus haut.

Il est évident, aussi, qu'en dévoilant cette partie du corps, on est sûr qu'elle ne sera pas oubliée et qu'elle sera dûment examinée. Je croyais ce conseil sage et avisé. Je me trompais, car j'ai ensuite entendu dire, à travers les branches, que j'avais tort de donner un tel conseil et que, ce faisant, je violais le droit sacré du citoyen à son intimité. À cela, je réponds: droit du citoyen à son intimité, d'accord, mais pas au prix de priver mes patients d'un examen complet nécessaire à leur santé.

Depuis 30 ans, je traite chaque jour des problèmes de santé chez l'homme. Au début de ma carrière, après avoir obtenu mon permis de pratique en chirurgie avec spécialisation en urologie, je me suis particulièrement intéressé aux difficultés des techniques chirurgicales et j'ai mis au point une nouvelle technique qui permettait de purifier le sang des patients dont les reins ne fonctionnaient plus. Peu après, le champ de mes investigations s'élargissant, je me suis mis à faire de la recherche fondamentale et j'ai obtenu un doctorat en médecine expérimentale. J'ai aussi été appelé à présenter, à des symposiums internationaux, mes travaux sur le phénomène de rejet lors de la transplantation d'organes. Mais je n'ai pas cessé pour cela de poursuivre ma pratique en urologie. Et parce que j'exerçais au Canada, dans le cadre de la Régie de l'assurance-maladie du Québec, j'ai pu traiter un très grand nombre de patients, beaucoup plus, en fait, que mes confrères des États-Unis où il n'existe pas de système universel et gratuit d'assurance-santé. Et bien vite, j'ai pu constater que l'urologie, c'est beaucoup plus que tout simplement de la chirurgie ou de la médecine. En effet, ma spécialité s'intéresse à un vaste éventail de problèmes angoissants et souvent très gênants. C'est surtout pour cela que mes patients se présentent à mon bureau. Je me suis attaché à observer et à tenir compte non seulement de mes patients, mais aussi de leurs besoins profonds et cachés, besoins d'informations, d'encouragements et de conseils.

La vaste majorité des gens, intelligents ou non, riches ou pas, sont étrangement ignorants de leur corps. J'imagine que l'on ferme les yeux sur les problèmes de santé jusqu'à ce qu'il s'en présente un. Alors, c'est la panique. Je me souviens d'un patient, professeur de renommée internationale, qui s'imaginait que son cancer était causé par l'abus du chocolat. Un autre, un avocat, me demandait où se situaient ses reins: dans la poitrine, l'abdomen ou le bassin? Un professeur d'université me demanda si sa voix changerait après son opération de la prostate. Un autre, homme d'affaires prospère, se demandait s'il pouvait toucher de ses doigts le cancer du col de l'utérus de sa femme. J'en ai vu pâlir ou se révolter ou même s'évanouir lorsque j'effleurais leur sexe du bout des doigts: «Touchez-moi n'importe où, docteur, mais pas là, je ne peux pas supporter cela.» Il n'y a pas d'intelligence, pas d'instruction ni de richesses qui tiennent quand il s'agit des organes génitaux masculins et de leurs problèmes. L'homme perd alors son aplomb et devient tout à fait irrationnel.

Voici donc un livre qui vient répondre à toutes ces questions que m'ont posées des patients soit gênés, soit révoltés par leur maladie ou encore simplement curieux. Pourquoi ai-je de la difficulté à uriner? Pourquoi est-ce que ça fait mal? Peut-on encore avoir une érection après une vasectomie? Que penser de la circoncision?

Lequel, de l'homme ou de la femme, est responsable de la stérilité du couple? Comment peut-on traiter la stérilité? Qu'est-ce exactement que l'insémination artificielle? Voilà des questions auxquelles je dois répondre chaque jour. Pour moi, il n'y a pas de questions oiseuses. Je travaille dans ce domaine depuis assez longtemps pour savoir que les parties intimes, même si elles sont souvent un sujet tabou, n'en sont pas moins un sujet d'intérêt vital.

Dans ce livre, je vais utiliser le langage simple que j'emploie pour converser avec un ami ou pour répondre aux patients qui viennent me consulter au bureau. Je vais expliquer ce que sont la puberté, l'érection, l'orgasme, la prostate et son fonctionnement, de façon à ce que vous compreniez bien comment fonctionne votre corps. Je vais traiter des nouvelles et des anciennes MTS (maladies transmises sexuellement). Vous pourrez ensuite faire la distinction entre la vérité médicale à ce sujet et les rumeurs répandues par les médias. Je vais aussi décrire, dans le langage du chirurgien, les diverses techniques chirurgicales et vous indiquer comment choisir un bon médecin. Beaucoup de ces questions et de ces sujets affectent la grande majorité des hommes à un moment ou l'autre de leur existence. Cependant, ce sont des sujets très mal connus. Je crois que, si l'on connaissait mieux son propre corps et son fonctionnement normal, cela pourrait nous aider à mieux vivre. Plus je vois de malades, plus je constate qu'on les aide beaucoup en leur apprenant ce qui peut mal fonctionner dans l'organisme et ce qu'on peut faire pour y remédier.

Je ne cherche pas à me faire de la publicité. Je cherche simplement, honnêtement, à mettre fin à ce mystère dont on a trop longtemps enveloppé la médecine. Je cherche à rendre plus accessible l'information que nous possédons, nous les médecins. Si je réussis à éliminer la peur et à aider les hommes à envisager avec réalisme les besoins de santé de leurs organes génitaux, j'aurai atteint mon but.

CHAPITRE I

Les parties intimes:
que sont-elles et comment
fonctionnent-elles?

Voici un livre qui traite du corps de l'homme, plus précisément de cette partie de son corps que l'homme cache quand il met son slip. En général, on nomme cela «les parties». Le pénis, ou verge, et le scrotum, ou bourses, en sont la partie externe. La partie interne comprend la vessie, la prostate, les testicules et divers autres organes. Bien souvent, l'homme ne connaît pas très bien ses organes génitaux et urinaires. Il lui arrive ainsi, par exemple, de ne pas savoir où se trouve sa prostate. Ce qui n'améliore pas les choses, c'est qu'il est souvent trop timide pour interroger le médecin à ce sujet. Après avoir lu ce livre, vous connaîtrez mieux cette partie de votre corps. Vous vous sentirez aussi plus tranquille. Vous saurez ce qui est normal et ce qui ne l'est pas. Vous aurez appris quels problèmes de fonctionnement peuvent surgir et comment on peut les corriger.

Ce premier chapitre indique d'abord où se trouvent dans le corps les diverses parties de l'appareil génito-urinaire. Il les décrit et explique comment elles fonctionnent normalement chez l'homme en santé. Ce survol vous permettra de mieux comprendre les réponses apportées par ce livre à vos problèmes particuliers.

Le pénis

Je crois que l'homme attache encore plus d'attention à son pénis qu'aux femmes fatales! Je ne puis plus compter le nombre d'hommes qui viennent à mon bureau parce qu'ils sont préoccupés par la longueur ou la grosseur de leur pénis: «Est-ce qu'il ne devrait pas être plus gros?» «Est-ce que les testicules pendent bien?» «Quand j'avais 10 ans, j'ai reçu une balle de baseball en plein dessus. C'est devenu noir et bleu. C'est pourquoi il est resté si petit.» J'examine aussitôt le patient et, invariablement, je lui trouve un organe tout à fait normal.

Si cette préoccupation n'était pas la source de tant de détresse chez les hommes, elle serait risible. Qu'il suffise de dire que les dimensions du pénis n'ont rien à voir avec la virilité du sujet. L'homme croit souvent que la femme jouit plus si le pénis est gros, mais en fait la femme ne peut juger de la grosseur du pénis si elle ne se fie pour cela qu'à ses propres réactions vaginales. La grosseur du pénis est une préoccupation purement masculine. Je n'ai jamais entendu une femme se plaindre de la dimension du pénis de son partenaire. C'est plutôt la rigidité du pénis qui a de l'importance pour la femme et la rigidité du pénis n'a rien à voir avec ses dimensions. Même avec un pénis en partie amputé, comme dans certains cas de cancer, l'homme peut encore jouir du coït.

La longueur moyenne du pénis au repos est de 7,5 à 15 cm, mais on en trouve de plus courts tout aussi bien que de plus longs. À l'état d'érection, la longueur du pénis varie de 10 à 20 cm, et son diamètre à la base est d'environ 3,8 cm. Ceux qui persistent à se préoccuper des dimensions du pénis de l'animal humain seront intéressés à apprendre que chez le sanglier, par exemple, le pénis atteint 45 cm, chez l'étalon 76 cm, chez le taureau près de 1 m, chez l'éléphant 1,50 m, et 2,50 m chez la baleine bleue.

ORGANES GÉNITO-URINAIRES DE L'HOMME

Vessie

Symphyse pubienne
Prostate

Urètre

Canal déférent
Pénis

Épididyme

Testicule

Rectum

Chez l'homme non circoncis, la tête du pénis, c'est-à-dire le gland, est recouverte d'une peau qu'on appelle prépuce. Ici encore, la dimension du prépuce varie considérablement, mais cela n'a aucune importance pour l'adulte du moment que cette enveloppe peut glisser facilement pour découvrir le gland. La partie du pénis normalement recouverte par le prépuce devrait être lavée chaque jour à l'eau savonneuse.

Le corps du pénis est recouvert d'une peau lisse et sans poils. Il est formé de trois cylindres de tissu érectile, c'est-à-dire d'une paire de cylindres identiques, sur sa partie antérieure, qui recouvrent un troisième cylindre, moins volumineux. Ce dernier contient l'urètre, qui se termine, au bout de la verge, par le renflement qui constitue le gland. Les deux cylindres supérieurs se terminent au gland à une extrémité. À l'autre extrémité, ils pénètrent à l'intérieur du corps, au-delà de la partie visible de la verge, où ils se séparent et vont se fixer, de part et d'autre, à l'os du pubis. Le nerf principal et les vaisseaux sanguins suivent une ligne médiane, entre les deux cylindres, le long de la face supérieure. Des filets nerveux se ramifient partout dans le pénis et particulièrement dans le gland. Toute stimulation de ces terminaisons nerveuses produit les plus délicieuses sensations sexuelles.

L'érection

Les trois cylindres dont nous venons de parler forment le corps de la verge. Ils sont formés de tissu érectile. Quand le pénis n'est pas en érection, ce tissu érectile ressemble à une éponge sèche et aplatie. C'est que la verge n'est alors irriguée que par un très faible volume de sang, qui passe directement de l'artère pénienne à la veine de retour sans pénétrer dans le tissu érectile. Au moment de l'érection, le passage direct entre l'artère et la veine est bloqué par de petites valves et le tissu érectile se gorge de sang, ce qui a pour effet de gonfler la verge qui raidit et se redresse tout comme le fait, quand on ouvre l'eau, un boyau d'arrosage bouché à son extrémité.

Les valves sont activées de deux façons. Dans certains cas, ce sont des pensées d'ordre sexuel qui, par le truchement des nerfs du système sympathique, envoient des messages aux valves. Dans d'autres cas, ce sont des attouchements, des frottements ou d'autres stimulations directes qui activent les valves par l'entremise de la moelle épinière, de la même façon que les légers coups de marteau du médecin sur le genou du patient, lors d'un examen, provoquent le réflexe rotulien, qui fait lever subitement la jambe. Les érections matinales, au réveil, sont souvent des érections de pur réflexe physique provoquées par le fait que la vessie est pleine et gonflée. Si la vessie n'est pas en cause, c'est qu'il existe d'autres facteurs. Cependant, quel que soit le facteur déterminant, l'érection spontanée du matin est une indication certaine que tous les systèmes biologiques impliqués fonctionnent bien.

Bien sûr, les valves ne sont pas de réelles structures physiques. On a pensé qu'il pouvait exister dans la verge de minuscules muscles qui constitueraient les valves. On a fait des autopsies dans le but de vérifier cette hypothèse, mais on n'a jamais trouvé de tels muscles. Cette idée de valves reste néanmoins utile parce qu'elle aide à comprendre le phénomène qui provoque l'érection chez l'homme. Il est probable que des récepteurs biochimiques agissent comme équivalents physiologiques de ces valves. En effet, on peut maintenant provoquer une érection par injection de certains produits chimiques dans les tissus érectiles.

Chez les jeunes adultes, le pénis à l'état d'érection présente un angle de 140 à 160 degrés. Cet angle correspond à celui du vagin. Dans certains cas, la verge en érection a une rigidité normale mais un angle de moins de 90 degrés; il est possible de corriger cette anomalie par une intervention chirurgicale qui consiste à exciser des lanières de l'enveloppe des cylindres érectiles. Le but de cette opération est de rendre le coït plus facile et plus confortable.

Le coït

Quoique le coït ne soit pas le seul échange sexuel possible entre deux adultes consentants, c'est souvent le point ultime de la relation amoureuse. Le mouvement d'aller et retour du pénis dans le vagin imprime à la verge un massage rythmé qui produit une stimulation orgastique généralement fort agréable.

S'il y a douleur, ce qui est peu fréquent, elle est due habituellement à une lésion du frein du prépuce, cette attache blanche qui fixe le prépuce au gland. Si cette attache se déchire et guérit avec cicatrisation, il peut se produire une traction douloureuse de cette cicatrice sur le gland lors de l'érection et du coït. Il suffit d'une légère intervention chirurgicale ou d'une circoncision pour régler ce problème. À part ce genre d'accident, ou une maladie du pénis, le coït douloureux est rare.

L'orgasme

Quand la stimulation de l'organe sexuel mâle atteint une certaine intensité, elle provoque une série de contractions qui annoncent ce que nous appelons l'orgasme. Le col de la vessie se contracte et ferme la vessie. Les muscles de la prostate, les vésicules séminales et les canaux déférents se contractent en expulsant dans l'urètre le liquide qu'ils contiennent et qu'on nomme alors l'éjaculat. Cet éjaculat remplit l'urètre et les muscles pelviens se contractent violemment. C'est alors pour l'homme l'éjaculation et la très plaisante sensation particulière à l'orgasme.

L'éjaculation

Il n'est pas rare pour l'homme d'éjaculer de deux à cinq minutes après la pénétration. Les caresses et les divers jeux sexuels qui durent des heures relèvent plutôt de la fiction que de la vie quotidienne des couples heureux. On ne peut parler d'éjaculation précoce que dans les cas d'une éjaculation qui se produit avant la pénétration ou immédiatement après. Lorsque cet «accident» se répète trop fréquemment, les hommes devraient consulter un sexologue. Ces spécialistes connaissent un bon nombre de techniques qui peuvent retarder l'éjaculation. Dans certains cas, ils conseilleront l'entraînement mental, ou encore le conditionnement physique. Une technique populaire consiste à pincer délicatement le gland quand l'éjaculation est imminente. Cela la freine aussitôt. Le coït peut alors se poursuivre. On peut répéter les pincements jusqu'au moment où il y a accord entre les deux partenaires pour en arriver à l'éjaculation. C'est une technique que j'ai conseillée à plusieurs de mes patients et nombreux sont ceux qui s'en sont déclarés satisfaits. Une technique similaire qui nous vient de la médecine chinoise d'autrefois consiste à exercer une pression sur le périnée, à mi-chemin entre le scrotum et l'anus. Cette technique permet de freiner l'éjaculation mais elle est moins efficace que le pincement du gland.

L'éjaculation procure presque toujours un certain plaisir, car elle excite le centre du plaisir du cerveau. L'éjaculation douloureuse se rencontre parfois, mais n'est pas commune. Ce sont surtout des patients d'âge moyen qui s'en plaignent. Quant à moi, j'attache de l'importance surtout aux patients qui en souffrent continuellement. Il faut alors procéder à l'examen de la prostate pour voir s'il n'y aurait pas cancer ou infection. Si l'examen rectal de la prostate est négatif et si le liquide prostatique est normal, je rassure le patient et je lui conseille de prendre, quatre fois par jour, une bonne cuillerée à table de soude dans un verre d'eau. L'éjaculat normal étant de nature alcaline, j'espère faire disparaître, en alcalinisant l'organisme avec du bicarbonate, les symptômes désagréables. Mes patients s'en portent bien, en général, mais je me demande encore si cela traite leurs symptômes ou leur imagination.

L'éjaculat

Le volume d'un éjaculat normal varie de 0,5 à 8 ml plus ou moins 1 ml. Il est constitué en majeure partie par le liquide prostatique, le liquide spermatique ne comptant que pour 5 % du volume de l'éjaculat. C'est pourquoi le vasectomisé ne sent aucune différence quand il éjacule.

Ce liquide est laiteux, collant et hautement alcalin. Il a une odeur âcre. Cette odeur n'est pas due au liquide spermatique, car l'éjaculat d'un vasectomisé a la même.

Il arrive que l'éjaculat présente une couleur rouille, ce qui n'est pas sans effrayer le patient. Ce peut être un symptôme de cancer ou d'infection, mais, la plupart du temps, ce n'est pas plus grave qu'un saignement de nez. On traitait cette affection avec des antibiotiques jusqu'à tout récemment, alors qu'il a été démontré que les patients qui ne prennent pas d'antibiotiques se portent aussi bien que ceux qui en prennent. Quand j'ai un patient à l'éjaculation couleur rouille, je fais un massage manuel de la prostate pour obtenir une sécrétion. Je ne traite le patient que si l'examen d'un frottis du liquide suggère une infection ou si l'examen de la prostate laisse croire à un cancer.

L'urètre, la prostate et la vessie

L'urètre

L'urètre est un organe délicat. C'est un tube de 20 cm de long, aux parois très minces. Il va du méat urinaire jusqu'à la vessie. Il court tout le long du pénis à travers le corps spongieux. Au niveau de la vessie, il est cerné par un sphincter qui lui permet de retenir l'urine. Juste au-dessus de ce sphincter, l'urètre passe au travers de la prostate et c'est là que se présentent parfois des problèmes de prostate, car si celle-ci prend du volume, elle va alors étrangler l'urètre.

Les parois de l'urètre sont formées d'une couche unicellulaire de cellules cylindriques disposées côte à côte. Ce n'est qu'à la tête du pénis que la paroi de l'urètre s'épaissit quelque peu. Elle est alors, comme la peau, formée de plusieurs couches de cellules. C'est à cause de la minceur de cette paroi que le cathéter et d'autres instruments du même type peuvent facilement la percer et provoquer des cicatrices et une obturation de la lumière de ce canal. C'est pourquoi les médecins hésitent toujours avant de pratiquer la moindre intervention chirurgicale sur l'urètre. Et pourtant, l'homme persiste à y introduire un assortiment stupéfiant d'objets de toutes sortes. C'est ainsi que, au cours de mes années de pratique, il m'est arrivé de retirer du pénis de certains de mes patients une épingle de sûreté, un petit oignon, un bâtonnet de verre pour cocktails et une petite baguette de bois. Ils s'étaient inséré eux-mêmes ces objets dans la verge, dans l'idée saugrenue de lui donner plus de rigidité ou, plus souvent, d'en retirer une jouissance accrue. Quand on sait qu'un objet aussi souple et délicat qu'un mince cathéter de caoutchouc souple peut irriter et même blesser l'urètre, on ne saurait trop insister sur l'importance de ne rien insérer dans cet organe fragile. (J'ai même retiré des billes de verre qui avaient été implantées par chirurgie sous la peau du pénis pour augmenter le plaisir sexuel. Le client m'a assuré que cette technique était assez souvent utilisée en Asie.)

La prostate

Normalement, cette glande a un diamètre de 4 cm environ, une longueur de 2,5 cm et un poids de 20 grammes. Elle est grosse comme une noix de Grenoble et encercle l'urètre près du sphincter de la vessie.

Elle est formée de cellules glandulaires, de cellules musculaires, de cellules fibreuses, de vaisseaux sanguins et de nerfs et elle est enveloppée d'une couche de graisse. Les cellules glandulaires sécrètent un liquide important pour la survie des spermatozoïdes, mais la prostate n'a pas de fonction vitale et l'on peut très bien vivre sans elle.

À partir de la quarantaine environ, la prostate a tendance à prendre du volume et à comprimer l'urètre, ce qui réduit l'écoulement normal de l'urine. Cependant, elle peut atteindre le poids de 200 g sans arrêter complètement l'écoulement normal de l'urine. S'il n'existe pas d'autres problèmes, la taille de la prostate n'est pas à elle seule une raison suffisante pour opérer.

Les questions importantes à se poser sont les suivantes: est-ce que le patient trouve qu'il urine trop souvent, le jour comme la nuit? Est-ce qu'il trouve que le jet est trop faible et inconfortable? Est-ce qu'il a de la difficulté à sentir que sa vessie est bien vidée? Le patient peut se sentir mal à son aise même si sa prostate ne pèse que 100 ou même 30 g; par contre, la moitié des hommes de plus de 50 ans n'éprouvent aucune gêne.

La vessie

La vessie est un organe en forme de ballon situé dans le bas de l'abdomen, juste derrière les os du pubis. Lorsqu'elle est vide, elle s'affaisse et elle a alors la forme et les dimensions que prend un œuf cru hors de sa coquille. Lorsqu'elle est pleine d'urine, elle ressemble à un pamplemousse ou un cantaloup. La vessie reçoit l'urine des reins par deux canaux appelés uretères. Au point d'entrée des uretères, un clapet empêche le reflux de l'urine. Au fur et à mesure que la vessie se remplit, ses parois se relâchent et son volume augmente. Le cerveau ne reçoit encore aucun message et ne provoque aucune sensation. Cependant, lorsqu'elle est presque pleine, la vessie donne une sensation de plénitude et envoie alors un message conscient au cerveau. Les muscles de la vessie se contractent, le sphincter qui la fermait se relâche et la vessie se vide.

Si nous voulions essayer de construire une vessie avec des matériaux synthétiques, nous aurions à faire face à d'énormes problèmes de génie. Il nous faudrait fabriquer un sac qui, comme un sac de plastique, pourrait contenir de plus en plus de liquide sans que la tension de ses parois ne se modifie, mais qui, lorsqu'il serait presque à pleine capacité, se modifierait en un contenant à paroi sous tension qui pourrait se contracter pour évacuer l'urine. En somme, il nous faudrait obtenir un sac qui a les caractéristiques du plastique lorsqu'il est vide et celles du caoutchouc lorsqu'il est plein! De plus, la paroi interne de ce sac devrait être d'un matériau sur lequel ne se formerait aucune incrustation malgré les cristaux microscopiques que contient l'urine. L'humble petite vessie est un magnifique exemple des merveilles de la nature.

Le scrotum et les testicules

Le scrotum

Le scrotum, qu'on appelle aussi les bourses, est un sac qui contient les testicules et les organes qui leur sont associés. Il est formé de peau velue tapissée à l'intérieur d'une mince couche musculaire. Quand le muscle se contracte, le scrotum diminue de volume et repousse les testicules, qui remontent vers le pubis. Lorsque le muscle se relâche, les testicules retombent au fond du sac, s'éloignant ainsi du corps. Cette mobilité des testicules leur permet de se maintenir à une température inférieure d'environ 2 °C (4 °F) à celle du corps. Cette température plus fraîche favorise la production d'un sperme de bonne qualité. Le port d'un slip de nylon serré maintenant les testicules collés au corps augmente leur température et gêne la production du sperme. Il est préférable de porter des slips de coton pas trop serrés.

Il est normal que le testicule de gauche soit plus bas que celui de droite. Parfois, certains hommes me consultent parce qu'ils croient que leurs testicules devraient être symétriques. Je les rassure en leur disant que tel n'est pas le cas. Mais il peut arriver que ce soit le testicule de droite qui soit plus bas que celui de gauche. Ce phénomène indique une inversion de la position de certaines parties du corps: la pointe du cœur est tournée vers la droite et l'appendice est à gauche. Ce désordre anatomique, *situs inversus*, fait partie du syndrome de Kartagener, relié à certains problèmes pulmonaires. Heureusement, ce phénomène est très rare.

Les testicules

La taille du testicule varie normalement de la grosseur d'un jaune d'œuf à celle d'une grosse prune. La grosseur des testicules n'a rien à voir avec la virilité ou la fertilité, pas plus d'ailleurs qu'avec le poids ou la taille de l'individu correspondant. Avant la naissance, les testicules sont logés d'abord dans l'abdomen, au niveau des reins. Ils descendent progressivement, et, vers le huitième mois de la grossesse, on les retrouve attachés à la paroi externe du péritoine, au fond de la cavité abdominale. Au neuvième mois, ils sont rendus au fond du scrotum ayant entraîné avec eux le revêtement interne de la paroi abdominale. Cette partie du revêtement interne de la paroi abdominale, restée attachée à l'intérieur du scrotum, se vide de la partie de l'intestin qu'elle contenait et se ferme en se soudant en sa partie supérieure. Cependant, au cours des années, cette soudure peut éventuellement se rouvrir sous une pression quelconque, provoquant une hernie par laquelle une partie de l'intestin pourrait descendre dans le scrotum.

Les testicules renferment une grappe de tubes séparés par les tubes de Leydig. Les tubes de Leydig ont pour fonction de sécréter la testostérone, l'hormone mâle, laquelle se déverse, à ce niveau, directement dans le sang. Les testicules comprennent encore les cellules de Sertoli qui alimentent les cellules tubulaires des testicules. Ces cellules tubulaires fabriquent les spermatozoïdes. La transformation de la cellule tubulaire en spermatozoïdes s'effectue en un cycle de 70 jours. Les cellules tubulaires, les spermatogonées, se transforment en spermatocytes primaires, puis en spermatocytes secondaires. À cette étape, les chromosomes se divisent en deux pour former des spermatides qui, après avoir développé un filament en forme de queue vibratoire, deviennent enfin des spermatozoïdes. Comme on le voit, nous sommes ici en présence d'une autre des merveilles de la nature.

Les parties accessoires

L'épididyme

L'épididyme est un organe en forme de virgule étroitement accolé à la face postérieure du testicule, comme un ver sur son fruit. Il mesure environ 2,6 sur 1 cm. On y reconnaît trois segments appelés, de haut en bas, la tête, le corps et la queue.

Si l'on ouvre l'épididyme, on y trouve ce qui semble être un enchevêtrement de canaux très minces qui, en réalité, est un tube unique replié sur lui-même. Les spermatozoïdes y poursuivent leur maturation en y progressant depuis la tête jusqu'à la queue. Ceux que l'on retire de la tête n'ont aucune mobilité et sont peu susceptibles de fertiliser un ovule, tandis que ceux que l'on recueille à l'autre extrémité de l'épididyme sont complètement développés, donc mobiles et fertiles.

Le canal déférent

Le canal déférent est un canal qui, continuant l'épididyme, conduit les spermatozoïdes jusqu'à leur réservoir, la vésicule séminale. Il a l'épaisseur de la tige métallique d'un cintre et il mesure plus de 30 cm de longueur. La lumière de ce canal est extrêmement fine. Le canal déférent est constitué presque entièrement de muscles, ce qui en fait un cordon dur, que l'on peut sentir facilement sous la peau des bourses. Le canal déférent va de la queue de l'épididyme en remontant pour passer d'abord derrière la symphyse pubienne (les os du pubis), puis contourne la vessie pour enfin atteindre la vésicule séminale.

Les vésicules séminales

Les vésicules séminales sont des glandes de forme irrégulière, à peu près de la dimension d'une cigarette, situées au-dessus de la prostate, derrière la vessie. Elles sont rattachées au canal déférent par une structure en Y, de sorte qu'un canal unique, appelé canal éjaculateur, draine vers l'urètre à la fois le canal déférent et la vésicule séminale. Les vésicules séminales renferment les spermatozoïdes. Ces glandes sécrètent aussi un sucre semblable au sucre du fruit, le fructose, que l'on ne retrouve nulle part ailleurs dans le corps humain. C'est ce qui nous permet de dire immédiatement, dans le test de fertilité, que si l'éjaculat ne contient pas de fructose, c'est que le patient est né sans vésicule séminale et qu'il est donc stérile, sans possibilité de traitement. En théorie, on peut dire qu'au cours de son existence, le mâle produit et accumule dans ses vésicules séminales suffisamment de spermatozoïdes pour repeupler, en cas de catastrophe, la terre entière.

Comme, jusqu'à tout récemment, l'on ne pouvait, dans la bonne société, décemment parler des organes génito-urinaires, notre seule source d'information se réduisait aux commérages des vestiaires de gymnase et aux racontars.

C'est ainsi qu'on pouvait entendre des conversations telles que:

«Un tel m'a raconté qu'on pouvait devenir chauve si on se masturbait.

– Comment cela?

– Un copain lui a dit que c'est ainsi que son oncle est devenu chauve.»

Ce genre d'esprit peut être drôle dans un film pour adolescents, mais il n'est d'aucune aide pour apprendre à vivre avec son corps et à bien le soigner. Nous avons tous besoin d'informations sérieuses pour faire face aux changements et aux défis de la vie quotidienne.

Ce court survol de votre anatomie était nécessaire avant d'entreprendre l'étude plus poussée des divers problèmes que peuvent vous poser vos parties génitales.

CHAPITRE II

L'impuissance

L'aspect psychologique

Je reçois un patient retraité âgé de 66 ans, dont le visage est tanné comme celui d'un vieux matelot.

– Vous avez tant de patients qui vous attendent et je ne suis pas si mal qu'eux. Je ne devrais pas venir vous faire perdre votre temps... Mais c'est que ma compagne aimerait bien que je lui en donne beaucoup plus, commença-t-il à dire.

– C'est donc que vous n'êtes pas tout à fait fini, lui dis-je, sachant bien ce dont il voulait parler.

– Non, pas tout à fait, dit-il, mais ça tombe avant que j'aie le temps de faire quoi que ce soit.

– Je comprends.

– Honnêtement, je ne devrais pas me plaindre. J'ai eu ma part au cours de ma vie, et plus que ma part dans ma jeunesse. Mais c'est pour elle, vous comprenez. Elle fait tout ce qu'elle peut pour m'aider, bien sûr. Elle me frotte, me caresse, me suce, elle fait tout pour la relever. Elle a une poudre secrète qui m'aide bien un peu, mais je me demande si un docteur n'aurait pas mieux à m'offrir.

– Une poudre secrète? Est-ce quelque chose que vous faites fondre dans votre boisson?

– Oh non! C'est pour la saupoudrer. Ça pique et ça brûle un peu, mais, comme je disais, ça aide.

– Je n'ai jamais entendu parler d'une préparation pareille, lui dis-je.

– Pas vrai! Voulez-vous la voir?

– Vous l'avez sur vous?

Il ne répondit rien, mais se mit à fouiller dans ses poches avec précaution et mystère. Il en sortit une enveloppe tout usée, liée par une bande élastique. Il ouvrit l'enveloppe avec précaution. J'avais le sentiment d'être complice d'une conspiration quelconque. C'était comme s'il allait me montrer de l'opium ou un bijou volé. Je me sentais tout drôle. Il poussa l'enveloppe vers moi.

– Puis-je regarder? lui demandai-je, tendant déjà la main vers cet objet magique.

Il me passa l'enveloppe, toujours en silence, mais l'air déjà triomphant.

C'était une poudre grossière et jaunâtre, tachetée de petits grains vert foncé. Je l'examinai de près, puis la portai à mon nez. Je reconnus l'odeur immédiatement. Il me prit une envie de sourire que je réprimai aussitôt avec peine.

– Eh bien! si ça aide, il ne faut pas la jeter, dis-je en lui remettant son bouillon de poulet déshydraté, où l'on distinguait aisément des flocons de persil...

Je lui fis subir un examen complet et lui prescrivis une série d'examens cliniques. Il ne prenait aucun médicament spécifique contre l'impuissance, il avait des sensations normales dans les parties génitales et le taux d'hormones de son sang était aussi normal. Mais les tests démontrèrent que la pression sanguine du pénis était trop basse, ce qui pouvait expliquer son impuissance. Cependant, il avait plutôt bien réagi à la «poudre secrète», ce qui démontrait, dans son cas, la puissance de l'imagination.

En général, la plupart des cas d'impuissance (jusqu'à 90 %) sont d'origine psychologique, souvent attribuables à la tension nerveuse provoquée par la vie moderne. Nous sommes souvent stressés. Le succès matériel et les prouesses sexuelles sont des préoccupations constantes. Nous subissons un véritable assaut d'excitations sexuelles, tant par les messages publicitaires de la télé que par les panneaux d'affichage et la publicité des revues. Bref, la réussite est souvent associée aux réalisations financières et sexuelles. Il n'est pas surprenant alors que le prototype de nos patients qui souffrent d'impuissance soit l'homme d'affaires qui a très bien réussi financièrement, mais que le stress a tiré de son confort matériel pour le réduire à l'impuissance sexuelle. En fait, on constate à peu près partout que 90 % des PDG des grandes sociétés souffrent d'impuissance.

Il arrive que des patients se plaignent d'être impuissants avec certaines partenaires et pas avec d'autres. Ce type d'impuissance est manifestement provoqué par une carence du sentiment amoureux. Mais les causes inhibitives profondes ne sont pas toujours aussi claires et il importe alors souvent d'identifier et de neutraliser ces inhibitions.

Les psychiatres s'occupent surtout des patients suicidaires, déprimés ou schizophréniques. L'urologue se consacre surtout aux cas de chirurgie. C'est ce qui explique pourquoi les autres problèmes d'ordre psychosexuel, tels que l'éjaculation précoce, la difficulté d'éjaculer à l'intérieur du vagin et certains types d'impuissance, sont devenus le domaine du sexologue.

La sexologie est une discipline relativement nouvelle; sa thérapie de base, la sensibilisation progressive, a été inventée et mise au point par Masters et Johnson. Elle implique que le patient et sa partenaire acceptent de s'engager dans un programme de sensibilisation progressive commençant par des touchers non génitaux. On encourage le couple à axer ses activités uniquement au niveau de ses sensations d'ordre général à l'exclusion des sensations sexuelles et à s'arrêter dès que cet exercice crée de l'anxiété chez l'un ou l'autre des partenaires. Graduellement, ils en arrivent à la masturbation mutuelle, puis au coït. S'ils suivent le traitement classique de Masters et Johnson dans toute sa rigueur, ils vont subir une thérapie intensive de deux semaines, avec deux thérapeutes spécialisés, l'un masculin, l'autre féminin. Mais ce n'est pas dans toutes les villes que l'on peut trouver de telles cliniques. La plupart des sexologues pratiquent seuls, à raison d'une séance par semaine au mieux, et souvent l'entrevue n'a lieu qu'avec le seul patient. Le sexologue utilisera des textes érotiques, des rubans vidéo et des techniques de relation d'aide. Ceux à qui j'ai référé des patients me disent qu'ils obtiennent souvent des résultats satisfaisants lorsque le patient est très motivé, qu'il a une partenaire coopérative qui accepte de se présenter, pour une série d'interviews, en sa compagnie. Il est important de bien s'assurer que le sexologue est un psychologue reconnu et qu'il a acquis une spécialisation dans des centres tels que ceux établis par Masters et Johnson.

Comment déterminer si l'impuissance s'apparente à une cause psychologique ou physiologique? Il existe trois catégories principales de dysfonction physiologique. Elle peut être d'origine circulatoire, hormonale ou neurologique, et il faut éliminer ces trois possibilités avant de décider que le problème du patient est d'ordre psychologique.

L'impuissance due à une faiblesse de la circulation sanguine

Le premier point que je vérifie chez le patient est la tension sanguine dans son pénis. Il arrive que le petit vaisseau qui amène le sang au pénis soit bloqué par un caillot ou par une plaquette de sang par suite du durcissement de cette artère. Dans un pareil cas, il n'y a pas de danger de gangrène, comme ce pourrait être le cas pour une jambe, ni d'infarctus (mort du tissu causée par une insuffisance de sang), comme ce pourrait être le cas pour le cœur, le poumon, le rein ou le cerveau. La circulation sanguine est suffisante pour maintenir le pénis en vie, mais pas assez pour susciter l'érection.

Dans un pareil cas, le patient souffre d'impuissance totale, sans même d'érection matinale, mais sa libido (désir sexuel) est intacte. Il arrive souvent que ce patient souffre de troubles circulatoires dans d'autres parties de son organisme. C'est ainsi qu'il a pu subir déjà des accidents cardiaques ou vasculaires ou encore qu'il souffre d'hypertension, de diabète ou d'un taux élevé de cholestérol.

Il existe un examen particulier pour obtenir un diagnostic d'impuissance pour cause de trouble circulatoire. Il s'agit de l'analyse du flot sanguin par la méthode Doppler. Dans ce test, on utilise des ultrasons qui se répercutent sur les globules rouges de la même façon que le fait le sonar pour détecter des objets au fond de l'eau. On obtient un dessin qui varie selon la densité des globules rouges dans le sang. On compare alors ce dessin avec celui qu'on a obtenu du bras ou de la jambe qui a subi le même test. Si le nombre de globules rouges est nettement inférieur dans le pénis, cela indique que le patient souffre de troubles circulatoires.

Toutefois, les résultats de l'examen Doppler dépendent beaucoup de la façon dont il est effectué. La mise en place de la sonde et l'angle qu'elle fait avec le flot sanguin peuvent modifier les résultats. De plus, le flot sanguin mesuré peut être celui des vaisseaux sanguins secondaires plutôt que celui de l'artère principale, la seule véritablement importante. Une technique récente, appelée Couleur Doppler, permet de distinguer le flot artériel du flot veineux mais cet examen exige qu'on injecte dans le pénis du patient un médicament qui provoque l'érection.

Une autre façon d'analyser la circulation sanguine consiste à injecter un liquide spécial dans l'artère. C'est ce que l'on appelle l'artériographie et c'est l'examen que l'on fait subir au patient avant l'opération du pontage coronarien. C'est aussi ce type d'examen que l'on fait subir au patient avant de décider si une artère obstruée de la jambe doit être remplacée par une artère synthétique. Le liquide injecté dans l'artère est un fluide incolore que les rayons X détectent comme ils le font pour les os. Ordinairement, on hésite à utiliser cet examen sur le pénis parce qu'il y a danger que l'aiguille déplace les plaquettes obstruantes, qui iraient se loger ailleurs pour obstruer de nouveau la circulation. Aussi, on ne l'utilise que pour les patients jeunes qui n'ont rien au cœur mais qui ont reçu une blessure susceptible d'avoir endommagé l'artère du pénis. C'est le type de patients que la microchirurgie peut aider. Nous leur faisons donc une artériographie pour localiser l'obstruction. Quand cela est fait, la situation peut être corrigée par la technique que l'on emploie pour effectuer le pontage cardiaque. (Dans le pontage cardiaque, on prélève une partie d'une veine de la jambe. On en coud une extrémité à la partie saine de l'artère en bas de l'obstruction et l'autre extrémité à l'artère, en haut. Cela permet de rétablir la circulation sanguine en contournant le point obstrué.) Dans le cas de la revascularisation ou pontage de la verge (rétablissement de la circulation sanguine de la verge), la difficulté technique est bien plus grande parce que les vaisseaux sanguins sont beaucoup plus fins que dans la région cardiaque. Or, il existe dans le bas-ventre une artère qui va de l'aine à l'abdomen et qui n'est pas essentielle au bon fonctionnement de l'organisme. On la détourne de l'abdomen vers la verge et on la coud à l'artère du pénis, ce qui augmente le flot sanguin à l'intérieur du pénis. Ces vaisseaux sanguins sont si fins que l'on doit opérer sous microscope (c'est-à-dire par microchirurgie).

Il existe une autre technique, moins courante, qui est encore au stade de l'expérimentation. Il s'agit de ligaturer certains des vaisseaux par lesquels le sang se retire de la verge. Cette dernière perd moins son accumulation de sang (accumulation qui crée et maintient l'érection) et l'on espère, par ce moyen, atténuer l'impuissance du patient. Cette méthode a été mise au point par le Dr R. Virag, de France.

Ceux qui ont utilisé cette méthode ont fait état de résultats variables. La circulation veineuse s'adapte à toute interruption en créant rapidement de nouveaux vaisseaux et je ne m'étonne pas que des résultats satisfaisants à court terme le soient moins à long terme.

L'impuissance due à la déficience hormonale

Les hormones sont des substances sécrétées par les glandes et qui se déversent directement dans la circulation générale. Elles affectent notre état physique et mental. Quand le taux de testostérone (l'hormone mâle) est trop bas, on constate souvent chez le patient une perte de libido et un début d'impuissance. Mais on ne peut pas toujours présumer que la perte de libido soit due à une déficience hormonale, ni que la baisse du niveau de testostérone dans l'organisme causera toujours une perte de libido. J'ai connu des patients qui n'avaient plus de testostérone, puisque l'on avait dû amputer leurs testicules pour contrôler le cancer de leur prostate. Pourtant, ils jouissaient d'une libido totale. Il est probable que ces patients deviendront impuissants un jour ou l'autre, mais comment se fait-il qu'ils puissent encore avoir des érections? Cela reste un mystère.

Ce sont les testicules qui sécrètent la testostérone, de même que, pour une très petite part, la glande surrénale. Il n'est pas nécessaire que le testicule soit gros et ferme pour produire de la testostérone normale. Des testicules tout ratatinés sont peut-être incapables de produire des spermatozoïdes, mais ils peuvent très bien produire des hormones.

On ne sait pas très bien à quel âge ni pour quelle raison les testicules cessent de sécréter de la testostérone s'ils n'ont pas été blessés ou amputés. On ne connaît pas, chez l'homme, d'équivalent à la ménopause de la femme. Cependant, quand cesse la production de la testostérone, on peut la remplacer par des injections périodiques. On peut alors rétablir le potentiel sexuel normal par l'injection intramusculaire de 200 mg de Delatestryl, toutes les quatre semaines.

Les pilules de testostérone n'ont pas connu une grande popularité à cause des dommages qu'elles peuvent causer au foie. On a récemment introduit sur le marché une pilule appelée undécanaote de testostérone (Andriol) sans nocivité pour le foie et qui a été longuement testée en Europe. La dose prescrite est de trois pilules de 40 mg par jour. Le coût mensuel est toutefois beaucoup plus élevé que celui d'une injection.

L'impuissance due à des troubles du système nerveux

Le diabète et certaines affections du système nerveux de la région génito-urinaire peuvent provoquer l'impuissance. Dans de pareils cas, l'impuissance s'accompagne souvent d'autres affections, comme une dysfonction de la vessie ou des intestins, par exemple. Le patient peut aussi subir une perte de sensibilité dans la région génito-urinaire. Le sphincter anal est souvent amorphe et le réflexe bulbo-caverneux n'agit plus (il s'agit du réflexe qui contracte l'anus quand on pince le gland ou le clitoris).

L'impuissance liée au système nerveux est accompagnée d'autres symptômes. Elle est toujours due à une lésion du système nerveux. Mais le système nerveux peut présenter des anomalies sans qu'il y ait impuissance. Il est vraiment fascinant de rencontrer certains patients atteints de paraplégie (c'est-à-dire paralysés du tronc jusqu'au bout des pieds) qui ne sont pas impuissants. Leur érection provient d'une excitation purement cérébrale puisqu'ils n'éprouvent aucune sensation au niveau du pénis. Et pourtant, ils ont une véritable érection, ils sont capables d'avoir un orgasme, d'éjaculer et de procréer. Cela s'explique par le fait que la liaison nerveuse de la moelle épinière avec le pénis est intacte même si la liaison nerveuse du cerveau avec la moelle épinière est coupée. Mais lorsque la liaison nerveuse du pénis avec la moelle épinière est atteinte, il y a impuissance.

Cette rupture de liaison est souvent la conséquence d'interventions chirurgicales, comme l'ablation totale d'une prostate cancéreuse. Il est difficile d'expliquer pourquoi elle peut se produire lors d'une simple excision du tissu prostatique interne. On croit que la rupture pourrait être causée par le galvanocautère utilisé pour contrôler l'hémorragie.

L'impuissance due aux médicaments

Les médicaments prescrits contre la tension artérielle, les désordres psychiques et l'anxiété provoquent souvent l'impuissance. C'est aussi le cas pour la nicotine et l'alcool. La nicotine resserre les capillaires et l'alcool atténue les sensations, y compris les sensations sexuelles. Quiconque peut établir une relation entre le début de ses signes d'impuissance et le moment où il a commencé à prendre de nouveaux médicaments devrait en parler à son médecin. Il n'est pas à conseiller de cesser de prendre ses médicaments. On peut cependant modifier la médication ou trouver des substituts moins nocifs.

Si vous êtes sous prescription médicale mais sans problèmes d'érection, vous pouvez vous dispenser de lire les quatre prochains paragraphes. Mais si vous devez prendre de nouveaux médicaments et si vous avez des problèmes d'érection, vous pourriez trouver avantage à lire la liste qui suit. J'y ai identifié les remèdes par leur nom générique suivi de leur marque de commerce, entre parenthèses.

Médicaments pour le traitement de l'hypertension

Cinq pour cent des patients qui prennent de l'hydrochloro-thiazide (HydroDiuril, Esidrix, Neo-Codema), de l'acide éthacrynique (Edecrin) ou du furosémide (Laxis) se plaignent de souffrir d'impuissance; un peu plus de 20 % des patients qui prennent de la spironolactome (Aldactone) se plaignent d'un manque d'appétit sexuel et d'impuissance; avec le méthyldopa (Aldomet), 10 à 15 % souffrent d'impuissance si la dose est inférieure à 1 g par jour, 20 à 25 % en souffrent si la dose est de 1,5 g et 50 % si la dose est de 2 g par jour; la guanéthidine (Ismelin), si la dose est supérieure à 25 mg par jour, provoque des éjaculations tardives chez 50 à 60 % des patients, tandis que 60 % d'entre eux se plaignent d'un manque d'appétit sexuel et que 10 % se plaignent d'impuissance; l'hydralazine (Apresoline), prise à des doses de plus de 200 mg par jour, peut provoquer, dans 5 à 10 % des cas, une diminution de l'appétit sexuel et l'impuissance; le propranolol (Inderal) à fortes doses, soit quelque 160 mg par jour, peut causer l'impuissance; quant à la clonidine (Catapres), elle provoque une diminution de l'appétit sexuel ainsi que l'impuissance dans 10 à 20 % des cas.

En plus des diurétiques et des bêtabloquants utilisés pour traiter l'hypertension, il existe deux nouveaux types de médicaments, les bloquants du canal calcique (Adalat, Cardizem) et les inhibiteurs de l'ACE (enzyme de conversion de l'angiotensine) (Vasotec, Capoten) qui contrairement aux deux premiers types ne sont pas associés à l'impuissance.

Médicaments antipsychotiques

Parmi les médicaments utilisés pour traiter les maladies psychotiques, l'halopéridol (Haldol) peut être cause d'impuissance dans 10 à 20 % des cas; les inhibiteurs de la MAO (Marplan, Nardil, Parnate) entraînent l'impuissance dans 10 à 15 % des cas et retardent l'éjaculation dans 25 à 30 % des cas; les antidépresseurs tricycliques tels que l'imipramine (Tofranil) et l'amitriptyline (Elavil) peuvent causer l'impuissance chez 5 % des patients; quant au lithium (Lithane), il n'affecte qu'un très petit pourcentage de patients.

Comprimés sédatifs

Des comprimés tels que le diazepam (Valium, Vivol) et autres médicaments similaires peuvent stimuler ou diminuer l'appétit sexuel et même être cause d'impuissance, dans certains cas, si on les prend à trop fortes doses.

Médicaments divers

Parmi les médicaments qui peuvent perturber l'activité sexuelle, on signale notamment la cimétidine (Tagamet) prescrite pour le traitement des ulcères d'estomac; le clofibrate (Atromid-S) prescrit pour abaisser le taux de cholestérol; la digitaline (Lanoxin) essentielle pour le traitement des malaises cardiaques; les antihistaminiques (Bénadryl, Chlor-Tripolon) pour traiter le rhume des foins et autres allergies ainsi que les anticholinergiques (Pro-Banthine) administrés pour inhiber la suractivité de l'intestin ou de la vessie.

Le traitement

Je traite les patients qui me sont référés pour impuissance de la même façon que les autres. Je note leur histoire clinique et je leur fais subir un examen général. Après l'examen, je suis en mesure de diagnostiquer si l'impuissance du patient est d'ordre psychologique ou physique ou encore si elle est causée par une combinaison des deux. Il me restera ensuite à confirmer ou infirmer mon diagnostic par une série de tests.

Si je juge que la cause de l'impuissance est d'ordre psychologique, je réfère mon patient à un sexologue. Quant aux autres patients, je leur fais subir une prise de sang pour mesurer leur taux de testostérone et de sucre et je les envoie subir une analyse du flot sanguin par la méthode de Doppler. En attendant les résultats des tests, je prescris aux patients des comprimés de yohimbine, à 8 mg (4 comprimés) par jour, en augmentant jusqu'à 16 mg par jour. La yohimbine est maintenant disponible en comprimés de 5,4 mg. Je prescris trois comprimés par jour pendant une semaine, avec possibilité de renouvellement pendant un an. J'avertis mes patients que ces médicaments ne sont pas des hormones, ni des placebos, en ajoutant qu'ils sont sans danger et qu'ils semblent aider un patient sur trois ou quatre. Je leur conseille de cesser cette médication s'ils ressentent des effets secondaires désagréables, ajoutant qu'ils ne devraient pas s'attendre à des résultats sensibles avant d'atteindre la dose de 16 mg par jour.

Si les comprimés de yohimbine n'ont pas d'effet, je suggère aux patients d'essayer pendant un mois le dezyrel (Trazodone), un médicament utilisé dans le traitement de la dépression. Si ce dernier n'a pas non plus d'effet, je procède à des injections dans le pénis de médicaments vasoactifs. Presque tous les patients qui n'ont pas de résultats avec les comprimés choisissent de suivre ce traitement.

Certains médicaments qui provoquent l'érection (prostaglandine El, papavérine, phentolamine et atropine) sont maintenant disponibles. Dans certains cas plus graves, un mélange de quelques-uns ou de tous ces médicaments peut être utilisé.

Je prescris délibérément une petite dose de prostaglandine El (Prostin VR) quand il s'agit d'une impuissance d'ordre neurologique et une dose plus forte dans le cas d'une impuissance d'ordre circulatoire. La petite dose peut être de 0,1 ou de 0,4 ml. Le médicament est injecté directement au milieu de la verge, en utilisant une aiguille très fine. C'est une piqûre peu douloureuse. L'érection survient au bout d'environ 10 minutes, et peut durer de trente minutes à deux heures. Il s'agit ensuite de doser l'injection selon les résultats acquis après cette première séance. On apprend alors au patient à préparer les injections et à se les administrer lui-même.

La prostaglandine El se vend en capsules de 2 ml qui contiennent 50 mg par ml. Ce médicament doit être gardé au réfrigérateur.

La papavérine se vend en capsules de 2 ml, qui contiennent 65 mg du médicament et la phentolamine, en sachet de 5 mg de médicament en poudre que l'on liquéfie avec de l'eau distillée. Pour la première injection, je prescris un sixième de l'enveloppe ajouté à un sixième de l'ampoule. Au Canada, la papavérine se vend moins de 2 $ l'ampoule, mais la phentolamine peut coûter jusqu'à 20 $. Aussi, si cela est trop cher pour le patient, je lui prescris la papavérine seule, mais cela donne un résultat moins satisfaisant: des érections qui durent plus de six heures et des problèmes de cicatrisation au point d'injection se produisent plus souvent avec la papavérine qu'avec la prostaglandine El.

J'ai utilisé ce traitement par injection dans des cas d'impuissance due au diabète, d'impuissance psychologique et d'impuissance due à des troubles du système nerveux suite à l'ablation d'une vessie ou d'une prostate cancéreuses. Même si les doses requises sont très variables, les traitements donnent d'excellents résultats. Je me souviens encore du tout premier patient que j'ai traité par injection de médicaments dans le pénis. C'était un intellectuel, intelligent et rationnel, et il ne pouvait pas comprendre comment une injection qui durait une minute pouvait revitaliser un organe qui n'avait pas fonctionné pendant plus de dix ans. Lorsque l'érection se produisit, des larmes de joie lui montèrent aux yeux et coulèrent le long de ses joues. J'étais très ému et je rendis silencieusement hommage au Dr Brindly, le médecin britannique initiateur de ce traitement. Les médicaments érecteurs étaient utilisés depuis longtemps avant d'être approuvés au Canada et aux États-Unis. La prostaglandine El, produite sous forme de poudre par la compagnie pharmaceutique Upjohn et appelée alpostradil, est maintenant approuvée aux États-Unis. Le médicament que produira Upjohn n'aura plus besoin d'être réfrigéré et comme la poudre sera dissoute dans une solution saline plutôt que dans l'alcool, le médicament sera moins irritant. Il sera appelé Caverject et sera disponible en capsules de 20 mg. Son prix n'a pas encore été annoncé.

Le traitement par injection ne réussit pas toujours ou encore certains patients refusent les injections. Dans ce dernier cas, certains refusent aussi tout autre traitement supplémentaire. D'autres insistent pour recourir à la technique de la pompe à vide ou à l'implant pénien.

Technique de la pompe à vide

La pompe à vide, inventée par un ingénieur, est basée sur la loi élémentaire de physique: la nature a horreur du vide. Si vous retirez l'air d'un vase clos, quelque chose essaiera de prendre sa place. Si un pénis au repos est inséré dans un cylindre conçu pour l'encercler hermétiquement et si une pompe aspire l'air du cylindre, le sang viendra gonfler le pénis. Lorsqu'il y a suffisamment de sang pour que le pénis soit en érection, un genre de tourniquet glisse le long du cylindre et vient encercler la base du pénis pour y retenir le sang. On arrête alors la pompe et le cylindre est retiré. Il est recommandé de ne pas laisser le tourniquet pendant plus de trente minutes. Des pompes à vide manuelles, médicalement approuvées, se vendent environ 300 $. Les pompes à piles valent environ 500 $. On peut trouver dans les boutiques de sexe des pompes moins sophistiquées mais dont l'efficacité est satisfaisante. Elles se vendent environ 75 $.

Un des avantages de la pompe à vide, c'est que son utilisation sur une base régulière peut augmenter le flot sanguin. Il y a de nombreux cas de puissance retrouvée grâce à cet appareil.

Les implants et les prothèses

Pour l'impuissant qui a tout essayé, il reste toujours une solution: la prothèse pénienne. L'idée d'introduire dans la verge une tige rigide qui peut corriger la mollesse de l'organe n'est pas tellement surprenante si l'on sait que la nature a muni la verge de certaines créatures, comme le chien ou la baleine, d'un os intérieur. Cependant, certaines expériences d'introduction d'un os dans la verge de l'homme ne se sont pas révélées très concluantes parce que cet os avait tendance à blesser la verge et même à traverser la peau de l'organe. On utilisait, pour ces expériences, un tronçon de côte.

Ce n'est qu'avec l'invention du silastique, composé de silicone et de caoutchouc, qu'on en est arrivé à créer une prothèse pénienne acceptable. C'est un matériau tellement inerte qu'il ne provoque pas de cicatrisation autour de lui, comme le ferait normalement tout autre corps étranger introduit au sein des tissus de la verge. Formé d'un réseau serré de cellules fibreuses, tout comme les tendons musculaires, il peut être utilisé pour la fabrication d'une tige rigide dont on peut faire une prothèse pénienne fort acceptable. La première prothèse ou implant de silastique (qu'on a nommée la prothèse de Small et Carrion, du nom des deux médecins qui l'ont mise au point en 1973) était une tige rigide que l'on introduisait dans l'un des trois corps caverneux formant la verge. Elle connut un immense succès dès son invention, mais elle donnait une érection permanente qu'il était difficile de dissimuler. Cependant, la plupart des patients arrivaient à s'en tirer en attachant leur pénis à leur abdomen, après usage, avec une ceinture quelconque.

Depuis lors, de nouvelles générations de prothèses ont envahi le marché. De toutes, c'est la «flexi-tige de Finney» que je préfère et que je prescris le plus souvent. Cette prothèse de silastique comporte une petite section souple qui permet à la verge de pendre de façon normale. Avant le coït, le pénis est relevé par l'un ou l'autre des partenaires selon l'angle voulu. Il est maintenu par les parois du vagin dans la position désirée et il peut ainsi offrir aux partenaires la rigidité souhaitée.

IMPLANT À FLEXI-TIGE

Implant

Corps caverneux

Urètre au sein du corps caverneux

IMPLANT GONFLABLE

Réservoir

Pompe

D'autres prothèses contiennent de minces tiges d'argent pour qu'on puisse donner à la verge l'angle désiré. Il en existe encore d'autres auxquelles je peux donner la grosseur et la longueur voulues, au cours de l'opération même. Il suffit de peler le nombre de couches de silastique nécessaire pour obtenir la grosseur désirée et de tailler la tige à la longueur voulue. La prothèse à grand angle variable, fabriquée par Mentor, est sans doute actuellement la plus utilisée.

Divers autres modèles de prothèses permettent au pénis de demeurer flasque, et elles ont la propriété de se gonfler au moment voulu pour rendre le pénis rigide. Le corps de ces prothèses est un cylindre souple et vide, relié par des tubes à un réservoir d'eau que le médecin fixe, chirurgicalement, dans le bas de l'abdomen. Il place dans le scrotum une petite pompe à main qui permet d'aspirer l'eau pour remplir la verge et la faire gonfler. Une valve à clapet permet de la vider pour lui redonner sa souplesse. Ce n'est pas, cependant, un système à toute épreuve: il arrive que les tubes coulent, ou que les valves fassent défaut, ou encore que le cylindre de la prothèse se remplisse de façon irrégulière en formant des bosses.

Les dernières versions de la prothèse gonflable comportent leur propre pompe. On n'a plus besoin d'en installer une dans le scrotum. En pressant un certain point de la prothèse, on déclenche un mécanisme qui fait passer le liquide du réservoir dans le corps de la prothèse ou qui la vide, créant ainsi la rigidité du pénis en lui redonnant sa souplesse, selon le cas. Mais certaines acrobaties sexuelles, dit-on, peuvent lui faire perdre sa rigidité.

On verra certainement apparaître sur le marché des modèles encore plus perfectionnés, mais les prix ne cessent d'augmenter. La prothèse autogonflable, par exemple, se vend environ 3 000 $ US.

Au cours de ma carrière, j'ai implanté une centaine de prothèses de toutes sortes et il ne m'est arrivé qu'une fois de me faire demander d'en retirer une. Il s'agissait d'un patient qui, devenu veuf, était convaincu de ne plus en avoir besoin.

Ceux qui retrouvent leur pouvoir d'érection, ou leur virilité si l'on préfère, par l'implantation d'une prothèse éprouvent un plaisir sexuel normal et ils ont aussi un orgasme avec éjaculation. En d'autres termes, la prothèse n'est pas un simple appareil conçu pour satisfaire une partenaire ou pour redonner au mâle son sentiment de puissance. J'ai eu des patients qui, grâce à leur prothèse, ont pu devenir pères. Certains n'avaient pas perdu tout à fait leur virilité. Dans certains cas, rarement il est vrai, la rigidité que procure la prothèse peut en être augmentée. Les patients sont presque toujours fort satisfaits de leur implant.

L'opération de l'implantation

On peut installer la prothèse pénienne en moins d'une heure. C'est une opération relativement mineure. Elle se fait souvent sans hospitalisation. Quant à moi, je préfère hospitaliser mes patients. Pour introduire la prothèse dans la verge, j'ai expérimenté des incisions cutanées à divers endroits: à la base du pénis, ou derrière le scrotum, ou encore la circoncision, et j'ai finalement trouvé qu'une incision de 2,5 cm dans la peau le long du pénis, au point de jonction avec le scrotum, procure la meilleure porte d'entrée. Je pratique l'incision dans la peau de la verge et je retire toute la graisse qui s'y trouve pour exposer nettement l'épaisse enveloppe du corps caverneux. Je pratique ensuite dans cette enveloppe une incision par laquelle j'introduis un dilatateur métallique dans la verge, ce qui se fait facilement parce que le tissu du corps caverneux est spongieux. Ceci fait, je peux facilement y insérer la prothèse et en retirer le dilatateur. Puis je recouds, comme pour toute autre incision. La seule différence, c'est que j'utilise une généreuse dose de solution antibiotique pour laver l'ouverture pratiquée dans le corps du pénis aussi bien que pour stériliser l'incision de la peau, afin d'éloigner tout risque d'infection. Le cathéter que j'ai inséré dans l'organe au début de l'opération y est laissé pour la nuit. La douleur et le malaise causés par l'opération varient considérablement selon les patients, mais en général, ces derniers doivent être sous médication de calmants pour une période de deux à huit semaines. Lorsque la douleur est disparue, le patient n'éprouve plus aucun malaise. Il peut tenter d'avoir des relations sexuelles après deux semaines, mais la plupart des patients ne sont pas prêts pour cet exercice avant huit semaines environ. Mais après deux semaines, il n'y a plus guère de risque de rouvrir la plaie causée par l'opération ou d'abîmer la prothèse. La plupart des patients, cependant, hésitent à avoir des relations avant de se sentir tout à fait à l'aise. Mes patients reçoivent ordinairement leur congé de l'hôpital après un à trois jours.

Au début, quand j'effectuais une implantation pénienne, j'étais toujours assuré de recevoir la visite de collègues curieux d'assister à ce nouveau type d'opération. Je me souviens même d'une collègue anesthésiste qui n'a pas hésité à m'expliquer sa curiosité en me disant: «On ne sait jamais quand mon mari pourra avoir besoin d'un de ces objets!» Mais, maintenant, l'implantation est devenue une opération de routine et je n'ai plus autant de visiteurs.

Les boutiques de sexe (ou *sex-shops*)

Les boutiques de sexe (les *sex-shops*) et autres marchands qui se spécialisent dans la vente par la poste offrent tout un assortiment d'objets qui n'ont guère d'effet pour rétablir la virilité perdue, que ce soit le ginseng, la mouche espagnole, la vitamine E, le zinc ou encore diverses préparations à base de vitamines multiples.

Les *cock rings* et les appareils à succion peuvent aider certains demi-impuissants. Le *cock ring* agit comme le tourniquet (ou garrot). On l'applique à la base du pénis pour maintenir une érection qui menace de fléchir. C'est un anneau que l'on glisse au pénis déjà en érection et qui, en comprimant les vaisseaux sanguins, conserve le sang dans la verge pour en maintenir l'érection. On peut faire face à divers problèmes s'il est laissé trop longtemps sur le pénis. On s'accorde à dire qu'on ne doit pas le laisser en place plus d'une demi-heure.

Aux patients qui ne peuvent pas maintenir une érection, je conseille d'encercler d'un élastique la base du pénis. Si cette technique donne de bons résultats, je leur recommande de se procurer un *cock ring* dans une boutique de sexe.

Le sexe après soixante ans

Nous savons tous que les adolescents peuvent avoir une érection et éjaculer avec un minimum de stimulation et avoir une autre érection quelques minutes plus tard. Chez l'homme de soixante ans ou

à peu près, l'érection peut être moins rigide et il peut passer plusieurs jours avant qu'une autre érection se produise.

Le sexe après soixante ans a toujours été un sujet tabou. Lors
de ses premières recherches, dans les années 40, Alfred Kinsey n'a
pas exploré la vie sexuelle des hommes et des femmes de plus de
soixante ans. Dans les années 70, lors de leurs collectes d'informations sur les comportements sexuels, Masters et Johnson ont aussi
négligé ce sujet. Cette timidité, cette modestie, voire cette répu-
gnance relevaient sans doute du respect dû aux personnes âgées.
Mais les temps ont changé et le sujet n'est plus tabou.

En 1992, le père Andrew Greely a fait rapport des résultats
d'un sondage qu'il avait effectué auprès de plus de six mille hommes et femmes de plus de soixante ans vivant à Chicago.
Trente-sept pour cent des couples avaient des rapports sexuels une
fois par semaine et 16 %, plus d'une fois par semaine. J'ai déjà fait
état de ces données, lors d'un congrès et le président d'assemblée,
d'origine turque, les a commentées en disant qu'elles ne pouvaient
pas s'appliquer aux Turcs qui étaient sexuellement beaucoup plus
actifs. Une congressiste fit alors la remarque suivante:

– Je crois que je vais penser sérieusement à m'installer en
Turquie lorsque je prendrai ma retraite.

Rien de tel que les prouesses sexuelles pour animer les conversations au cours d'un congrès.

Dans la première édition, j'avais affirmé (et je l'affirme encore
ici) que 90 % des présidents de conseil d'administration souffraient
d'impuissance. Mon éditeur canadien a effectué un sondage auprès
des PCA de cent compagnies à travers le pays pour connaître leurs
réactions. Les réponses allaient de «...est plein de m...», «c'est un
libelle diffamatoire», «c'est tout à fait possible» à «je suis heureux de
vous informer que je fais partie du dix pour cent».

Y a-t-il un peu de vrai dans l'énoncé suivant? «Moins tu t'en
sers, plus tu la perds!» Il y a là beaucoup de vrai. Les hommes qui
sont continents pendant une longue période perdent leur

puissance. Les femmes sexuellement inactives développent des contractures du vagin, voient leur lubrification diminuer et peuvent éprouver des douleurs lors du coït.

Il y a des différences entre la sexualité des personnes âgées et celle des adultes plus jeunes. Chez l'homme âgé, l'érection est moins forte, elle exige une stimulation physique plus directe pour se produire et se maintenir, il faut plus de temps pour atteindre à l'orgasme et plus de temps pour parvenir à une autre érection. Chez la femme âgée, le manque d'œstrogène* rend la peau du vagin plus mince et plus tendue, ce qui provoque une surexposition du clitoris, causant ainsi une diminution de la sensibilité ou des picotements et des démangeaisons. La femme ménopausée perd-elle son appétit sexuel parce que ses ovaires ne produisent plus d'œstrogène et de protestérone? Pas réellement, parce que l'hormone qui contrôle l'appétit sexuel, autant chez l'homme que chez la femme, est la testostérone.

Je me préoccupe peu de l'âge des patients que je dois traiter, mais comme les médicaments oraux sont rarement efficaces chez les hommes âgés, je ne m'occupe même pas de leur en prescrire. L'injection est le traitement le plus courant et le médicament utilisé est une combinaison de prostaglandine El, de papavérine et de phentolamine. Viennent ensuite dans l'ordre les pompes à vide et les implants péniens.

Questions et réponses

• **Lorsque j'ai une érection, je suis incapable de la maintenir. Que puis-je faire?**

Chez les jeunes adultes, ce problème est presque toujours d'ordre psychologique et un sexologue peut s'avérer fort utile. Chez les hommes âgés, ce problème est beaucoup plus fréquent. Selon certains experts, ce problème vient d'un drainage veineux excessif, et ils recommandent la ligature de certaines veines du pénis. Ce

---

* On écrit estrogène ou œstrogène en 1997.

procédé peut être efficace, mais pas dans tous les cas. De nombreux hommes ont découvert qu'ils peuvent prolonger une érection en encerclant d'un élastique la base du pénis. Dans ces cas-là, un *cock ring*, vendu dans les boutiques de sexe, peut être efficace.

Les injections de médicaments dans le corps du pénis deviendront sans doute le traitement de choix puisqu'elles donnent d'excellents résultats.

- **Comment les injections dans le pénis sont-elles faites?**

La prostaglandine El (Prostin VR) est le médicament de choix. J'en injecte généralement une première dose de 0,15 ml directement à mi-longueur du corps du pénis à l'aide d'une aiguille de tuberculine que j'enfonce profondément dans le corps caverneux. La prostaglandine El est plus irritante que la papavérine mais elle permet une érection plus prolongée et minimise la cicatrisation au point d'injection. Deux inconvénients: elle doit être conservée au réfrigérateur et au Canada, son coût est assez élevé, 60 $ l'ampoule de 4 ml.

Lorsqu'il n'y a pas de réaction, j'utilise un mélange de prostaglandine, de papavérine et de phentolamine. Une ampoule de 2 ml de papavérine contient 65 mg de médicament. La phentolamine est une poudre présentée dans un format de 5 mg. Je dissous la phentolamine dans 1 ml d'eau stérile et je mélange 4 ml de prostaglandine, 2 ml de papavérine et 1 ml de phentolamine. J'injecte une première dose de 0,3 ml de ce mélange. Généralement, l'érection se produit au bout d'environ 10 minutes, et peut durer de trente minutes à deux heures. Il s'agit ensuite de doser l'injection selon les résultats acquis après cette première séance. On apprend alors au patient à préparer les injections et à se les administrer lui-même. Au Canada, la papavérine se vend moins de 2 $ l'ampoule, la phentolamine peut coûter jusqu'à 20 $ et la prostaglandine, 60 $ l'ampoule de 4 ml. Aussi, si cela est trop cher pour le patient, je lui prescris la papavérine seule, mais cela donne des résultats moins satisfaisants: l'érection n'est pas aussi forte et le risque d'une érection prolongée est plus élevé.

J'ai utilisé le traitement par injection dans des cas d'impuissance due au diabète, d'impuissance psychologique et d'impuissance due à des troubles du système nerveux suite à l'ablation d'une vessie ou d'une prostate cancéreuses. Ce traitement donne d'excellents résultats, quelle que soit la cause de l'impuissance.

- **Si la prostaglandine El doit être conservée au réfrigérateur, que peut-on faire quand on voyage?**

Des patients m'ont dit que lors d'un voyage, ils avaient bien enveloppé l'ampoule et l'avaient placée dans un thermos incassable.

- **Les injections dans le pénis ne sont-elles pas douloureuses? Y a-t-il des complications possibles?**

Le corps du pénis n'est pas excessivement sensible. L'aiguille utilisée est très mince et la plupart des patients sont surpris de constater que l'injection est peu douloureuse. Il y a toujours risque d'infection, mais il est léger. La formation d'une cicatrice à l'intérieur de la verge est plus inquiétante. Elle pourrait causer, au moment de l'érection, une courbure de la verge, comme on l'observe dans la maladie de Peyronie. Chez 1 à 5 % des patients, on a constaté l'occurrence occasionnelle d'une durée d'érection qui excède de deux à quatre heures la durée normale de l'érection. On a prétendu que c'était du priapisme, à tort toutefois puisque le patient ne souffre pas. Cependant, si cette affection n'est pas traitée à temps, on verra se développer toutes les complications propres au priapisme: perte d'oxygénation du sang de la verge et déchirure du tissu spongieux. C'est pourquoi on traite de la même façon le cas du priapisme et le cas d'érection prolongée. On injecte d'abord au patient de l'adrénaline en solution à une partie par mille, comme anticoagulant. Si la souplesse du membre n'est pas rétablie, on draine les parties érectiles de la verge, puis on les nettoie avec une solution anticoagulante de sel et d'héparine. Si, après cela, l'érection persiste, il faut procéder à un drainage chirurgical.

Le traitement par injections est susceptible de causer une érection prolongée non douloureuse, de l'infection ou encore une cicatrisation des tissus internes du pénis, mais on n'a pu constater que très rarement, jusqu'à maintenant, des accidents de ce genre. Il faut dire qu'on a eu recours à ce traitement de façon intensive que depuis quelques années seulement. Il reste possible que le recours régulier à ces injections provoque des complications, et je commence à en observer de plus en plus.

Quant à moi, je n'hésite pas à recommander ce traitement, malgré la possibilité de complications.

- **Quel est le degré d'efficacité des remèdes et des injections hormonales dans les cas d'impuissance?**

La yohimbine, un alcaloïde provenant de l'écorce intérieure d'un arbre d'Afrique, auquel on accordait autrefois des vertus aphrodisiaques, est maintenant utilisée pour traiter l'impuissance. Son action est semblable à celle de la phentolamine, qui bloque le flux sanguin dans les vaisseaux. Il n'est donc pas surprenant de constater qu'elle est utile dans 20 à 30 % des cas d'impuissance légère. Des comprimés de 2 et de 5,4 mg sont disponibles. Je prescris une dose quotidienne de trois comprimés de 5,4 mg pendant une semaine et si le remède s'avère efficace, la prescription peut être renouvelée pendant un an.

Certaines personnes ont essayé des préparations orales de testostérone, mais le dosage prescrit est très élevé et peut causer des lésions au foie. Un nouveau médicament, appelé undécanoate de testostérone (Andriol) est peut-être moins nocif pour le foie, mais jusqu'à maintenant, je l'ai peu expérimenté. La testostérone peut être indiquée dans le cas d'un patient dont le sérum sanguin présente un taux peu élevé de cette hormone, mais dans ce cas, des injections intramusculaires font l'affaire.

Il arrive que des patients puissent être aidés par les placebos (préparations qui ne contiennent aucun médicament). C'est alors une question de foi dans le médecin. Le client prend le placebo en toute bonne foi, en toute confiance et il semble que la confiance a pour eux des vertus thérapeutiques.

- **Je suis diabétique. Est-il normal que je sois impuissant?**

De toutes les maladies, c'est le diabète qui est le plus souvent associé à l'impuissance. On ne sait pas exactement pourquoi. On a associé le diabète au vieillissement précoce, l'âge biologique du diabétique étant approximativement de 20 % supérieur à celui du non-diabétique du même âge chronologique. Chez le diabétique, les vaisseaux sanguins sont affectés, particulièrement les artérioles de la rétine, qui présentent des changements tels que ceux observés dans les cas d'artériosclérose. L'impuissance, chez le diabétique, peut être causée par des troubles de la circulation, mais cela n'est pas encore prouvé.

Je traite l'impuissance des diabétiques d'abord par des injections de prostaglandine. S'il n'y a pas de résultat ou si le patient n'est pas satisfait de celui-ci, je lui suggère l'emploi d'un implant pénien.

- **Devrais-je avoir recours à un implant pénien pour traiter mon impuissance? Est-ce que je le fais pour moi ou pour ma partenaire?**

Celui qui porte un implant pénien aura les mêmes sensations sensuelles qu'avant. L'opération ne touche pas les nerfs qui procurent ces sensations. C'est pourquoi il ne sentira aucune différence. Les deux partenaires peuvent s'attendre à éprouver chacun un orgasme agréable.

- **Une femme peut-elle s'apercevoir qu'un homme porte un implant?**

Aucune femme ne peut s'apercevoir, par les sensations qu'elle éprouve par le vagin, que son partenaire porte un implant pénien. Une femme expérimentée, cependant, pourra détecter, au toucher, la présence d'un tel implant.

- **Comment choisir entre un implant gonflable et un implant à flexi-tige?**

C'est surtout une question de prix. L'implant gonflable coûte environ 3 000 $ US et l'implant à flexi-tige, moins de 1 000 $ US. L'implant gonflable est moins apparent sous le pantalon, mais les deux fonctionnent tout aussi bien.

- **Combien de temps après l'implantation puis-je avoir des relations sexuelles?**

Cela dépend surtout de la douleur et de l'inconfort, qui sont très variables. La plupart des patients doivent attendre environ deux mois. Des relations plus hâtives peuvent endommager la plaie ou l'implant. La plupart des patients attendent de se sentir complètement confortables avant d'avoir des relations.

- **L'implant pénien peut-il être enlevé?**

Oui, c'est une opération mineure, qui peut être effectuée dans le cabinet du médecin. Mais le patient ne pourra plus avoir d'érection naturelle, parce que le tissu érectile aura été endommagé.

CHAPITRE III

Le pénis (ou verge)

La circoncision

Doit-on automatiquement faire circoncire les garçons à leur naissance? Les médecins sont divisés à ce sujet. Ceux qui sont contre le sont pour les raisons suivantes:

a) C'est une opération qui n'est pas nécessaire, à moins d'indication d'ordre médical ou hygiénique.

b) La présence du prépuce conserve au gland toute sa sensibilité.

c) Le prépuce pourrait éventuellement s'avérer une source de peau fort utile pour effectuer une greffe.

d) En cas d'accident au cours de la circoncision, l'enfant pourrait demeurer mutilé pour la vie.

e) L'Académie américaine de pédiatrie, en 1971, et le Collège américain des obstétriciens et des gynécologues, en 1978, ont statué que la circoncision à la naissance n'était pas nécessaire du point de vue médical.

Par contre, les médecins qui sont pour la circoncision à la naissance avancent les arguments suivants:

a) On ne peut pas considérer la circoncision inutile quand on sait que seuls les sujets incirconcis peuvent être atteints du phimosis, du paraphimosis et du cancer du pénis.

b) L'importance qu'on accorde au rôle joué par le prépuce pour conserver au gland sa sensibilité semble nettement exagérée. On n'a pas d'exemple de patients qui, ayant été circoncis à l'âge adulte, aient rapporté qu'ils avaient remarqué, après la circoncision, une différence marquée au plan de la jouissance sexuelle.

c) Il est rarissime que l'utilisation de la peau du prépuce pour une greffe ait joué un rôle significatif pour améliorer la santé d'un patient.

d) La mutilation du pénis au cours d'une circoncision est aussi rare que l'amputation d'un membre par erreur. C'est une possibilité tellement aléatoire qu'elle ne peut être retenue comme argument valable.

e) Que l'on demande à quiconque a dû se faire circoncire à l'âge adulte s'il n'aurait pas préféré que cela se fasse à sa naissance! Qu'on pose la même question à celui qui est atteint du cancer du pénis! Les urologues, je crois bien, sont tous en faveur de la circoncision. Les adversaires de la circoncision sont des spécialistes, comme les pédiatres et les obstétriciens, qui n'ont jamais pratiqué de circoncision et qui n'ont jamais eu à traiter des patients atteints d'inflammation à la tête du pénis ou du cancer du pénis. Il leur suffirait de voir un ou deux de ces cas pour changer d'avis.

J'ai toujours trouvé bizarre le fait que l'Académie des pédiatres et le Collège des obstétriciens se prononcent sur les mérites de la circoncision. Ils sont peu concernés par les problèmes du prépuce chez les adultes. En 1988, l'Académie américaine des pédiatres a modifié sa position en déclarant que la circoncision devrait être une question de choix.

La circoncision est une opération des plus simples. (On sait que, chez les Juifs, la circoncision rituelle est encore pratiquée par des rabbins qui n'ont aucune formation chirurgicale). Les nouveau-nés sont souvent circoncis à l'hôpital, dès leur naissance. Le pédiatre utilise la méthode du *bell clamp* sans anesthésie. Il s'agit d'une intervention pour laquelle le médecin utilise une espèce de dé à coudre muni d'un capuchon métallique mobile aux rebords tranchants. Le médecin recouvre le gland du bébé avec le dé. Il ramène le prépuce sur le dé, puis il le tranche en rabattant le capuchon tranchant sur le dé recouvert du prépuce.

Au cours de mon internat en urologie, un spécialiste d'expérience m'avait fait remarquer que n'importe quel médecin peut effectuer une circoncision en un tour de main, mais qu'un spécialiste en la matière devrait avoir mieux à offrir à ses patients. Il nous recommandait, par exemple, de n'enlever que la peau et rien de plus. Il faut savoir qu'entre la peau externe et la peau interne du prépuce, il existe une mince tunique contenant des nerf et des vaisseaux sanguins. Imaginons une veste matelassée. On peut en raccourcir les manches en coupant les extrémités, comme on le fait pour le prépuce en utilisant le *bell clamp*. Mais, ce qui est préférable, c'est de couper les étoffes extérieure et intérieure dans la manche, puis de repousser à l'intérieur de la manche raccourcie la couche d'ouate qui la garnit. En faisant la même chose pour le prépuce, on évite de sectionner les nerfs et les vaisseaux sanguins. L'opération est moins douloureuse et moins sanglante et le retour à la normale se fait plus rapidement. C'est la technique que j'ai employée tout au long de ma carrière. Un médecin que j'avais circoncis de cette façon m'a confié que, deux semaines seulement après l'opération, il avait pu reprendre ses activités sexuelles.

Le phimosis et diverses autres affections (du priapisme au cancer)

Phimosis

Le phimosis est un rétrécissement du prépuce qui l'empêche de glisser sur le gland suffisamment pour le découvrir. Il est associé à la longueur excessive du prépuce du patient. On connaît aussi des cas où le prépuce, ayant souffert d'une irritation, se contracte lors de la guérison à un tel point qu'il ne peut plus se dilater suffisamment pour dégager le gland.

Il n'y a alors qu'une solution, très simple, et c'est de circoncire. On pourrait aussi insérer un forceps dans le col rétréci du prépuce pour le dilater ou y pratiquer une incision verticale, mais ce sont là des pratiques peu recommandables à cause des risques de récurrence du phimosis qu'elles impliquent.

La circoncision n'est pas médicalement justifiée dans le cas d'un prépuce qui présente un excès de peau mais qui glisse facilement pour dégager le gland. L'intérieur du prépuce devrait être lavé quotidiennement à l'aide d'une eau savonneuse. Une hygiène déficiente n'est pas toujours causée par des habitudes relâchées. Les variations de l'anatomie sont considérables et un homme né avec un prépuce présentant un excès de peau aura de la difficulté à le garder toujours propre, malgré tout le zèle qu'il y mettra.

Étranglement du gland par le prépuce (paraphimosis)

Il y a paraphimosis lorsque le prépuce, parce que son ouverture est rétrécie, ne peut être remis en position sur le gland après avoir été ramené vigoureusement en arrière pour le dégager. Le prépuce étrangle alors la verge à la base du gland. S'il n'y a pas d'intervention rapide, dans les heures qui suivent, l'enflure augmente et le liquide sanguin s'accumule dans les tissus du prépuce à un tel point qu'il déforme la verge. Il faut alors presser la partie gonflée pour la libérer du liquide puis, délicatement, faire glisser le prépuce sur le gland. Si la chose n'est pas possible, il faut sectionner la peau du prépuce au point de constriction. Pour éviter que cet accident ne se reproduise, il est conseillé de circoncire le malade dès que l'enflure est complètement disparue.

Pénis coudé (maladie de Peyronie)

Il y a plus de 200 ans (en 1743, pour être plus précis), un médecin français, le Dr F. de la Peyronie, a décrit une affection de la verge particulièrement frappante: quand la verge est flasque, on ne remarque rien, mais en érection elle accuse un coude de 10 à 30 degrés qui peut même atteindre 90 degrés et plus. (Il est à noter qu'un phallus sain peu accuser un coude de 10 degrés et même un peu plus sans que la maladie de Peyronie soit en cause.) Quand ce coude est prononcé, l'érection est douloureuse et le coït impossible. C'est ce que l'on appelle la maladie de Peyronie.

Depuis que Peyronie l'a décrite, il y a près de 250 ans, on a certes appris à mieux connaître cette véritable infirmité, mais, pas plus aujourd'hui qu'en 1743, on n'en connaît la cause. Il a été jusqu'ici impossible d'isoler un virus ou une bactérie, ou encore de découvrir un déséquilibre d'ordre chimique qui pourrait être à l'origine de cette anomalie. On a tout de même appris qu'il existerait, sur le plan statistique, une certaine relation entre cette maladie et l'absorption modérée d'alcool, et une relation plus fréquente avec la maladie de Dupuytren, sans que l'on sache pourquoi. La maladie de Dupuytren est un durcissement des tendons de la paume de la main gauche, qui agissent pour refermer, quand on ferme le poing, deux des doigts de la main (l'annulaire et l'auriculaire). Ce durcissement des tendons maintient les deux doigts constamment repliés, même quand on tente d'ouvrir la main. Avec le temps, les tendons deviennent proéminents et très apparents. Cette affection se traite très bien par la chirurgie plastique.

Dans la maladie de Peyronie, il ne s'agit que de tissu cicatriciel et rien d'autre. Cette maladie affecte l'enveloppe dure et élastique des corps spongieux érectiles. Il se forme sur l'enveloppe une cicatrice qui empêche cette partie du pénis de prendre de l'expansion en cours d'érection. Le pénis, lors de l'érection, forme un coude au niveau de la lésion. Au microscope, on ne remarque rien de particulier dans le tissu cicatriciel. Mais il y a toujours risque de calcification comme dans toute cicatrice, ce qui pourrait durcir le coude.

Il est bien compréhensible que les patients atteints de cette maladie s'imaginent avoir le cancer lorsqu'ils sentent, sous la peau de la verge, une bosse dure. Mais qu'ils se rassurent; la maladie de Peyronie n'est pas un cancer et la bosse ne deviendra jamais une tumeur maligne. Ce que l'on ignore encore, cependant, c'est

comment va évoluer la maladie. Certains patients guérissent spontanément, tandis que d'autres voient leur état empirer ou tout
simplement demeurer stationnaire.

De nombreux traitements ont été tentés: absorption de vitamine E par voie orale avec les pilules Potaba (para-aminobenzoate
de potassium), injection de cortisone directement dans la partie dur-
cie de la verge ou, enfin, radiothérapie. Par ailleurs, certains
chercheurs ont produit un compte rendu soutenant qu'il est aussi
efficace de ne rien donner au malade que de lui faire suivre l'un ou
l'autre de ces traitements. Quant à moi, je me contente de prescrire
à mes patients de la vitamine E, à raison de 200 mg trois fois par
jour, parce que je sais que, si cela ne les guérit pas, au moins cela
ne peut pas leur faire de mal.

Généralement, la maladie n'a pas atteint son stade final si
l'érection est douloureuse ou si le degré de courbure varie. Une chirurgie corrective ne devrait pas être effectuée avant que la maladie
soit stabilisée, ce qui prend généralement un an. Si alors le coït est
impossible, il faut songer à l'intervention chirurgicale.

La plicature (procédé chirurgical par lequel on effectue des plis
au sein des parois d'un organe) de la paroi du pénis opposée à la
cicatrice redressera l'organe, quoique sa longueur sera diminuée. Ce
procédé porte le nom de technique de Nesbit. Il est simple d'exécution et les résultats sont satisfaisants. Il existe aussi une opération
très efficace, mise au point par les Drs Charles Devine et Charles
Horton. Il s'agit d'exciser le tissu cicatriciel puis de le remplacer par
un tissu de même type (il s'agit du derme, membrane profonde de
la peau) prélevé sur la cuisse ou la partie inférieure de l'abdomen.
Quand le cas est très avancé, comme quand se produit un écoulement incontrôlable de sang veineux, cette greffe n'est pas très
efficace. Elle peut être combinée avec une ligature des veines, mais
la meilleure solution est encore d'installer un implant pénien.

L'injection directe dans la plaque (le tissu cicatriciel) d'un
médicament appelé collagénase, a donné récemment des résultats
prometteurs. C'est une technique valable mais des rapports plus

récents font état de réponses minimales au traitement et seulement dans les cas moins sévères. D'autres résultats prometteurs ont été obtenus par des injections d'interféron dans le tissu cicatriciel, mais d'autres essais sont nécessaires avant qu'on puisse se prononcer sur la valeur de cette technique. Une autre technique de vaporisation au laser du tissu cicatriciel est actuellement expérimentée.

Fracture du pénis

Si le phallus est plié brusquement, il peut casser tout comme un os. La fracture peut même produire un fort bruit. La plupart du temps, cet accident survient lors d'un coït vigoureux. Si le patient se présente à l'hôpital, la fracture (qui en réalité est une déchirure) est immédiatement réparée sans grande conséquence. Mais si la blessure n'est pas traitée, le phallus prend l'apparence de celui d'un patient atteint de la maladie de Peyronie. Cette similitude a amené certains médecins à émettre l'opinion que la maladie de Peyronie était causée par une blessure mineure du phallus dont la plaie s'était cicatrisée.

Érection non désirée et douloureuse (priapisme)

L'érection prolongée, persistante, douloureuse et sans libido est symptomatique d'une pathologie baptisée priapisme par un médecin bien au fait de la mythologie grecque. Le priapisme tire son nom de Priape, dieu de la fertilité et de la virilité chez les anciens Grecs. On le représentait muni d'un énorme phallus. Si l'on s'en tient à la dimension du membre, on a eu raison de choisir son nom pour désigner cette maladie. Par contre, comme elle conduit normalement à l'impuissance et à la stérilité, il faut se demander si l'on peut vraiment lui faire porter le nom du dieu de la virilité et de la fertilité!

Le priapisme se rencontre surtout, sans facteur déclenchant apparent, chez le patient actif sexuellement, ce qui porterait à croire, à tort probablement, que les ébats sexuels acrobatiques ont quelque chose à y voir. Dans d'autres cas, il est causé par une altération de la circulation sanguine du pénis provoquée par une blessure, par une médication mal équilibrée ou encore par une maladie du sang, comme les leucémies ou anémie particulière, l'anémie à hématies falciformes. Dans les cas où il existe un facteur déclenchant connu, on donne à la maladie le nom de priapisme secondaire.

La cause première du priapisme est un défaut du système circulatoire veineux. Le sang s'accumule dans la verge, ne peut s'en échapper, perd son oxygène, puis forme des caillots, on assiste alors à la formation de tissus cicatriciels.

Parce que le patient se sent gêné et néglige de consulter immédiatement son médecin, nous sommes souvent appelés à établir un diagnostic tardif, avec tout ce que cela comporte de danger. Parfois, ayant tenté d'avoir une relation sexuelle et l'ayant trouvée trop douloureuse, le patient décide enfin de s'adresser à son médecin. Ici, comme dans la plupart des problèmes de santé, plus on consulte rapidement, plus on est traité rapidement, évidemment, et plus on a de chances de guérison.

Dans le cas du priapisme, les premières heures sont consacrées à l'administration d'une médication analgésique, de lavements à l'eau glacée et de médicaments propres à abaisser la tension artérielle. S'il y a, au début, le moindre doute sur l'identité de la maladie, ce doute se dissipe rapidement quand le malade ne répond pas à ce traitement. Il faut alors recourir à des mesures plus énergiques. Avec une seringue à longue aiguille, on perce le corps du pénis. Si le sang retiré est noir, on injecte dans le pénis une solution salée, anticoagulante, jusqu'à ce que la solution sanguine que l'on retire de la verge avec la seringue soit redevenue rose. Plusieurs techniques permettent ensuite de procéder au drainage veineux. La technique la plus simple, appelée opération de Winter, du nom de son initiateur, consiste à insérer une aiguille biopsique dans la tête saine du pénis jusqu'à la zone pénienne affectée, constituant en quelque sorte un canal dérivé permettant au sang accumulé de s'échapper. Une autre technique consiste à dériver une veine de la paroi abdominale pour permettre l'écoulement du sang. Malgré tous ces efforts, le risque d'impuissance persiste toujours. C'est pourquoi les médecins n'acceptent de traiter cette maladie que si le patient consent à signer un document dégageant le praticien de toute responsabilité ultérieure.

Le cancer du pénis

Les hommes circoncis à la naissance ne souffrent jamais du cancer du pénis. (Par contre, les garçons circoncis jeunes, mais non à la naissance, ont parfois le cancer du pénis, bien que cela se produise rarement.) Le cancer du pénis ne se développe vraiment que chez l'incirconcis. Et les plus vulnérables semblent être ceux qui, n'ayant pas été circoncis, souffrent en plus du phimosis.

Ce cancer est peu fréquent; il ne représente qu'un pour cent des cas de cancer chez les hommes. Il se manifeste par l'apparition d'une excroissance dure sur le pénis qui avec le temps s'ulcère et suinte.

Le cancer serait causé, croit-on, par une bactérie, le *smegma bacillus*. Un chercheur japonais a tenté d'en obtenir la preuve en poursuivant pendant des années des expériences sur des lapins. Pendant plusieurs années, il leur inocula, dans le pénis, la bacille *smegma*; l'expérience échoua. Il ne réussit jamais à provoquer ainsi chez le lapin un cancer du pénis. S'il avait réussi, il aurait établi qu'il existe une relation de cause à effet entre le bacille et le cancer du pénis chez le lapin. Mais l'échec de l'expérience ne prouve pas qu'il n'y a pas de relation entre ce bacille et le cancer du pénis chez l'homme. Tout au plus le chercheur japonais a-t-il démontré qu'il est possible que le *smegma bacillus* ne provoque pas le cancer du pénis chez le lapin.

Si le cancer est identifié à ses débuts, il peut être réprimé par un traitement avec des préparations anticancéreuses, telles que l'onguent à base de 5-fluorouracile. Il peut aussi être guéri par radiothérapie, s'il est pris à ses débuts. Mais lorsque le mal s'étend, ou qu'il développe des métastases, il faut amputer une partie du pénis.

L'amputation se fait à 2,5 cm de la marge visible de la tumeur cancéreuse. Ordinairement, il reste une portion de verge, d'une longueur acceptable, tant du point de vue de la fonction que du point de vue de l'apparence. Le patient peut encore diriger le jet de son urine et il lui est possible de reprendre sa vie sexuelle, quoique cette dernière soit moins satisfaisante dans les cas où le gland, la partie la plus sensible, a été amputé. Après l'amputation, le pénis ressemble à un pénis non circoncis et par la seule sensation vaginale, la femme ne peut évaluer la longueur d'un pénis, ni si son partenaire est circoncis ou non. Les muscles du vagin sont comme des élastiques qui s'ajustent aux dimensions du pénis. Que les hommes qui s'inquiètent des dimensions de leur pénis soient rassurés et je le répète, je n'ai jamais entendu une femme se plaindre des dimensions du pénis de son partenaire.

Parfois, il faut amputer toute la partie visible de la verge parce que le cancer est trop étendu. L'urètre est alors détourné pour ressortir à l'arrière du scrotum. (Pour uriner le patient doit s'asseoir, mais il conserve le contrôle de sa miction.)

Quand le cancer est limité au pénis, l'intervention chirurgicale donne, en général, des résultats satisfaisants. Trop souvent, le patient ne consulte le médecin que lorsque le cancer a déjà envahi les ganglions lymphatiques, qui sont de petites glandes que l'on peut sentir dans la région de l'aine. Il faut alors pratiquer une plus longue incision pour exciser ces ganglions. Et la guérison est plus aléatoire. Nous mettons beaucoup d'espoir dans le développement de la chimiothérapie. Quant aux médicaments actuels, ils ne sont pas très efficaces contre le cancer du pénis. Mais il existe toutefois un médicament anticancéreux très toxique, la bléomycine (Blenoxane), qui a été utilisé avec un certain succès.

Je trouve toujours étonnant qu'on puisse attendre si longtemps avant de consulter son médecin alors que le cancer est si avancé. Il m'est arrivé plus d'une fois de voir un patient se présenter à mon bureau, vêtu de façon impeccable, manifestement bien nanti, accompagné d'une femme aimante, et qui me montre son pénis non circoncis atteint d'un cancer avancé. Imaginez un chou-fleur pourrissant: c'est exactement à quoi ressemble le pénis et ses tissus cancéreux. Quant à l'aine, elle est gonflée par une masse énorme de ganglions cancéreux. Comment peut-on être insoucieux à ce point?

Le cancer de l'urètre

Le cancer primitif de l'urètre est extrêmement rare et c'est heureux qu'il en soit ainsi, parce que ce cancer est mortel. Je n'ai encore jamais vu de patient survivre à ce type de cancer.

Je me souviens d'un patient. Il était au début de la cinquantaine et éprouvait de la difficulté à uriner. À l'examen, on a découvert une bosse vers le milieu de la verge. J'étais médecin résident à cette époque et, comme les autres résidents, j'ai cru que ce patient avait introduit un objet dans son urètre. Nous avons tous été très honteux quand nous avons découvert que la bosse était une tumeur cancéreuse, et nous nous sommes sentis très coupables quand le patient décéda quelques mois plus tard.

Mauvaise position du méat urinaire ou épispadias

L'urètre s'ouvre normalement au bout de la verge. Il arrive parfois, dans un pénis par ailleurs bien constitué, qu'il s'ouvre à la face supérieure de la verge. C'est un vice de conformation qui est rare et auquel on a donné le nom d'épispadias. Moins rarement, c'est sur la face inférieure de la verge que s'ouvre le méat urinaire; on parle alors d'hypospadias. Quand le méat urinaire se trouve tout près de l'extrémité de la verge, il n'est pas nécessaire de corriger cette malformation puisqu'elle ne nuit ni à la miction, ni à la reproduction. Mais lorsqu'une ouverture se trouve sur le corps de la verge ou au point de jonction de la verge et du scrotum, cette malformation s'accompagne parfois d'une coudure de la verge vers le bas. Cela gêne la miction et empêche le coït. De nombreuses techniques chirurgicales ont été mises au point pour corriger ces malformations et, en général, les résultats obtenus, tant du point de vue de l'apparence que du point de vue du fonctionnement, sont satisfaisants. Les chances de succès sont plus grandes si l'opération est pratiquée sur des enfants par des chirurgiens urologues spécialisés en pédiatrie. Certaines affections du pénis sont plutôt bizarres, mais la plupart du temps il s'agit de problèmes courants, parfois aggravés par le caractère réservé des patients, par leur stoïcisme ou par leur réticence à parler du mauvais fonctionnement de leurs organes génito-urinaires.

Questions et réponses

• **Feriez-vous circoncire votre bébé naissant?**

Oui. Une simple intervention à la naissance peut éviter, la vie durant, une foule de problèmes éventuels. En plus du fait que seuls les hommes non circoncis peuvent souffrir du cancer du pénis, les nouveau-nés non circoncis éprouvent quatre fois plus de problèmes de santé associés à la tête du pénis que les nouveau-nés circoncis. En 1985, on a établi une relation entre l'infection des voies urinaires et la non-circoncision. Il a été démontré que le taux d'hospitalisation suite à une infection des voies urinaires était vingt fois plus élevé chez les garçons non circoncis que chez les circoncis. Les deux groupes de spécialistes, les pédiatres et les gynécologues qui avaient signifié leur opposition à la circoncision généralisée ne sont pas ceux qui la pratiquent sur les enfants ou les adultes. Ce ne sont pas eux non plus qui traitent les patients atteints d'inflammation à la tête du pénis, du phimosis et du paraphimosis, ni les patients qui meurent d'un cancer du pénis. Les pédiatres ont modifié leur opinion: ils croient maintenant que la circoncision est une question de choix.

• **Les hommes circoncis peuvent-ils contracter un cancer du pénis?**

Un cancer, appelé mélanome, peut se développer à partir des mélanocytes (cellules productrices du pigment qui colore la peau) sur la peau du pénis. Mais les cancers qui commencent à la tête du pénis ne surviennent jamais chez les hommes circoncis à la naissance.

• **Quelqu'un peut-il survivre à un cancer avancé du pénis ou de l'urètre?**

Oui, quand il n'y a pas de métastases. Même les cancers qui nécessitent une amputation presque totale, qui oblige le patient à s'asseoir pour uriner, peuvent guérir si des métastases ne se développent pas. Mais je n'ai jamais vu un client survivre à un cancer dont le traitement avait commencé après le développement des métastases.

• **Existe-t-il chez la femme une maladie équivalant au cancer du pénis?**

Oui, le cancer de la vulve. Le cancer du pénis et le cancer de la vulve se développent dans les cellules de la peau. Le cancer de la vulve est plus fréquent que le cancer du pénis.

• **Quand j'ai une érection, mon pénis se courbe vers le haut et je sens au toucher une excroissance dure. Est-ce un cancer?**

Si le phénomène n'est pas récent et si l'excroissance est située à mi-longueur du phallus, vous souffrez de la maladie de Peyronie. Un cancer n'apparaît jamais de cette façon.

• **Mon phallus est courbé et je crains de blesser ma partenaire.**

Certains hommes au phallus fortement courbé m'ont affirmé que leurs partenaires n'en ressentaient aucun inconfort. Par contre, d'autres hommes au phallus légèrement courbé m'ont dit que leurs partenaires ressentaient parfois des douleurs pendant le coït. Je doute que la courbure du phallus soit la cause d'un coït douloureux pour la partenaire.

- **Si le phallus est courbé vers la droite, vers la gauche ou vers le bas, s'agit-il toujours de la maladie de Peyronie?**

Oui, l'épaississement des tissus peut se produire sur les côtés ou sur la face inférieure du pénis. Toutefois, il se produit le plus souvent sur la face supérieure.

- **À quel moment une érection devient-elle trop prolongée?**

Une érection prolongée est normale à moins qu'elle soit douloureuse ou non reliée au désir sexuel. Si elle est douloureuse, non voulue et dure plus de quatre heures, c'est un priapisme. Un examen externe du pénis ne permet pas de distinguer une érection prolongée d'un priapisme. Un priapisme nécessite un traitement urgent.

- **Pourquoi un priapisme provoque-t-il souvent l'impuissance?**

Le tissu cicatriciel détruit la capacité d'expansion des corps caverneux. Dans ce cas, l'érection ne peut se produire.

- **L'impuissance causée par un priapisme peut-elle être traitée?**

Elle peut être traitée par l'insertion d'un implant pénien. Aucun autre traitement n'est efficace.

CHAPITRE IV

La prostate

Presque tous les hommes souffriront, un jour ou l'autre, de problèmes de prostate. Le plus souvent, ces problèmes surviennent après l'âge de 50 ans. À partir de cet âge, 55 % de la population masculine commence à souffrir d'hypertrophie de la prostate qui, petit à petit, en vient à entraver le déroulement normal de la miction, c'est-à-dire de l'évacuation des urines. On ignore encore la cause de l'hypertrophie bénigne de la prostate et il n'existe pas de médication qui puisse en freiner le développement. Par ailleurs, comme les eunuques n'en souffrent jamais, il semblerait qu'il puisse exister une relation de cause à effet entre la testostérone (hormone produite presque exclusivement par les testicules) et l'hypertrophie de la prostate. C'est une maladie rare chez les Japonais vivant au Japon, plus fréquente chez les Japonais vivant aux îles Hawaï et courante chez les Japonais américains, comme ce l'est pour l'ensemble de la population blanche. Cette progression de l'incidence de la maladie chez les Japonais indiquerait que, peut-être, l'alimentation traditionnelle des Japonais (pauvre en matières grasses et en viande rouge, mais riche en fibres) inhibe la formation de l'hypertrophie de la prostate. Mais aucune étude n'en a jusqu'à maintenant fait la preuve. Récemment, on a prêté à certains produits dérivés du soya, comme le tofu, des vertus préventives contre l'hypertrophie de la prostate. Les marchands de produits de santé encouragent la consommation de graines de citrouille et de divers autres produits naturels pour enrayer cette hypertrophie. Mais si des aliments si courants avaient vraiment de telles vertus curatives, il y a bien long-temps que l'industrie pharmaceutique aurait trouvé le moyen d'en synthétiser les éléments actifs. On a même prêté à d'autres produits, entre autres des dérivés de cactus, l'ortie brûlante, des extraits de palmier, des prunes africaines et le seigle, des vertus curatives. Une récente publicité annonçait que le fruit du palmetto (un palmier nain qui pousse en Floride, en Géorgie et au Texas) pouvait réduire l'hypertrophie de la prostate, que ce produit était tout aussi efficace que la finastéride (Proscar) et qu'il était sans effets secondaires. Une telle publicité est un affront au bon sens.

Même si le cancer de la prostate est moins courant chez l'homme de plus de cinquante ans que l'hypertrophie, c'est le cancer le plus répandu dans le monde et il se classe au deuxième rang des cancers mortels chez l'homme, après le cancer du poumon. On ne connaît pas la cause du cancer de la prostate, mais on sait qu'il est relié à des facteurs génétiques. En fait, quand il survient chez les hommes de trois générations successives, ou chez un père et deux de ses enfants ou encore chez des frères âgés de moins de cinquante ans, on peut pointer du doigt un gène dominant d'un chromosome spécifique. Pour une raison encore inconnue, le risque de contracter cette maladie est élevé chez les Afro-Américains.

On rencontre communément, avant la cinquantaine, des pros-tates infectées par des micro-organismes qui sont véhiculés vers la prostate par la circulation sanguine ou par l'urine. Contrairement à la plupart des infections qui se développent ailleurs dans l'orga-nisme, les infections de la prostate sont extrêmement difficiles à contrôler.

Ainsi, gramme pour gramme, il y a plus de problèmes de santé reliés à la prostate qu'à toute autre partie du corps de l'homme. Ceci dit, on comprend combien il est important pour tout homme de connaître très bien cette glande, son fonctionnement, ses maladies et les soins qu'elle exige.

L'hypertrophie de la prostate

Les symptômes

Quand l'hypertrophie de la prostate commence à gêner l'écoulement de l'urine, on peut constater la présence de l'un ou de l'autre des symptômes suivants:

1. début lent de la miction;
2. écoulement faible;
3. écoulement interrompu;
4. besoin fréquent d'uriner;
5. besoin impérieux d'uriner;
6. besoin fréquent de se lever la nuit pour uriner;
7. impression que la vessie n'est pas complètement vide après une miction;
8. égouttement d'urine à la fin de la miction.

Ces symptômes se développent insidieusement, à tel point que le sujet les accepte comme des phénomènes de vieillissement normaux. Cela commence généralement par une certaine difficulté à uriner au lever. En soi, cela n'a rien d'inquiétant. Nombreux sont les hommes qui ont de la difficulté à uriner sur commande ou en public. Il faut qu'ils soient seuls et il n'y a pas de mal à cela.

Mais la faiblesse de la miction est un des signes que la prostate fonctionne mal. Souvent, l'écoulement est lent, s'arrête puis repart à sa guise. La miction lente et interrompue indique qu'il y a obstruction quelque part. Certains acceptent cet ennui facilement, d'autres non. Aussi y a-t-il des patients qui préfèrent être opérés et d'autres qui vivent très bien malgré ce désagrément.

Ce qui peut être plus ennuyeux, c'est la fin de la miction alors que l'écoulement de l'urine se réduit à un goutte à goutte sans fin. Imaginez ce que cela doit être que de quitter les toilettes et de s'apercevoir que le goutte à goutte se poursuit dans le slip.

Il est facile d'expliquer pourquoi on peut sentir souvent le besoin d'uriner, de jour comme de nuit. C'est que, à la miction, la

HYPERTROPHIE BÉNIGNE DE LA PROSTATE

Prostate
hypertrophiée

vessie ne se vide pas complètement. Cela se vérifie facilement aux rayons X. La prostate hypertrophiée, en appuyant sur le col de la vessie, l'irrite et déclenche le message qui pousse à uriner sans nécessité. Le processus normal étant perturbé, la vessie ne se vide pas complètement. Ajoutons que la présence continuelle, au fond de la vessie, d'un résidu d'urine en vient souvent à provoquer une infection urinaire qui stimule encore plus le besoin de mictions fréquentes.

Si l'on ne prend pas ces symptômes au sérieux, la maladie va évoluer dans l'un des deux sens suivants:

1. Augmentation progressive de la pression dans les voies urinaires et lésions éventuelles aux reins. Mais cet accident est de moins en moins fréquent de nos jours.

2. Rétention d'urine plus fréquente. C'est l'impossibilité totale d'uriner. C'est une affection grave et pénible qui peut être provoquée par un excès de consommation de

liquide, l'impossibilité de répondre au besoin d'uriner, comme c'est le cas parfois, par exemple, au cours d'une sortie en voiture. Certaines maladies, certaines opérations peuvent aussi provoquer la rétention d'urine. Il existe peu de souffrance comparable à celle que provoque la rétention d'urine. Et, comme quiconque a vécu cette expérience peut en témoigner, le soulagement qu'apporte le cathéter est dans ces cas-là, presque une jouissance.

Permettez-moi, ici, de corriger une erreur courante. Il n'y a aucune corrélation entre la grosseur de la prostate, telle que peut l'évaluer l'examen rectal, et l'importance du symptôme. Le médecin rendrait un bien mauvais service à son patient s'il s'alarmait de la grosseur de la prostate quand le patient ne se plaint pas de ses mictions. La grosseur de cette glande, en soi, ne constitue jamais une indication suffisante pour procéder à l'opération. Ce n'est que lorsque les symptômes deviennent intolérables pour le patient que l'on peut songer à l'opération.

Récemment, l'Association américaine d'urologie a approuvé une méthode pour quantifier les symptômes. Sept symptômes sont notés de 0 à 5 pour un total possible de 0 à 35. Trois symptômes sont considérés comme irritatifs: la fréquence des mictions, l'urgence d'uriner et la nocturie (besoin d'uriner pendant la nuit). Quatre symptômes sont considérés comme obstructifs: l'incertitude d'avoir à uriner, l'écoulement faible, l'écoulement interrompu et l'impression que la vessie n'est pas complètement vide après une miction. Plus un symptôme se produit, plus la notation est élevée: 0 s'il ne s'applique pas, 1 s'il se produit une fois par cinq mictions, 2 s'il se produit dans moins de la moitié des mictions, 3 quand il se produit une fois par deux mictions, 4 s'il se produit dans plus de la moitié des mictions et 5 s'il se produit presque à chaque miction. Lorsque le total est égal ou inférieur à 7, les symptômes sont considérés comme légers et il suffit d'être vigilant; entre 8 et 19, les symptômes sont considérés comme modérés et un traitement médical s'impose; au-dessus de 20, il est tout probable que la situation exige une intervention chirurgicale.

Cette tentative de quantification des symptômes est louable, mais il ne faut pas donner à ces calculs une valeur scientifique qu'ils n'ont pas. D'une part, des patients me disent que leur total de points peut être influencé par leur humeur du moment. D'autre part, les symptômes qui incommodent un patient peuvent ne pas en incommoder un autre. En d'autres termes, les calculs ne suppléent pas nécessairement à un jugement éclairé.

La solution

Pendant longtemps, on a traité les hypertrophies gênantes de la prostate à l'aide de la chirurgie. Si le patient ne souffrait pas d'autres problèmes importants de santé, il suffisait de lui réparer la «tuyauterie» et les soins de routine variaient selon le médecin, l'hôpital et la région.

À la suite de développements alarmants, la situation a changé. Premièrement, on a observé que la progression d'une hypertrophie bénigne de la prostate n'était pas toujours aussi aggravante qu'on l'avait cru. Des études menées avec soin ont démontré que plus de 30 % des patients à qui on avait administré un placebo ont vu leurs symptômes diminuer et d'autres études ont permis d'observer une amélioration même en l'absence de traitement. Deuxièmement, 70 à 90 % des patients ont vu leur condition s'améliorer après avoir été traités aux alphabloquants, des médicaments qui détendent les tissus musculaires de la prostate. Finalement, la compagnie pharmaceutique Merck a élaboré un médicament qui réduit l'hypertrophie.

Permettez-moi d'insister. Dans le cas d'un patient qui présente des symptômes d'hypertrophie, il est tout à fait raisonnable de s'en tenir à une surveillance médicale continue. Si le fait d'avoir à se lever deux ou trois fois par nuit ou l'égouttement après la miction ne le dérangent pas, il peut très bien continuer ainsi. À ces patients, je recommande d'éviter autant que possible le café, les épices et l'alcool et surtout, de se tenir loin des décongestionnants. Ces «remèdes contre le rhume» s'obtiennent sans prescription et sont facilement disponibles. Mentionnons entre autres Actifed, Benylin,

Coricidin, Dristan, Drixtab, Novahistine, Ornade, Robidrine, Sinutab, Sudafed et d'autres qui contiennent des antihistaminiques, comme Chlor-Tripolon et Benadryl.

Si les symptômes sont trop dérangeants, je prescris un antibloquant qui détend les tissus musculaires. Le plus populaire est la térazosine (Hytrin) et j'assure maintenant le suivi médical de patients qui en ont pris pendant plusieurs années. Je prescris une pilule de 1 mg à prendre au coucher pendant une semaine. J'augmente ensuite la dose de 1 mg à chaque semaine jusqu'à un maximum de 5 mg. J'avertis les patients d'être très prudents en prenant ce médicament, surtout pendant la première semaine. Il peut provoquer une baisse de la tension artérielle et chez les patients plus sensibles, des vertiges et des étourdissements. Les patients doivent se déplacer très lentement s'ils doivent aller aux toilettes pendant la nuit. Malgré ces précautions, il est arrivé parfois qu'un patient se sente étourdi ou s'évanouisse. Toutefois, nombre de patients ont pu constater une amélioration de l'écoulement urinaire, une diminution de l'urgence d'uriner et une réduction de la fréquence des mictions diurnes et nocturnes. Les effets du médicament sont immédiats. Pour la plupart des patients, une dose de 5 mg est suffisante. Pour certains, une dose moins forte suffit et pour d'autres, une dose de 10 mg est nécessaire.

Il existe d'autres médicaments qui détendent les tissus musculaires, comme la prazosine (Minipress) mais ils présentent l'inconvénient d'avoir à être pris trois fois par jour. D'autres produits de la famille des alphabloquants, comme le mésylate de doxazosine (Cardura) prendront leur part du marché dès qu'ils seront disponibles.

Des patients bien informés me demandent s'ils ont quand même besoin, avec tous ces médicaments, du médicament produit par Merck. La réponse est oui, sans aucun doute. L'histoire de la découverte de ce médicament qui réduit l'hypertrophie est fascinante.

Il y a quelques années, chez les hommes d'une petite population vivant en République Dominicaine, on constata l'absence
d'une enzyme appelée réductase 5-alpha. Ces hommes n'avaient
jamais souffert d'hypertrophie de la prostate. Ils étaient aussi
pseudo-hermaphrodites, c'est-à-dire que leurs organes génitaux pré-
sentaient quelques caractéristiques femelles. À la naissance, les
testicules n'étaient pas descendus et le pénis et le scrotum étaient
petits. Pendant leur enfance, les garçons ressemblaient aux filles et
étaient parfois élevés comme des filles. À la puberté, ils développaient toutes les caractéristiques mâles adultes mais en vieillissant,
leur prostate ne s'hypertrophiait jamais.

Les chimistes de Merck voulurent savoir comment l'absence de
cette enzyme pouvait affecter la prostate. Chez la plupart des
hommes, la réductase 5-alpha transforme la testostérone en une
hormone mâle plus puissante, la dihydrotestostérone, dans les
cellules de la glande prostatique.

Chez Merck, on a synthétisé une molécule qui ressemble à la
testostérone. En s'accrochant à cette molécule, l'enzyme n'est plus
disponible pour transformer la testostérone dans les cellules
prostatiques.

Merck a donné le nom de Proscar à ce médicament (son nom
générique est la finastéride) et croit que ce produit vaut des milliards. Avec raison. Ses études de marché, dans les années 80,
montrèrent que 55 % des hommes développaient une hypertrophie
bénigne de la prostate. De ce 55 %, 3 % subissaient une opération,
17 % consultaient les médecins et 80 % s'accommodaient tout simplement de leurs symptômes. Même si une fraction seulement des
malades utilisent Proscar, le marché potentiel est encore énorme.
Pour maximiser sa part de marché, Merck prévoit vendre le produit
à un prix raisonnable (moins de deux dollars par comprimé par
jour).

Quelle est l'efficacité du médicament? Il faut six mois ou plus
pour noter une réduction de l'hypertrophie, 4 % des hommes qui
prennent du Proscar font état d'une diminution de leur libido et

même d'impuissance et le médicament peut ne pas être efficace pour tous. Au début, Merck avait affirmé que pour 30 % des patients, les résultats étaient saisissants, pour un autre 40 %, ils étaient intéressants et que pour le 30 % qui restait, le médicament était inefficace. Mais en 1993, Merk affirmait que le médicament était efficace dans plus de 80 % des cas et depuis ce temps, la compagnie rembourse tous les coûts du médicament aux utilisateurs de Proscar qui doivent recourir à la chirurgie pour réduire l'hypertrophie. Cette offre est valable aux États-Unis et en Saskatchewan.

Le Proscar présente toutefois un inconvénient majeur: il rend plus difficile le diagnostic du cancer de la prostate parce qu'il provoque une baisse du taux d'antigène spécifique de la prostate (PSA) qui peut atteindre 45 %. D'un autre côté, si un traitement au Proscar n'entraîne pas de diminution du taux d'antigène, cela peut être l'indice d'une possibilité de malignité et en fait, aider à la détection d'un cancer (en autant que la lecture du taux d'antigène soit faite avant le début du traitement au Proscar). De plus, le Proscar peut réduire la probabilité qu'un cancer se développe et il peut même faire pousser les cheveux des hommes chauves. L'histoire du Proscar est loin d'être complète.

Si ma prostate était hypertrophiée, est-ce que je prendrais ce médicament? Oui, je le prendrais. Mais je prendrais aussi en considération d'autres traitements récemment développés.

La dilatation par cathéter à ballonnet, dont la technique ressemble à celle de l'angioplastie coronarienne, comprime le tissu prostatique. Le petit ballonnet est inséré dans l'urètre jusqu'à l'endroit où le tissu prostatique a provoqué un rétrécissement. En gonflant, le ballonnet repousse le tissu prostatique. Après trente minutes, le ballonnet est dégonflé et retiré. Les résultats de cette technique durent au mieux quelques mois.

Une autre technique consiste à insérer un serpentin de titane dans l'urètre pour empêcher la compression du canal urinaire par le tissu prostatique. Cette «endoprothèse» ne provoque pas la formation de calculs mais se recouvre plutôt de résidus urinaires normaux. Elle a révolutionné le traitement des cicatrices dans le canal urinaire (étranglement de l'urètre) mais n'est pas encore utilisée pour traiter la prostate.

Le laser peut aussi être utilisé pour inciser ou exciser le tissu prostatique sans perte de sang et cette technique jouera sans doute un grand rôle à l'avenir. Mais présentement, le manque de tissu nécessaire aux examens pathologiques et la frontière floue entre ce qui doit être enlevé et ce qui ne doit pas l'être ont limité l'utilisation de cette technique. La «vaporisation» d'énergie électrique sur les tissus prostatiques obstructifs à l'aide d'une bille qu'on fait rouler au-dessus de la glande est rapidement devenue populaire, quoiqu'on ne connaisse pas les effets à long terme de cette technique.

D'autres produits inspirés du Proscar, des médicaments anti-androgènes et même des anciens œstrogènes joueront sans doute un rôle dans le traitement de la maladie.

Le traitement chirurgical n'a pas été complètement éliminé. Il aura toujours sa place, même s'il ne constituera peut-être plus la deuxième intervention chirurgicale la plus courante aux États-Unis (la première étant la chirurgie de la cataracte).

En règle générale, le traitement médical n'est pas d'une grande utilité pour les patients qui souffrent de rétention, de calculs ou d'infection urinaire, et je recommande à ces patients d'opter pour le traitement chirurgical.

Quand la décision est prise, voici comment je procède pour l'opération.

Les examens préopératoires

J'aime bien m'assurer, par un examen aux rayons X ou aux ultrasons, que les reins sont sains. Pour cet examen, il faut d'abord injecter dans une veine du bras une préparation incolore à base d'iode. Comme l'artériosclérose ne se développe jamais dans les veines, il n'y a pas de danger que la piqûre détache des plaques (ce qui pourrait se produire si l'on piquait dans une artère). C'est donc une injection sans danger. Le produit chimique est rapidement éliminé par les reins. Des radiographies, prises à intervalles plus ou moins réguliers, permettent de suivre, dans les reins, dans l'urètre et dans la vessie, la marche du liquide iodé et de vérifier l'état de tout l'appareil urinaire. Une radiographie prise après la miction indique quelle quantité d'urine est demeurée dans la vessie. Cette série de radiographies de l'appareil urinaire s'appelle la pyélographie intra-veineuse (PIV). C'est, sans contredit, le mode d'investigation des voies urinaires le plus utile. Mais on ne peut l'utiliser chez les patients allergiques à l'iode. Il existe un risque sur 10 000 que se produise un accident mortel. En pratique, vu l'extrême rareté de cette réaction, on n'y attache pas une trop grande importance. Toutefois, on ne l'administre qu'avec précaution aux patients diabétiques ou souffrant de quelque affection rénale.

On peut également utiliser les ultrasons; ils sont absolument sécuritaires. Ces ultrasons, auxquels l'oreille humaine n'est pas sen-sible, sont dirigés sur divers organes. Leur retour s'inscrit sur un écran similaire à un écran de radar. Les techniciens en ultrasons peuvent traduire des images complexes avec une remarquable exacti-tude. Ces tests me fournissent des films par radar et un rapport du technicien en ultrasons que j'utilise pour établir mon diagnostic.

À l'aide d'un cystoscope, j'examine ensuite la région environ-nant la prostate. Ce cystoscope est un véritable périscope miniature. Il comporte, à son extrémité, un jeu de lentilles comme dans les lunettes d'approche. Sa tige mesure environ 45 cm de longueur et elle a le diamètre d'un crayon. Après avoir lubrifié le cystoscope, je l'introduis directement dans la verge. C'est parfois incommodant pour le patient, mais, dans des conditions normales, il ne ressent aucune douleur. Il faut dire que j'aurai au préalable insensibilisé la verge avec un anesthésique local. Il est bien évident que le degré d'incommodité dépend de l'anatomie du patient, de l'état de ses organes et de l'habileté du chirurgien. L'examen cystoscopique per-met d'établir avec exactitude la grosseur de la prostate et de juger si l'opération peut être pratiquée par les voies urinaires. Parfois, je combine l'examen cystoscopique à l'intervention chirurgicale elle-même. Il est évident que si je ne pratiquais pas de cystoscopie, j'éviterais au patient l'ennui de subir un examen déplaisant, mais cela évite la désagréable découverte, en cours d'opération, de tissus cicatriciels à l'intérieur de l'urètre ou encore d'une tumeur à la vessie. En général, l'opération de la prostate peut être mieux planifiée si l'on a d'abord pratiqué un bon examen cystoscopique.

Avant d'entrer à l'hôpital, le patient doit subir une série de tests qui comprennent:

1. une radiographie des poumons;

2. un électrocardiogramme;

3. une numération globulaire complète;

4. une analyse de la constitution chimique du sérum du sang.

On fait toujours passer ces tests au patient parce que, malgré sa propre description de son mal et malgré l'examen médical, certaines pathologies, qui pourraient constituer un danger lors de l'opération, peuvent nous être demeurées cachées. Par exemple, la radiographie des poumons nous permettrait de découvrir une tuberculose ou un cancer des poumons. L'électrocardiogramme peut révéler que le patient est en état de choc cardiaque ou qu'il présente un pouls irrégulier. La numération globulaire peut nous indiquer la présence d'anémie ou de leucémie. Dans certains cas, l'équilibre sanguin est perturbé: pas assez de potassium, trop de calcium, ou encore beaucoup trop de sucre. Si les tests préopératoires sont normaux, le patient est admis à l'hôpital la veille de l'opération soit en après-midi, soit en soirée.

Comme je pratique dans un hôpital universitaire, mon patient sera visité par un résident (médecin qui pratique une spécialisation sous la direction d'un spécialiste reconnu, et qui sera lui-même, après un certain nombre d'années, reconnu comme spécialiste). Le résident visite le patient à sa chambre, il reprend note de son histoire médicale et refait un examen médical; il ausculte le patient, palpe son abdomen et parfois pratique un examen rectal. L'hôpital universitaire a ses bons et ses mauvais côtés. Certains de mes patients se plaignent d'être examinés par un jeune médecin. Par contre, ces mêmes patients sont parfois très heureux que le résident soit sur les lieux, à leur disposition dès qu'ils ont besoin de lui. Ce sont aussi ces résidents qui, par leurs examens répétés, assurent le bien-fondé de l'opération proposée (il m'est arrivé, à l'occasion, de modifier le traitement que j'envisageais de faire subir à un patient parce qu'un résident avait attiré mon attention sur un aspect du cas qui m'avait échappé). Quant à moi, si j'avais besoin d'être hospitalisé, je choisirais de l'être dans un hôpital universitaire, à cause de la présence continuelle de résidents, et parce que, bien souvent, le médecin est plus rapidement au chevet du malade dans un hôpital universitaire que dans un autre hôpital.

La veille de l'opération, l'anesthésiste vient visiter le malade au cours de l'après-midi. Il s'entend alors avec le patient sur le type d'anesthésie qu'il utilisera: anesthésie générale ou anesthésie locale par rachianesthésie, c'est-à-dire par injection dans la colonne vertébrale d'un agent anesthésique. Certains patients, s'ils ont eu une expérience désagréable avec l'une ou l'autre méthode, préfèrent en changer. Ou encore, c'est l'anesthésiste qui jugera quel type d'anesthésie est préférable pour tel ou tel malade. Par ailleurs, quand il s'agit d'un patient qui a déjà subi une opération au dos, on préfère pratiquer l'anesthésie générale, car les séquelles d'une opération au dos peuvent rendre difficile une nouvelle introduction d'une aiguille dans la colonne vertébrale. Si le patient souffre d'une maladie cardiaque, l'anesthésiste préfère l'anesthésie générale parce qu'elle lui permet de mieux contrôler l'administration des diverses drogues qu'il doit utiliser. Dans la plupart des cas, cependant, on préfère la rachianesthésie parce qu'elle est presque toujours exempte de complications pulmonaires.

La prostatectomie

Je vais décrire ici de façon détaillée en quoi consiste la prostatectomie par les voies urinaires. Après l'administration des anesthésiques, on installe les jambes de l'opéré dans les étriers, comme on le fait pour une femme qui va accoucher. On lave les parties sexuelles avec une solution d'eau et de détersif. On recouvre tout le corps, à l'exception du pénis, de draps stériles. On lubrifie l'urètre, on le mesure et on y introduit un instrument appelé résecteur. C'est un instrument identique au cystoscope, mais qui est muni, à son extrémité, d'une boucle métallique traversée par un courant électrique, contrôlé par une pédale, et qui permet d'enlever des copeaux de prostate, de la grosseur d'un ver de terre. Le chirurgien imprime à cette boucle tranchante, par une traction du doigt, un mouvement d'aller et retour qui excise le tissu prostatique, copeau par copeau. Si la boucle sectionne des vaisseaux sanguins, qui font gicler le sang, une deuxième pédale permet d'augmenter le courant électrique de la boucle et de cautériser ces veines. Il faut environ une heure de travail pour exciser petit à petit la masse de la prostate. Les copeaux sont expulsés hors du corps grâce à un système de canalisations alimentées en eau courante. Cependant, il arrive souvent que le tissu de la prostate se reconstitue après

RÉSECTION PROSTATIQUE TRANSURÉTRALE ou PROSTATECTOMIE TRANSURÉTRALE

Enveloppe ou capsule de la prostate

l'excision, comme le sable qui coule lorsque l'on y creuse un trou, ce qui requiert du chirurgien une véritable habileté de sculpteur. À la fin de l'opération, l'enveloppe de la prostate est entièrement vidée.

Ensuite le chirurgien introduit jusqu'à la vessie un cathéter spécial appelé cathéter de Foley. Il s'agit d'un tube souple qui comporte un système de canalisations pour le remplissage et la vidange de la vessie. Les voies urinaires subissent, grâce à cet instrument, une irrigation continue d'eau salée pendant un jour ou deux. L'opération de la prostate pratiquée selon cette technique (par les voies naturelles) est celle que l'on choisit le plus communément dans les cas d'hypertrophie bénigne. On la désigne sous le nom de résection prostatique transurétrale. C'est la méthode qui fatigue le moins le patient et c'est aussi la moins stressante. Mais il n'en a pas toujours été ainsi. La résection prostatique transurétrale fut longtemps considérée comme l'une des opérations les plus difficiles à maîtriser par le chirurgien. Et ce fut longtemps aussi une opération des plus sanglantes.

L'avènement de la fibre optique et de la microlentille a révolutionné cette intervention. Grâce à la fibre optique, on peut projeter sur le milieu opératoire un intense rayon lumineux par le moyen d'innombrables fibres optiques tressées pour former un cordon émetteur de lumière. Ce cordon peut se tordre et se plier facilement. La microlentille a fait avancer le système d'éclairage du site opératoire en chirurgie autant qu'elle a fait avancer l'appareil photographique, le faisant passer du stade de Brownie à celui du Nikon. Il y a 40 ans, notre système d'éclairage du site opératoire par piles et nos grosses lentilles étaient si encombrants qu'on devait souvent arrêter l'opération dès qu'il y avait un peu trop de sang dans le site opératoire.

La procédure opératoire doit durer un peu moins d'une heure, mais il arrive qu'on puisse l'étendre à une heure et demie sans danger. Si elle devait durer plus longtemps, on risquerait de blesser l'urètre et d'y provoquer la formation de tissu cicatriciel créant un rétrécissement de l'urètre. Dans la plupart des cas, l'opération demande une heure et le cathéter peut être retiré un ou deux jours plus tard, après quoi, cependant, beaucoup de sang passera dans les urines de l'opéré, au début du moins. Mais la situation se rétablit presque aussitôt. Le patient reçoit son congé de l'hôpital après quatre ou cinq jours.

Les complications

Dans les cas à risque, les complications postopératoires (pneumonie, liquide dans les poumons) sont fréquentes. Ces complications se produisent surtout chez les fumeurs, chez les hommes de 70 ans et plus, chez les obèses, c'est-à-dire ceux qui excèdent leur poids normal de 40 kg et plus, et chez ceux qui souffrent déjà d'affections pulmonaires diverses. Les fumeurs connaîtront des complications de deux à six fois plus souvent que les non-fumeurs. Mais s'ils cessent de fumer trois mois avant l'opération, ils améliorent sensiblement leurs chances de les éviter.

La convalescence

Au cours de leur convalescence, la plupart des patients constateront qu'ils se fatiguent vite. Il n'y a rien à faire, sinon s'y habituer. Cette fatigabilité s'explique par le fait qu'ils ont perdu beaucoup de sang pendant et après l'opération. Comme je l'ai dit plus haut, ce sang s'élimine par les urines. Il existe aussi un risque de pertes sanguines subites au cours des cinq semaines qui suivent l'opération et il est recommandé aux opérés de ne pas trop s'éloigner de la maison pendant cette période.

Deux mois après l'intervention, l'opéré peut reprendre sa vie sexuelle, y compris la masturbation, mais il ne pourra plus éjaculer. Le liquide séminal va se perdre dans la vessie. Pendant l'opération, le tissu du col vésical a été enlevé, ce qui empêche le sphincter de se refermer aussi hermétiquement qu'avant, provoquant ainsi un reflux du liquide séminal dans la vessie. Ce n'est pas douloureux et le liquide séminal est éliminé avec les urines. La sensation orgastique, cependant, est toujours vive. Toutefois, environ 30 % des opérés se plaignent d'éprouver de l'impuissance à divers degrés et certains croient qu'elle est causée par la chirurgie.

Cela s'explique ordinairement par le fait qu'il s'agit de patients âgés, qui normalement mettent plus de temps à réaliser une érection. De plus, il ne faut pas oublier que les hommes sont, en général, bien heureux de pouvoir attribuer l'affaiblissement de leur virilité à l'opération ou à un autre agent extérieur plutôt que de reconnaître qu'elle s'affaiblit petit à petit avec l'âge. Mais la majorité des opérés ne demeurent pas impuissants après l'opération.

Le patient est normalement de retour à la maison en moins d'une semaine et sa convalescence dure un mois. Cette convalescence est à peu près la seule limitation imposée à l'opéré, quoique certains médecins tiennent à lui prescrire quelques restrictions spécifiques: pas d'escaliers les deux premières semaines, défense de conduire sa voiture la première semaine, pas de relations sexuelles pendant six semaines, etc. Quant à moi, je crois que le mieux est de laisser le patient se guider selon son degré de fatigue. Après tout, tout le monde n'a pas la même énergie ni la même faculté de récupération. Plus le patient est actif, mieux il récupérera si, cependant, il prend bien soin de s'arrêter dès qu'il sent la moindre fatigue. Le meilleur exercice est encore la marche. Mais, je le répète, à la moindre fatigue, il faut cesser toute activité et accepter de se reposer. Pendant les six premières semaines, on doit cependant s'abstenir de soulever des objets lourds et de forcer, même pour aller à la selle. Il faut aussi boire beaucoup, jusqu'à huit verres d'eau par jour, pour activer la miction. Il est fortement recommandé de s'abstenir autant que possible d'alcool, d'épices et de café (même décaféiné) jusqu'à ce que l'on soit tout à fait rétabli, ce qui peut prendre de deux à trois mois.

Il n'est pas impossible de procréer après une opération de la prostate. Chez une minorité de patients, l'éjaculation continue de se faire normalement. Dans la majorité des cas, il est possible, avec un effort, d'uriner l'éjaculat qui, comme on le sait, s'est déversé dans la vessie. La plupart du temps, si l'on tient vraiment à réussir à provoquer la grossesse, il faut faire l'amour après avoir vidé sa vessie. L'éjaculat est ensuite recueilli dans la vessie même et utilisé pour effectuer une insémination artificielle. Mais il faut bien se dire que, même avec toutes ces précautions, la grossesse est loin d'être assurée.

Quand l'hypertrophie de la prostate s'accompagne d'autres problèmes de santé

L'hypertrophie de la prostate se rencontre chez des sujets d'un certain âge, à une période où l'on commence déjà à ressentir d'autres problèmes de santé.

Que faire si l'opération s'impose chez un malade qui a déjà eu une crise cardiaque? Il faut absolument attendre, pour pratiquer l'opération, au moins trois mois après la crise. Il y a trop de risques de provoquer une deuxième attaque au cours de l'opération. Déjà, après trois mois, ces risques ont diminué, mais il est encore plus sage d'attendre trois mois de plus encore, soit six mois en tout. À ce moment, il n'y a presque plus de risques. Pour plus de sécurité, il est à conseiller de voir à ce que les soins postopératoires soient donnés dans une unité de soins intensifs où l'on peut suivre de plus près l'évolution de la fonction cardiaque de l'opéré. Avec ces précautions, on peut dire que les patients qui ont déjà eu une attaque cardiaque peuvent subir l'opération de la prostate tout aussi bien que n'importe qui. Pour les patients qui ont subi un pontage cardiaque, l'opération ne présente aucun risque additionnel. Quant à ceux qui souffrent de problèmes des valvules du cœur (rétrécissement, insuffisance cardiaque), l'opération s'accompagne de risques de complications cardiaques dans 20 % des cas.

Chez les diabétiques, il faut surveiller de très près le dosage d'insuline, mais le diabète ne présente pas, comme tel, une contre-indication pour l'opération. Ces patients sont particulièrement sensibles, cependant, aux infections parce que, chez eux, les muscles de la vessie sont affaiblis, ce qui les empêche de vider leur vessie complètement.

L'attaque cardiaque, cependant, est toujours à prévoir, surtout chez les patients hypertendus; mais même chez les patients à risque élevé, en particulier chez ceux qui souffrent d'un rétrécissement des artères du cou, on n'a pas constaté d'augmentation de l'incidence d'attaques cardiaques par suite de l'opération de la prostate.

Les autres types d'opérations pour l'hypertrophie de la prostate

On peut aussi exciser la prostate hypertrophiée par une incision pratiquée dans le bas-ventre. On choisit ce mode opératoire surtout quand le patient ne peut pas prendre la position voulue pour pratiquer l'excision par les voies naturelles, dans le cas, par exemple, où il souffre d'une malformation ou d'une déformation des hanches, ce qui est tout de même assez rare. Le plus souvent, la raison qui nous fait choisir ce type d'opération est que la prostate est très hypertrophiée, trop grosse en fait pour qu'on puisse raisonnablement s'attendre à ce que le «grignotage» de cette prostate puisse s'exécuter en moins d'une heure.

Il existe trois méthodes pour opérer par incision. La plus ancienne est de pratiquer une ouverture de la vessie. C'est une opération facile pour le chirurgien, mais pénible pour l'opéré. Il est susceptible de souffrir de douloureux et inquiétants spasmes de la vessie. Une deuxième méthode consiste à pratiquer une incision dans l'enveloppe fibreuse de la prostate, et, à l'aide du doigt, d'extraire de cette enveloppe la masse glandulaire qui constitue la prostate. Pour faire image, disons que c'est une action comparable à l'extraction de son enveloppe de la chair d'une tangerine. On pratique une ouverture dans la peau ou l'enveloppe de la tangerine, on y glisse le doigt et on en décolle la chair que l'on extrait ensuite facilement. L'opération de la prostate est souvent aussi facile et c'est la méthode que je préfère. Il existe enfin une troisième méthode qui consiste à pratiquer une incision entre le scrotum et l'anus. Je n'utilise jamais cette méthode. On risque d'attaquer les nerfs et je n'aime pas courir ce risque.

Il est parfois nécessaire de choisir l'opération avec incision, surtout quand il y a d'autres corrections à apporter dans cette région de l'organisme. C'est le cas, par exemple, de la réparation d'un éclatement de la vessie, de l'extraction d'un gros calcul vésical ou de la réduction d'une hernie inguinale.

L'hospitalisation, dans ces cas-là, dure quelques jours de plus et, comme il y a incision, il faut surveiller de près le danger d'infection. Mais ce sont là des points mineurs et on peut dire qu'en ce qui concerne les soins postopératoires, il y a peu de différence entre ce type d'opération et l'opération par les voies naturelles.

Pour le moment, l'intervention chirurgicale demeure le seul moyen de traiter l'hypertrophie de la prostate. Le scalpel du chirurgien et ses autres instruments font toujours peur, c'est évident, mais les opérations pour l'hypertrophie bénigne de la prostate sont la plupart du temps rapides, techniquement très au point et réussies. Si vous avez jamais besoin d'une telle opération, il serait cependant bon de vous y préparer mentalement et d'en apprendre autant que possible sur l'opération elle-même et sur ses effets. Cela ne peut que vous aider à vous remettre sur pied facilement et demeure vrai pour toutes les maladies.

Questions et réponses

• **Deviendrai-je impuissant après une opération bénigne de la prostate?**

Il y a très peu de garanties en sciences biologiques. L'opération ne modifiera pas les taux d'hormones, ni la circulation du sang dans le pénis, ni les fibres nerveuses. Si vous ne souffriez pas d'impuissance avant l'opération, il est peu probable que vous en souffriez après. Si vous êtes relativement impuissant, les risques que l'opération aggrave votre impuissance sont de 30 %.

- **On m'a dit que j'avais une petite prostate. Comment se fait-il qu'elle nécessite une opération?**

Il est possible que vous ayez besoin d'une opération pour améliorer votre écoulement urinaire et qu'un autre homme avec une grosse prostate n'en ait pas besoin. Les réactions des patients devant l'inconfort sont diverses. Pour certains, l'inconfort est un malaise et pour d'autres, une agonie. Je crois que chez certains hommes, les tissus sont plus élastiques et que lorsque le tissu externe sain de la prostate est comprimé par le tissu interne hypertrophié, ces hommes peuvent éprouver moins de difficultés à uriner.

- **Allez-vous utiliser des antibiotiques lors de l'opération?**

Les experts ne s'entendent pas sur l'administration d'antibiotiques au patient au cours de l'opération, pour prévenir une infection toujours possible. Certains experts disent qu'on ne devrait pas en administrer s'il n'y a pas d'infection évidente. D'autres soutiennent que les voies urinaires, dès qu'elles sont le moindrement irritées par la présence du résecteur et du cathéter (ou de la sonde si l'on préfère) sont très sensibles aux infections, et que les antibiotiques, administrés avant et après l'opération, peuvent réduire le danger de fièvre, de refroidissement et des si dangereuses infections des reins. Quant à moi, je prescris à mes opérés de prendre des antibiotiques pendant une courte période avant et après l'opération.

- **Aurai-je une transfusion sanguine pendant ou après l'opération?**

La quantité de sang perdu dépend surtout de la durée de l'opération, de l'habileté et de la dextérité du chirurgien et de la nature du tissu glandulaire qui forme la majeure partie de la prostate. Je garde toujours une réserve de sang à portée de la main et j'en fais administrer à l'opéré dès que je constate qu'il se produit une modification dangereuse de son état cardio-vasculaire. Il est important de savoir que l'opéré perdra à peu près la même ... au cours des quelques jours qui suivent l'opération ... ration elle-même. Aussi ne faut-il pas s'alarmer si ... dans les urines de l'opéré pendant quelques jours ... s'alarmer non plus si l'urine est rouge. Très peu de sa... rougir l'urine.

- **Cette opération met-elle fin à tout danger de ca... prostate?**

Même si, au cours d'un examen par voie rectale, le médecin n... détecté la présence d'un cancer, il reste de 10 à 15 % de risque ... y en ait un. Le cancer débute souvent dans les tissus de l'envelo... de la prostate, qui n'est pas enlevée au cours de l'opération. Aus... même si la partie retirée pendant l'opération n'offre aucun signe ... cancéreux, il n'en reste pas moins qu'un cancer de la prostate peut se développer au cours des années suivantes.

- **L'opération va-t-elle faire disparaître mes symptômes?**

En général, si le diagnostic a été bien posé et l'opération bien menée, les troubles dont souffrait le malade devraient s'atténuer. Mais le moindre accident au cours de l'opération peut avoir des conséquences graves. Si, par exemple, le résecteur ou la sonde blessent le moindrement l'urètre, cette blessure laissera une cicatrice qui réduira la lumière de l'urètre et réveillera tous les troubles dont souffrait l'opéré. Et si l'on ne réussit pas à exciser tout le tissu cicatriciel, ces troubles se perpétueront, surtout si l'obstruction se situe près du sphincter.

- **Aurai-je besoin d'être réopéré?**

Cette opération n'est pas toujours définitive pour un certain nombre de raisons. Il faut parfois la répéter, par exemple si le chirurgien

a dû y mettre fin prématurément la première fois. Cela est rare, mais même un chirurgien de grande valeur doit faire taire sa fierté et abandonner l'opération, qu'elle soit complétée ou non, quand la période d'intervention a atteint sa limite de sécurité, qui est de 60 à 90 minutes.

Il faut aussi reprendre l'opération dans le cas où le tissu de la prostate a repris sa croissance et menace de s'hypertrophier de nouveau, ce qui peut être le cas si l'opération a eu lieu alors que le malade était très jeune, ou si l'opéré a la chance d'atteindre un âge avancé. Environ 15 % des opérés doivent subir une seconde intervention au cours des 15 années qui suivent une première prostatectomie.

Mais, au contraire des opérations ouvertes où le scalpel a laissé une cicatrice, cette seconde opération ne présente pas de difficultés majeures parce que la première opération n'a pas laissé de tissus cicatriciels.

- **Le traitement à l'Hytrin ou au Proscar élimine-t-il la nécessité d'une intervention chirurgicale ou ne fait-il que la retarder?**

Pour l'instant, on ne peut répondre à cette question. Il est possible que les médicaments éliminent de façon permanente le besoin de recourir à la chirurgie. Mais il est aussi possible que l'intervention chirurgicale devienne nécessaire. La plupart des médecins croient que le traitement par médicaments pourrait être essayé en premier.

- **L'Hytrin et le Proscar devront-ils être pris la vie durant?**

Je soupçonne qu'au début, la plupart des patients prendront les deux médicaments et qu'après quelques mois, l'Hytrin sera diminué et possiblement éliminé.

- **La chirurgie au laser remplacera-t-elle éventuellement le galvanocautère?**

L'énergie du faisceau laser peut être dirigée vers les tissus prostatiques hypertrophiés, généralement sans perte de sang. Cette technique peut être utilisée en consultation externe, sous anesthésie locale: l'anesthésique peut être instillé dans le canal urétral ou injecté en arrière de la prostate.

En théorie, la prostatectomie au laser remplacera inévitablement la technique actuellement utilisée pour l'ablation de la prostate. Mais il y a des inconvénients. La destruction des tissus par le rayon laser ne permet pas leur examen pathologique. Mais le test PSA et l'examen aux ultrasons diminuent l'importance de cet inconvénient. Néanmoins, dans 15 % des résections, on découvre des cancers dont on ne soupçonnait pas l'existence. De plus, la chirurgie au laser reste encore moins précise et moins complète, quoique son expérimentation plus étendue pourrait modifier ce constat. Mais l'inconvénient le plus important, c'est que pour chaque opération, le faisceau coûte entre six cents et mille dollars et pose le problème du rapport coût-efficacité.

- **Le Proscar remettra-t-il en cause l'utilité du test PSA?**

Certains experts le croient, mais d'autres croient qu'une diminution du taux de PSA, peu importe comment elle est obtenue, peut bloquer le développement d'un cancer. Il faudrait toujours procéder à une lecture du taux de PSA avant de commencer le traitement au Proscar. Normalement, au bout d'un an, le taux devrait diminuer de 40 à 50 %. Si tel n'est pas le cas, une nouvelle investigation d'un cancer devrait être effectuée. Un marqueur biochimique produit uniquement par les cellules cancéreuses de la prostate fait l'objet de recherches.

- **Des données permettent-elles de prouver que le Proscar peut réduire le risque du cancer de la prostate?**

Les données sont peu concluantes. D'un côté, le Proscar n'a pas modifié les cancers de la prostate provoqués chez des animaux de laboratoire. D'un autre côté, la faible incidence du cancer de la prostate chez les Japonais est reliée aux niveaux peu élevés des produits chimiques dans le sang associés au degré d'activité de la réductase 5-alpha. Les hommes qui prennent du Proscar peuvent développer les caractéristiques sanguines des Japonais et devenir moins vulnérables au développement d'un cancer.

Le cancer de la prostate

Le nombre de décès dus au cancer de la prostate serait considérablement moins élevé si tous les hommes, à partir de cinquante ans (de quarante ans pour les Noirs ou pour les hommes présentant des antécédents familiaux), acceptaient de se soumettre régulièrement au test sanguin PSA et à un examen rectal et, au cas où cet examen en indiquerait le besoin, acceptaient de subir une biopsie de la prostate. Il s'agit d'un examen au microscope d'une parcelle de la prostate, prélevée par le médecin au moyen d'une aiguille guidée par ultrasons.

Généralement, il n'est pas difficile de distinguer, au toucher rectal, si l'on a une certaine expérience, entre une prostate qui a une tumeur maligne (cancer) et une prostate qui a une tumeur bénigne (non cancéreuse). La prostate cancéreuse est dure, tandis que la prostate saine ou à peine hypertrophiée est aussi tendre que la partie charnue de la paume de la main. Cet examen très simple permet de découvrir de 80 à 90 % des cancers de la prostate à leur début.

Le reste des cancers, soit 10 à 15 %, ne sont pas identifiables au toucher rectal parce qu'ils ne durcissent pas la prostate et n'indiquent pas un taux élevé de PSA. Dans ces cas-là, le diagnostic du premier examen (toucher rectal) est tout à fait hypothétique, n'étant basé que sur le fait que la prostate semble associée à une hypertrophie suffisante pour faire penser à l'excision, dont nous avons parlé au début du présent chapitre. Mais les copeaux de prostate excisés par le résecteur ou encore la masse de tissu prostatique retirée au cours d'une opération ouverte sont toujours étudiés par un pathologiste. C'est alors que l'on peut identifier avec certitude les cancers qui n'ont pas pu l'être par l'examen rectal ou le test PSA.

CANCER DE LA PROSTATE

Le test PSA qui permet de détecter un cancer de la prostate est d'application récente. Il permet de dépister chez les hommes en santé un taux anormalement élevé d'antigène spécifique de la prostate (PSA) dans leur sang. Le rôle de cette protéine, sécrétée par toutes les cellules de la prostate, assure la fluidité du sperme lors de l'éjaculation. Dans une prostate cancéreuse, le taux de production de cette protéine est dix fois plus élevé que la normale. Ainsi, si tout homme dont le taux de PSA dépasse 4 nanogrammes par millilitre se soumettait à un examen prostatique aux ultrasons et à une biopsie, nous pourrions diagnostiquer un début de cancer deux fois plus souvent qu'en procédant seulement à un examen rectal.

Biopsie de la prostate

Il existe diverses méthodes de biopsie de la prostate. La première est de pratiquer, entre le scrotum et l'anus, une incision qui permet de voir la prostate et de l'atteindre directement. Une deuxième méthode consiste à introduire une aiguille jusqu'à la prostate, à partir d'un point situé entre le scrotum et l'anus, en guidant l'aiguille avec un doigt inséré dans l'anus. La méthode que je préfère et que je pratique dans mon cabinet même ne requiert pas d'anesthésie. J'introduis mon doigt, proprement ganté et lubrifié, dans l'anus de mon patient et je localise le point durci de la prostate. Puis je glisse une aiguille à biopsie le long de mon doigt. L'aiguille perce le rectum, pénètre dans la prostate dont elle récolte une parcelle de la grosseur d'une mine de crayon. Le tout se fait en 10 secondes et la piqûre dans la prostate est presque insensible. Si, à l'analyse, le pathologiste détecte la présence de cellules cancéreuses dans le prélèvement, il n'y a plus besoin de nouvelles biopsies. S'il ne détecte rien, on pourra se demander si l'aiguille a piqué au bon endroit.

L'utilisation de l'aiguille guidée par ultrasons a jusqu'à un certain point éliminé l'incertitude quant à la précision de la biopsie. L'image indique les zones suspectes, les points sont alignés et l'aiguille entre en action. Les cancers ne présentent pas tous le même aspect (un point noir ou foncé sur un fond gris) mais l'aiguille peut être pointée sur la cible choisie. En l'absence de zone foncée, on procède à six prélèvements sur six régions également réparties à la surface de la prostate. Cette technique porte le nom de biopsie à six quadrants.

Évaluation du cancer

Si le pathologiste ne découvre des traces de cancer que dans un des copeaux prélevés sur la prostate ou dans trois au maximum (moins de 5 % du tissu prélevé est cancéreux), on dit que le cancer est au stade A1 (ou T1a). S'il en identifie dans quatre copeaux ou plus (plus de 5 % du tissu prélevé est cancéreux), on dit que le cancer est au stade A2 (ou T1b).

Quand le cancer est diagnostiqué suite à une biopsie aux ultra-sons indiquant un taux élevé de PSA et non suite à un examen rectal qui révèle la présence d'une excroissance dure, on dit que le cancer est au stade T1c (on aurait pu tout aussi bien l'appeler A3).

Lorsqu'un cancer a été détecté, il faut tenter de découvrir quelle est son étendue. On utilise pour cela un test osseux par scan-ner, des tests sanguins, parfois un scanner assisté par ordinateur et plus rarement un examen aux ultrasons du foie et de la rate.

Pour le test osseux, on utilise des isotopes radioactifs. On injecte, dans la veine, un isotope radioactif, émetteur de rayons gamma, qui va se loger dans les cellules osseuses. L'image émise par les isotopes fait voir clairement le squelette. Aux endroits où les os sont cancéreux, on pourra constater la présence de points, noirs ou blancs. Les jointures arthritiques et les cicatrices d'anciennes fractu-res osseuses provoquent aussi la formation sur l'image de points noirs ou blancs, ce qui gêne parfois la lecture de l'image. Pour facili-ter cette lecture, on adjoint souvent à l'image par isotopes une radiographie du secteur étudié. Les radiations des rayons X et des isotopes sont faibles et l'interprétation des images se réduit souvent à des hypothèses, éclairées cependant par l'étude des résultats des tests sanguins menés en même temps pour permettre d'évaluer le stade où en est rendue la maladie.

Les tests sanguins permettent d'identifier des marqueurs. Le taux de PSA en est un. Le taux normal de cette protéine dans le sang est de 4 nanogrammes par millilitre. Des taux plus élevés peu-vent indiquer la présence d'un cancer, quoiqu'ils peuvent être aussi causés par une hypertrophie bénigne ou une inflammation de la prostate (prostatite). Et pour compliquer le problème, 15 % des cel-lules cancéreuses peuvent ne pas sécréter cette protéine. Néanmoins, le test PSA s'avère utile dans le dépistage du cancer et la sur-veillance de la progression ou de la régression de la maladie après, par exemple, une chirurgie radicale, une radiothérapie ou un traitement aux hormones.

Un autre marqueur bien identifié est la phosphatase acide de la prostate, une enzyme sécrétée par les cellules cancéreuses de la prostate. Malheureusement, on ne peut détecter la présence de cette enzyme dans le sang avant que le cancer ne se soit étendu hors de la prostate. Si le taux de cette enzyme dans le sang est élevé, c'est une indication certaine que le cancer s'est propagé, même si le toucher rectal semble indiquer le contraire. Par ailleurs, le taux d'enzymes peut s'élever quand une partie de la prostate perd sa réserve sanguine, accident que l'on a nommé infarctus de la prostate et qui n'a rien à voir avec le cancer. Le scanner assisté par ordinateur permet d'évaluer l'étendue de la maladie mais non son envahissement des ganglions lymphatiques. Il peut aussi indiquer si la maladie a atteint le stade C.

Le test par ultrasons du foie et de la rate nous dit si le cancer s'est propagé jusqu'à ces organes.

Après avoir envahi les ganglions lymphatiques, le cancer de la prostate se propage d'abord aux os, dans 80 % des cas, et dans 20 % des cas, il s'étend d'abord au foie. Ainsi, pour établir où en est rendu le mal, le médecin a à sa disposition non pas un seul et unique test, mais toute une série d'examens. Bien connaître l'évolution de la maladie, c'est déjà savoir quel traitement prescrire. Il est donc très important de connaître cette évolution. Elle va guider le médecin dans son choix car les modes de traitement sont variés et parfois contradictoires. J'ajouterai, entre parenthèses, que le taux de radiations émises lors de ces tests est insignifiant: il ne faut pas plus s'en soucier qu'on ne le fait du papier peint du salon quand la maison est en train de brûler.

Traitement au stade 1 (T1a)

Le type de traitement indiqué pour le cancer au stade A1, où moins de 5 % des tissus sont affectés, soulève bien des controverses. Dans certains centres hospitaliers, on ne fait pas la distinction entre le stade

A1 et le stade A2 et dans les deux cas, on excise toute la prostate. Dans d'autres centres, on préfère exciser de nouveau des copeaux de prostate avant de décider si le cancer en est au stade A1 ou A2. Dans beaucoup d'autres centres, les médecins utilisent le test PSA. Si le taux de PSA est élevé, le cancer est traité par chirurgie ou radiothérapie. Si le taux est normal, un suivi médical suffit, avec des lectures régulières du taux de PSA à tous les trois ou six mois.

Quant à moi, les lectures du taux de PSA me servent de guide tout comme le classement de la maladie que me fournit le pathologiste. Ordinairement, ce dernier utilise l'échelle de Gleason, graduée de un à cinq. Le pathologiste compare les deux zones les plus évidentes de cellules cancéreuses à des cellules cancéreuses témoins et leur attribue un degré combiné. Ainsi, le degré le plus bas est deux et le plus élevé est dix. Un degré supérieur à six indique un cas grave. Quand un patient présente un taux élevé de PSA et un degré supérieur à six sur l'échelle de Gleason, mon traitement est radical. Quand un patient présente un taux normal de PSA et un degré inférieur à six, j'assure simplement un suivi médical comportant un examen rectal et un test PSA tous les six mois.

Traitement au stade A1 et au stade B (T2), pour un cancer opérable.

Quand le cancer en est au stade A2, où plus de 5 % des tissus sont affectés, les patients ont besoin d'un autre traitement sans quoi le mal va s'étendre et atteindre la phase finale.

Quand le cancer est diagnostiqué suite à une biopsie indiquant un taux trop élevé de PSA (stade T1c ou A3) et non suite à un examen rectal qui révèle la présence d'une excroissance dure, différents traitements sont possibles, dépendant de la dimension de la zone cancéreuse et de son examen au microscope. Le meilleur traitement est encore l'ablation totale de la prostate, la prostatectomie radicale.

Si le médecin peut, au toucher rectal, suspecter la présence d'un cancer, mais ne peut discerner la présence de symptômes cancéreux dans les organes annexes, on dit que la maladie en est au stade B. Ce stade comporte une variété de développements qui vont de la lésion moins grosse qu'un pois à celle qui intéresse l'ensemble de la prostate, stade que l'on désigne parfois sous le nom de stade B2. Ce premier diagnostic doit toujours être confirmé par une biopsie (ou examen biopsique).

Quand le cancer est limité à la prostate, l'objectif est l'éradication totale de la maladie. Traditionnellement, les médecins avaient le choix entre trois types d'intervention chirurgicale: l'ablation radicale ou prostatectomie, la radiothérapie et le traitement par isotopes radioactifs.

Quand un patient en est au stade B1 ou A2, je procède à une prostatectomie radicale. Si la chirurgie est contre-indiquée, je suggère la radiothérapie. Je ne suis pas convaincu que l'implantation chirurgicale d'isotopes radioactifs soit suffisamment supérieure au traitement par radiothérapie pour justifier la sévérité de la chirurgie qu'elle implique.

La prostatectomie radicale

La prostatectomie totale (ou radicale) est une opération majeure. Elle dure de quatre à cinq heures et peut être suivie de complications graves. Elle comporte des risques spécifiques qui s'ajoutent aux risques inhérents à toute intervention majeure, pneumonie, infection de la plaie, caillots sanguins dans les jambes (qui peuvent remonter jusqu'aux poumons).

Il y a un faible risque d'une perte de contrôle de la miction, mais pas un seul de mes patients n'est devenu totalement incontinent après sa prostatectomie, quoique beaucoup d'entre eux ont souffert d'une incontinence légère due au stress postopératoire. Dans la plupart des centres où on pratique cette opération, le taux d'incontinence totale suite à une prostatectomie est d'environ un pour cent. Le risque d'impuissance permanente a déjà été de 99 %, mais grâce à une nouvelle technique opératoire mise au point par le Dr Patrick Walsh, de l'université John Hopkins, technique qui laisse le système nerveux intact, l'opéré peut espérer retrouver sa virilité dans 50 à 80 % des cas.

PROSTATECTOMIE TOTALE

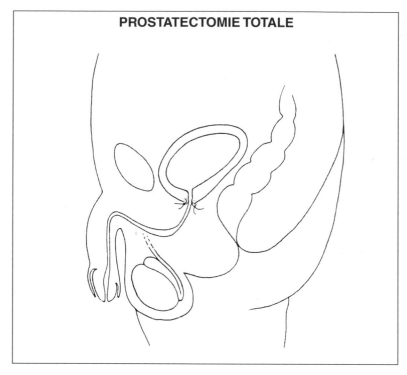

L'opération débute par l'excision des ganglions lymphatiques de la région de l'aine parce que, lorsque le cancer prostatique se développe, c'est toujours dans ces ganglions qu'il s'installe en premier lieu. On ne connaît pas encore de méthodologie sûre pour détecter, sans chirurgie, si les ganglions sont attaqués. À l'œil nu, on peut bien voir les nodules de ces ganglions, mais rien ne nous dit s'ils sont cancéreux ou non. (Au scanner assisté par ordinateur, on ne peut détecter que les nodules de plus de 2 cm, mais les nodules plus petits peuvent aussi être cancéreux.) Après l'ablation des ganglions, on envoie ces derniers immédiatement chez le pathologiste qui les fait congeler aussitôt, les fait tailler en coupes fines, qu'il va soumettre à des colorants puis examiner au microscope. Je m'appuie toujours sur l'examen des coupes congelées pour savoir si les ganglions sont atteints. Quand c'est le cas, j'abandonne l'opération en cours parce qu'il y a trop de risques que le cancer se soit propagé à d'autres organes, auquel cas il ne peut être totalement extirpé par chirurgie. Je ne poursuis l'opération que si le pathologiste m'assure que les ganglions ne sont pas touchés par le cancer.

Deux fois sur cent, le rapport du pathologiste est erroné et dans certains centres, on préfère procéder à une dissection séparée des ganglions lymphatiques, en utilisant la technique de la laparoscopie qui s'apparente à celle qui est utilisée lors d'une opération de la vésicule biliaire. Je ne me suis pas encore rallié à cette façon de faire, mais je crois qu'elle peut être appropriée lorsque le risque est grand que les ganglions soient touchés ou que le taux de PSA est supérieur à vingt.

La prostatectomie est l'une des opérations les plus difficiles qui soient. C'est qu'elle se pratique en terrain très vascularisé, très sanglant, au fond de la plaie, et qu'elle demande que l'urètre, qui a la taille d'un crayon, soit rattaché à la vessie dont l'ouverture est beaucoup plus large que celle de l'urètre. Et tout cela doit être fait sans blesser le réseau nerveux, très important dans ce secteur, véritable toile d'araignée attachée derrière la prostate. La moindre blessure à ce réseau mettrait en danger la virilité de l'opéré.

L'opération demande que le malade soit couché sur le dos, anesthésié, lavé et brossé des épaules jusqu'aux genoux avec un savon spécial et badigeonné entièrement d'une solution antiseptique. On recouvre tout le corps de l'opéré, sauf le bassin, de draps stérilisés. On installe un cathéter dans la vessie.

C'est alors que le chirurgien entre en scène. Je pratique, sur le ventre du malade, en premier lieu, une longue incision qui va du nombril jusqu'à l'os du pubis.

Sous la peau du ventre, je trouve le muscle abdominal que je sectionne selon une ligne médiane verticale; je l'ouvre et je suis maintenant en position pour opérer.

J'excise les ganglions lymphatiques et les envoie au pathologiste pour qu'il les examine. Puis je libère la glande prostatique de chaque côté et j'installe une pince sur la grosse veine qui repose sur le devant de la prostate et je la dégage pour la fixer hors du champ opératoire. Je peux maintenant voir où l'urètre entre dans la prostate. Je pratique une incision le long de l'urètre, exposant ainsi le cathéter qu'il contient. Je fais un point sur l'urètre pour qu'il ne se déchire pas. Je retire le cathéter et je sectionne carrément l'urètre. La prostate demeure fixée à la paroi par sa partie arrière et à la vessie par sa partie supérieure. Je sectionne avec précaution le dos de la prostate en dirigeant mon scalpel vers la vessie, tout en faisant bien attention de ne pas blesser le nerf, qui est essentiel à la virilité. Puis, à l'aide du scalpel, je détache la prostate de la vessie. Ensuite, du fond arrière de la prostate, j'excise le canal déférent et je coupe l'alimentation sanguine. Je dissèque aussi les vésicules séminales pour qu'elles puissent être retirées en même temps que la prostate. Ce n'est qu'alors que je pourrai retirer la prostate de sa loge. Après quoi, je dois ajuster la grande ouverture de la vessie à la petite ouverture de l'urètre. Pour le faire, je rétrécis l'entrée de la vessie par des points de suture et je la fixe à celle de l'urètre par quatre autres points de suture, utilisant pour cela les deux points que j'y avais pratiqués plus tôt. Mes assistants installent un cathéter de Foley dans la vessie et, entre les lèvres de la plaie, des sondes qui permettront à l'urine et au sang demeurés dans la plaie de s'écouler hors de l'organisme. Ensuite, je referme la plaie.

Je suis devenu plus sélectif dans le choix des patients à opérer. Les patients présentant un cancer de masse microscopique sont simplement soigneusement surveillés. Les patients qui ont atteint le stade B, dont le cancer occupe plus de la moitié du volume de la prostate, sont dirigés vers la radiothérapie. Trop souvent, la chirurgie ne permet pas la guérison quand la masse cancéreuse correspond à près de la moitié de la masse de la prostate. Par conséquent, la chirurgie est la meilleure solution pour les patients dont la masse cancéreuse se situe entre 5 et 50 % de celle de la prostate. En dépit de cette restriction, la prostatectomie radicale est l'opération que je pratique le plus souvent. Dans beaucoup de centres, on administre maintenant un traitement aux hormones aux futurs opérés pendant les trois mois qui précèdent l'opération. Un tel traitement peut diminuer la tumeur et la détection des cellules cancéreuses par le pathologiste est moins probable. Le cancer est sans doute toujours là, mais il est moins facilement détectable. Un test de coloration à la cytokératine permet de diminuer la probabilité de cette «erreur». J'administre un traitement aux hormones seulement en cas de report de la date de l'opération, particulièrement pour les patients qui présentent un taux élevé de PSA. Une expérimentation est actuellement en cours au Canada pour déterminer si un prétraitement aux hormones peut améliorer les chances de ces patients.

Un cancer de la prostate se développe lentement et il n'est pas déraisonnable de laisser s'écouler plusieurs mois entre le moment du diagnostic et celui de l'opération. Certains patients ont profité de cette période pour faire prélever jusqu'à trois chopines de leur sang, en cas de besoin lors de l'opération.

Je me souviens d'un patient qui n'était pas mentalement prêt pour l'opération et à qui on a administré un prétraitement aux hormones. Après son opération, trois mois plus tard, le pathologiste n'a pas trouvé de cellules cancéreuses dans la prostate excisée et a du vérifier la biopsie pour confirmer le diagnostic original. Dans 4 à 5 % des cas, un prétraitement aux hormones peut faire disparaître le cancer. L'idée de diminuer un cancer à l'aide d'un prétraitement aux hormones ne relève pas de la fantaisie, mais trop souvent, la diminution ne se produit pas. Récemment, j'ai décidé de ne pas opérer un patient; les tissus congelés prélevés sur ses ganglions lymphatiques indiquaient la présence d'un minuscule cancer. Si on lui avait administré un prétraitement aux hormones, l'examen des tissus des ganglions aurait peut-être été négatif et j'aurais peut-être dû procéder à une prostatectomie. Mais comment savoir si cela aurait été mieux ou pire pour le patient?

La prostatectomie radicale est une très grave opération et, d'après moi, c'est une des interventions chirurgicales les plus exigeantes parce qu'elle comporte, en plus de l'ablation de la prostate, une reconstitution complète de l'appareil urinaire. Il faut apporter beaucoup d'attention aux moindres détails; ce n'est qu'à ce prix que l'on peut éviter les complications et permettre à l'opéré de conserver son contrôle urinaire et sa virilité. Depuis peu, depuis 1985 en fait, cette intervention est devenue le traitement de choix quand le cancer de la prostate a atteint les stades A1 et B1. Elle est nettement supérieure à la radiothérapie et à la thérapie par isotopes radioactifs.

La radiothérapie

La radiothérapie est une méthode de traitement qui permet de bombarder la prostate, en plusieurs points, de puissants rayons gamma. Les cellules cancéreuses sont plus sensibles à l'effet destructeur des rayons gamma que les cellules normales, mais il semble que la distinction entre les deux types de cellules ne soit pas toujours très nette. C'est ainsi que si la peau reçoit beaucoup d'émanations, elle brunit et durcit. Si les rayons attaquent les intestins, ils peuvent y provoquer des crampes, de la diarrhée et de la douleur. Attaquée par les radiations, la vessie se contracte et le patient peut souffrir de pollakiurie (mictions très fréquentes). Elle peut aussi causer des saignements fréquents de la tunique interne de la vessie.

Mais ces accidents sont plutôt rares, en fait, et il est par ailleurs certain que la radiothérapie améliore l'état de nombreux patients.

Cependant, si le cancer est maîtrisé, il n'en est souvent pas pour autant guéri. On a vu des biopsies, faites après un traitement de radiothérapie apparemment réussi, montrer que le cancer existait toujours à son point d'origine. Cependant, le cancer est sérieusement maîtrisé, et il faut souligner que la radiothérapie de la prostate est moins toxique et dangereuse que celle des poumons ou de l'abdomen.

La plupart des médecins accordent une plus grande valeur curative à la chirurgie, quand elle est possible, qu'à la radiothérapie. Après une chirurgie, un cancer met plus de temps à récidiver, si récidive il y a. Mais cela peut être simplement un reflet de la santé du patient avant le traitement. La chirurgie est plus indiquée pour les cancers de stade B à leur début que pour les cancers avancés de stade B. De plus, il est peu probable que la chirurgie soit indiquée pour les patients de plus de soixante-dix ans.

Certains chirurgiens estiment qu'ils peuvent faire diminuer un cancer du stade C au stade B, à l'aide d'un traitement aux hormones pour rendre la chirurgie possible. Je ne suis pas convaincu que le résultat escompté se produise de façon régulière et je n'ai pas recommandé cette façon de procéder.

La thérapie par implantation d'isotopes radioactifs

Le *Sloan-Kettering Cancer Center* de New York fut le premier à utiliser le traitement par implantation d'isotopes radioactifs. Cette technique demande que l'on isole la prostate, par chirurgie, de tous ses corps annexes. Cela fait, au lieu de retirer la prostate, on y implante des particules insolubles de corps radioactifs. Cela permet d'utiliser la puissance destructive des rayons gamma sans risque de complications. Mais cette thérapie exige une intervention chirurgicale importante et il ne faut pas oublier que ce traitement peut contrôler le cancer de la prostate, mais non le détruire.

Il existe un nouveau mode d'utilisation de la radioactivité pour le traitement du cancer. Au lieu de l'or radioactif, on utilise du palladium radioactif. La demi-vie du palladium radioactif – la moitié du temps requis pour que la moitié de la radioactivité soit dissipée – est beaucoup plus courte que celle de l'or radioactif. La radiation peut ainsi être mieux contrôlée. Les pastilles de palladium sont insérées sous la peau, derrière le scrotum et devant le rectum. Plus de soixante-quinze centres américains sont équipés pour appliquer cette technique. Les résultats sont encore à être évalués. Je crois que cette technique s'imposera comme la meilleure pour traiter un cancer à ses débuts, qu'un examen rectal ne permet pas de détecter.

Stade C (T3)

Quand l'examen par toucher rectal permet de détecter la présence d'un cancer à la vésicule séminale, à la vessie ou à l'urètre, on dit que le cancer en est au stade C. Le cancer est alors souvent localisé plus précisément par scanner assisté par ordinateur, méthode d'utilisation des rayons X qui permet de «voir» toute masse cancéreuse de plus de deux centimètres de diamètre.

Le traitement utilisé dans le cas des cancers de stades B ou D s'applique souvent aussi au cancer de stade C. Ainsi, quand on suspecte que le cancer ne s'est pas étendu hors de la prostate, on agit comme on le fait pour le cancer de stade B et l'on pratique une ablation radicale de la prostate. Parfois, on peut juger, aidé par l'expérience, que le cancer s'est propagé hors de la prostate et qu'il a atteint le stade C. Dans ces cas, la plupart des urologues ont recours à un traitement par manipulation d'hormones, comme s'il s'agissait d'un cancer de stade D.

Stade D (N + M +)

On dit que le cancer a atteint le stade D quand il s'est propagé dans les ganglions lymphatiques et au-delà. On subdivise ce stade en D1 (N +) et D2 (M +). Le stade D1 désigne un cancer qui n'a atteint que les ganglions lymphatiques de la région lombaire, tandis que le stade D2 désigne un cancer:

1. qui s'étend au-delà de la région lombaire;
2. dont le diagnostic est bien établi par l'analyse des os par scanner; et
3. dont le taux de l'enzyme produite par la tumeur (phosphatase acide prostatique) est élevé.

Malheureusement, beaucoup de cas de cancer de la prostate ne sont découverts qu'à ce stade-là. Chez ces patients, le taux de PSA peut être dans les centaines ou les milliers.

La majorité (80 %) des cancers de la prostate sont reliés de très près aux types d'hormones présents dans le milieu particulier où apparaissent ces cancers. Certains types d'hormones stimulent le développement des tumeurs tandis que d'autres en retardent le développement, ou même l'inhibent complètement. Le Dr Charles Huggins fut le premier à démontrer ce phénomène, en 1941.

Le cancer de la prostate est stimulé par la présence de l'hormone mâle, la testostérone. Aussi, l'ablation des testicules, principale source de testostérone, peut parfois mener à l'élimination du cancer de la prostate de façon étonnante. On obtient un effet à peu près identique par l'administration par voie orale de stilbestrol, qui est un estrogène de synthèse (l'estrogène étant, comme on sait, l'hormone femelle). On obtient aussi un effet similaire par l'administration mensuelle d'un produit pharmaceutique particulier qui agit sur la glande pituitaire, inhibant par le fait même la production de testostérone.

Les deux produits les plus couramment utilisés sont l'acétate de gosereline (Zolodex) et l'acétate de leuprolide (Lupron).

Ces trois techniques qui inhibent la production de testostérone sont aussi efficaces l'une que l'autre pour combattre le cancer. L'une n'est pas meilleure qu'une autre et une combinaison de deux ou des trois techniques ne donne pas de meilleurs résultats. L'orchidectomie (ablation des testicules) inhibe la production de testostérone en deux heures et les injections qui agissent sur la glande pituitaire, en trois semaines. Le stilbestrol en doses quotidiennes de 3 mg n'est plus que rarement administré parce qu'il peut augmenter les risques de complications cardio-vasculaires.

L'ablation des testicules est une opération mineure qui peut cependant avoir des effets psychologiques dévastateurs.

Si je me fie à ma pratique, il semble que l'on soit porté à exagérer l'aspect négatif de cette opération. Les cancéreux cherchent beaucoup plus à guérir de leur maladie qu'à préserver leur image de mâle. Quand ils en sont au stade D de la maladie, tous mes patients apprennent vite à accepter de perdre leurs testicules. Certains, cependant, demandent qu'on leur installe une prothèse. Il s'agit de boules de plastique souple qui rappellent la forme et la consistance du testicule et que l'on insère dans les bourses.

Personnellement, je préfère ne retirer que le contenu des testicules, en laissant en place les capsules fibreuses (albuginées) qui protègent les testicules. J'enlève toutes les cellules productrices d'hormone et rien d'autre. Les testicules ne perdent pas leur sensibilité, mais leur format est considérablement réduit.

Les testicules sont le plus important producteur de testostérone, bien sûr, mais les glandes surrénales en produisent aussi.

Pour annuler leur action, on a ajouté au traitement du cancer de la prostate un médicament anti-androgène, le flutamide (Euflex) ou le nilutamide (Anandron). Ces médicaments empêchent les hormones mâles d'atteindre les cellules de la prostate. L'administration combinée de ces deux médicaments a reçu le nom de blocage maximum d'androgène. Le Dr Fernand Labrie, de l'Université Laval, à Québec, a été le premier à promouvoir ce traitement comme pouvant possiblement prolonger la vie de patients souffrant d'un cancer de la prostate. D'autres études provenant de tous les coins du monde n'ont pas permis de confirmer cette possibilité mais les patients tout comme les médecins feront tout en leur pouvoir pour améliorer les chances de survie. Des données plus récentes ont montré que le blocage maximum d'androgène améliore les chances de survie, peut-être de six mois à un an.

Au Canada et en Europe, un médicament oral pouvant possiblement assurer un blocage maximum d'androgène est très populaire. Il s'agit de l'acétate de cyprotérone (Androcur). Certains prétendent que des complications cardio-vasculaires – comme celles qui sont associées au silbestrol (inflammation des veines et caillots de sang dans les poumons) – et une progression éventuelle du cancer se produisent plus souvent avec ce traitement qu'avec l'administration d'anti-androgène combinée avec l'ablation des testicules ou des injections de Zolodex/Lupron. Les partisans de l'Androcur prétendent que l'ajout de petites quantités de silbestrol oral (0,1 mg) permet de pallier ces inconvénients. L'acétate de mégestrol (Megace) fera concurrence à Androcur. Il est moins dispendieux que l'Androcur mais son carnet de résultats est moins bien garni.

Il est évident que le traitement aux hormones ne s'applique pas aux cancers de la prostate (20 %) qui ne dépendent pas des hormones.

Tous les patients dont le cancer est au stade D sont suivis de près. Ils subissent, à intervalles réguliers, des tests sanguins (PSA et parfois phosphatase acide), des examens rectaux et des scanographies des os.

La plupart des patients (80 %) en retirent une amélioration de leur état général, une diminution de la douleur qu'ils ressentent dans les os et une stabilisation de leur poids. On pourra observer aussi une amélioration parallèle de l'état de leurs os et de leur niveau d'enzymes. Parfois, cette rémission se poursuivra pendant toute leur existence, parfois moins.

Lorsqu'un cancer récidive après une période de rémission malgré un traitement adéquat aux hormones, on dit qu'il est au stade D3, et le diagnostic est souvent inexorable. La plupart de ces patients survivent moins d'un an et jusqu'à récemment, nous avions très peu à leur offrir. Des traitements à la cortisone ou au strontium radioactif en ont aidé quelques-uns, mais la plupart d'entre eux ne reçoivent que des médicaments palliatifs pour contrôler la douleur.

Des traitements d'application récente utilisant une combinaison d'anciens et de nouveaux médicaments laissent entrevoir des résultats prometteurs. Ils sont administrés uniquement aux patients actifs et qui ne souffrent d'aucune autre maladie. Un de ces traitements utilise une combinaison de phosphate d'estramustine (Emcyt), dont l'action est semblable à celle d'une hormone œstrogène et qui réduit la division cellulaire, et d'injections de vinblastine, un agent utilisé en chimiothérapie du cancer. D'autres résultats prometteurs sont obtenus par la combinaison d'Emcyt et d'Etoposide, un médicament oral contre le cancer. Ces traitements peuvent entraîner la perte des cheveux et provoquer des affections sanguines et intestinales. Près de la moitié des patients répondent assez bien au traitement et dans certains cas, la réponse est complète, ce qui signifie que les lésions aux tissus osseux disparaissent. Le Dr Ken Pienta, de Détroit, a été le premier à administrer ces traitements.

Un autre traitement combine le kétoconazole (Nizoral), un antifongique qui détruit la testostérone et des injections hebdomadaires de doxorubicine (Adriamycin), un agent utilisé en chimiothérapie du cancer. Les Drs Nicolas Bruchovsky et Larry Goldenberg, de l'Université de Colombie-Britannique, ont obtenu des résultats qui indiquent que l'application par intervalles de la thérapie hormonale pourrait être encore plus efficace parce qu'entre les traitements, elle empêche la prolifération des cellules résistantes aux hormones.

Le cancer de la prostate est devenu le cancer le plus courant chez les hommes et affecte environ 9 % de la population mâle. Son incidence augmente de 2 à 4 % par année. Le cancer du poumon vient en tête de la liste pour le nombre de décès dus au cancer, mais le cancer de la prostate pourrait bientôt le supplanter. À l'hôpital où j'exerce, on diagnostique plus de nouveaux cancers de la prostate que de cancers du poumon, de cancers du sein et de cancers de l'utérus réunis. Il est vrai que la plupart des hommes survivent à un cancer de la prostate, mais il est tout aussi vrai que de 25 à 30 % n'y survivent pas.

Le cancer de la prostate est guérissable, s'il est pris à ses débuts, et contrôlable jusqu'à un certain point, s'il est assez avancé.

Parce que la plupart des patients atteints de ce cancer y survivent et meurent de leur belle mort, et non d'une progression incontrôlée de la maladie, un autre choix de traitement a gagné en popularité, particulièrement dans la presse non médicale. Il s'agit de ne rien faire sinon d'attendre et d'assurer un suivi médical au patient, en n'intervenant qu'en cas d'une progression évidente de la maladie ou d'apparition de douleurs. Le Dr Willet Whitmore, ancien directeur du *Sloan-Kettering Cancer Center*, a probablement lancé le débat au sujet de ce traitement quand il s'est demandé tout haut si un traitement est nécessaire quand le cancer est guérissable et si la guérison est possible quand un traitement est nécessaire. Cette question, qu'on appelle l'énigme de Whitmore, met en lumière le fait que souvent, on ne peut distinguer un cancer de la prostate qui progresse d'un autre qui ne progresse pas. La prostatectomie radicale n'est évidemment pas indiquée dans le cas d'un cancer qui peut ne pas progresser ni si la chirurgie n'amène pas la guérison. Des données récentes tendent toutefois à démontrer que la chirurgie peut guérir un cancer agressif à ses débuts (stade élevé), qu'une chirurgie qui n'enlève pas toutes les cellules cancéreuses n'est pas profitable et que l'omission d'une chirurgie qui s'impose peut conduire à un décès prématuré. La tendance qui veut que le patient soit de plus en plus impliqué dans la prise de décision est sans doute valable mais elle présente des limites. Après tout, il n'y a rien de pire qu'un patient qui se prend pour un médecin.

Posez-vous la question: Existe-t-il une maladie qui parce qu'elle est diagnostiquée et traitée à ses débuts peut être moins bien guérie?

Questions et réponses

- **Je sais qu'un taux de PSA supérieur à quatre est au-dessus de la normale, mais y a-t-il probabilité d'un cancer quand le taux est supérieur à dix?**

Pas du tout. Un taux de PSA supérieur à dix peut être associé à une hypertrophie bénigne ou à une infection de la prostate. Un taux inférieur à quatre ne constitue pas une norme pour tous. On a récemment proposé que le taux devrait être inférieur à 2,5 pour les hommes de moins de cinquante ans; inférieur à 3,5 pour les hommes âgés de cinquante et un à soixante ans; inférieur à 4,5 pour les hommes âgés de soixante et un à soixante-dix ans; et inférieur à 6,5 pour les hommes âgés de soixante et onze à quatre-vingts ans.

- **Comment se déroule un examen de la prostate aux ultrasons?**

La veille de l'examen, le patient commence un traitement de trois jours aux antibiotiques puis on procède à un lavement pendant la nuit qui précède l'examen. Le jour de l'examen, après s'être déshabillé, le patient se couche sur le côté. Une sonde de la grosseur d'un pouce est insérée dans le rectum. Le bout de la sonde est souvent couverte d'une petite poche remplie d'eau enveloppée d'un condom. La sonde fonctionne un peu comme une lampe de poche qui émettrait des ondes sonores plutôt que des ondes lumineuses.

En rebondissant, les ondes sonores donnent un portrait de la prostate. Une zone sombre sur un fond gris indique la présence d'un cancer à ses débuts. Une aiguille fixée sur la sonde peut être alors dirigée vers la zone sombre à travers la paroi musculaire du rectum. L'examen dure de vingt à trente minutes.

• **Ne devriez-vous pas procéder à l'ablation de la prostate même si le cancer s'est répandu au-delà de la prostate?**

Les spécialistes de la clinique Mayo poursuivent actuellement des investigations sur l'avantage qu'il y aurait à combiner la prostatectomie radicale et l'ablation des testicules quand le cancer s'est propagé aux ganglions lymphatiques, mais pas au-delà cependant. On ne connaît pas encore les résultats à long terme de ces recherches. S'il est vrai, comme cela est largement reconnu, que les métastases se présentent toujours comme une greffe du premier cancer, cette nouvelle méthode n'est certainement pas sans mérite. J'ai utilisé cette technique Mayo chez certains de mes patients, mais le temps seul me dira si c'était justifié. On a critiqué cette approche en faisant valoir qu'on peut obtenir les mêmes résultats, et même de meilleurs, par le seul traitement hormonal.

• **Dois-je prendre des médicaments aux hormones après une prostatectomie radicale?**

Si toutes les cellules cancéreuses ont été enlevées, aucun traitement additionnel n'est nécessaire. Tous les six mois, des examens de surveillance sont effectués. Le test PSA et l'examen rectal ont remplacé la scanographie osseuse, les examens abdominaux aux ultrasons et les scanners assistés par ordinateur.

- **S'il y a récidive du cancer après une prostatectomie radicale, la radiothérapie est-elle préférable à l'hormonothérapie?**

Si la récidive survient dans les cellules bordant la zone excisée et si on veut minimiser les risques d'impuissance, la radiothérapie constitue le premier choix. Si la récidive est décelée par scanographie osseuse, l'hormonothérapie est plus appropriée.

- **J'ai subi une orchidectomie (ablation des testicules) et je prends des médicaments anti-androgènes. Le cancer semble sous contrôle, mais existe-t-il un remède contre les bouffées de chaleur?**

Vous pouvez éliminer ce problème en prenant de faibles doses de stilbestrol (0,1 mg) ou en remplaçant les médicaments anti-androgènes par un médicament semblable à la progestérone (Androcur ou Megace).

- **L'orchidectomie subcapsulaire est-elle aussi efficace que l'orchidectomie radicale?**

Dans la capsule de la testicule et dans l'épididyme, il n'y a pas de cellules productrices d'hormones (cellules leydigiennes). Des tests ont démontré que l'orchidectomie subcapsulaire et l'ablation totale des testicules amènent la testostérone au même niveau. Personnellement, je choisirais l'orchidectomie subcapsulaire.

- **J'aurai bientôt quatre-vingts ans. Un test de dépistage du cancer de la prostate est-il encore approprié?**

Certains experts diront qu'après soixante-quinze ou quatre-vingts ans, un tel test peut être plus nocif qu'utile. Pourquoi créer de l'anxiété, disent-ils, puisqu'à cet âge, un décès dû au cancer de la prostate est peu probable? C'est un argument valable à la condition qu'on puisse prédire avec précision la longévité d'une personne. Si un patient n'en a plus que pour dix ans à vivre, il est imprudent de procéder à un tel test. Mais dans le cas d'un patient dont on ne peut prédire la longévité, refuser d'effectuer le test serait une erreur, surtout si le patient le demande.

* **Après une biopsie de la prostate, mon médecin m'a informé que je présentais une condition précancéreuse. Devrais-je solliciter un autre avis?**

Quand le pathologiste détecte une néoplasie intraépithéliale de la prostate (PIN), cela est considéré comme une condition précancéreuse. Un deuxième avis n'est pas nécessaire, mais un suivi médical attentif est essentiel.

* **Un pathologiste peut-il se tromper quand il diagnostique un cancer?**

C'est peu probable. Quand le pathologiste a un doute, il en indique les raisons et examine d'autres sections du prélèvement. Quand le pathologiste dit qu'il y a un cancer, c'est malheureusement toujours le cas.

* **J'ai lu de plus en plus d'articles où on prétend que les tests PSA et les examens rectaux effectués de façon régulière chez un patient pouvaient faire plus de mal que de bien. Est-ce vrai?**

La réponse est d'ordre philosophique. Quand mes patients me posent cette question, je procède par analogie. Des visites régulières au garage prolongent-elles ou raccourcissent-elles la vie d'une automobile? Un mécanicien qui tripote dans le moteur et qui bousille son travail fait sûrement plus de tort que de bien. Mais s'il découvre une défectuosité à ses débuts et qu'il la répare, l'automobile peut durer plus longtemps. De la même façon, si un médecin tripote dans un corps qu'il aurait dû laisser tranquille, il ne lui fait pas de bien. Mais s'il détecte une maladie à ses débuts et qu'il la traite correctement, la vie peut être prolongée.

L'infection de la prostate (prostatite) ou maladie du chauffeur de camion

Des trois affections de la prostate les plus courantes, c'est-à-dire l'hypertrophie, le cancer et l'infection (prostatite), c'est cette dernière qui est le plus souvent mal diagnostiquée, mal traitée et mal connue.

Tout d'abord, disons que, si l'on sait bien comment elle se produit, on ne sait pas pourquoi. Ainsi, il est connu que la prostate peut être envahie par des bactéries de l'intestin qui la pénètrent par la circulation sanguine et y provoquent une infection qui se traduit par une inflammation. Mais cela ne fait que décrire le chemin de l'infection et n'explique pas pourquoi certains individus sont infectés et d'autres non. Il ne semble pas y avoir d'incidence d'ordre sexuel. On constate la présence de cette infection autant chez des patients qui sont sexuellement actifs que chez ceux qui ne le sont pas.

Quoiqu'il puisse exister de rares cas où l'infection soit transmise sexuellement, il n'en demeure pas moins que la vaste majorité des cas de prostatite ne peuvent être reliés à une infection d'ordre sexuel. Tout comme les infections par bactéries des autres organes (amygdalites, bronchites ou méningites, par exemple), les micro-organismes s'installent dans une partie particulière du corps humain parce qu'ils ont une prédisposition spécifique à s'installer là même. Parfois, ils le font même sans raison particulière connue. Fait curieux, la prostate peut parfois devenir particulièrement sensible aux infections chez les patients qui, pour une raison ou pour une autre, comme dans le cas des chauffeurs de camion, par exemple, sont souvent sujets à un véritable martèlement du siège. Aussi a-t-on longtemps désigné la prostatite sous le nom de «maladie du chauffeur de camion». La constipation peut aussi prédisposer à cette affection, a-t-on dit parfois. Cependant, dans la très grande majorité des cas, il nous est impossible de diagnostiquer la moindre cause déclenchante spécifique. J'ai toutefois entendu bon nombre de mes patients se plaindre, de façon constante, d'un certain épuisement. «Oui, docteur, je travaille trop et je ne dors pas assez. Et, bien sûr, ces derniers temps, je souffre très nettement de stress.» En somme, la prostatite est une affection bien de notre temps.

On sait cependant que, sans raison connue, les bactéries de l'intestin et, en particulier, les colibacilles, découverts par Escherich en 1884, s'installent volontiers dans la prostate et y provoquent une infection connue sous deux formes, la prostatite aiguë et la prostatite chronique. La forme aiguë se distingue par une difficulté à uriner et de fortes fièvres compliquées de frissons, qui mènent parfois à une véritable prostration. Quant à la prostatite chronique, elle provoque un vague malaise généralisé, des picotements au niveau de l'urètre, des douleurs dans le périnée et parfois une miction douloureuse.

La prostatite aiguë

La prostatite aiguë peut nécessiter l'hospitalisation et le recours à des solutés et à des antibiotiques puissants, mais la maladie se guérit assez vite et de façon complète et définitive. Le diagnostic n'est pas difficile à établir: on peut à peu près toujours constater la présence des microbes dans le sang et dans l'urine. On fait confirmer ce diagnostic par l'analyse du sang et des urines. Par ailleurs, on enseigne aux étudiants à ne pas soumettre leurs patients à des examens rectaux répétés de la prostate. Lors du premier examen, la prostate se révèle chaude et tendre et la presser un peu trop du doigt aurait le même effet que de presser trop fort un bouton infecté du visage: les microbes sont repoussés dans la circulation et vont propager plus loin l'infection dont ils sont la cause.

Il arrive que le malade ne réponde pas à la médication ordinaire et même aux produits les plus puissants. Malgré tous les efforts du médecin, le malade demeure très fiévreux. On se retrouve probablement en présence d'un abcès de la prostate. Le meilleur traitement consiste alors à drainer l'abcès par les voies urinaires. On utilise pour ce faire le même instrument (le résecteur) que l'on utilise pour effectuer la résection de la prostate.

Malgré l'aspect terrifiant que peut avoir cette liste d'interventions (produits chimiques puissants, fièvres très fortes, drainage chirurgical, introduction d'un tube très long dans la verge, etc.), cela ne veut pas dire que la prostatite est une affection très complexe et mortelle. Au contraire, elle est presque toujours guérissable.

La prostatite chronique

La prostatite chronique, par contre, peut traîner si longtemps que le patient en est parfois réduit au plus profond désespoir, au point même d'envisager le suicide. Les symptômes, nombreux et persistants, ne font qu'ajouter à ce désespoir et la vie perd tout attrait pour le patient. C'est qu'il fait face à des maux tenaces dans le bas du dos, à un besoin continuel d'uriner, à une gêne constante dans la région du rectum et de l'abdomen, à une perte de sa libido et à un pénible état d'impuissance sexuelle.

Dans certains cas, qui mériteraient d'être discutés, le diagnostic est souvent incorrect, sans base d'observation physique ou clinique autre que les malaises dont se plaint le malade: gêne qu'il situe approximativement au niveau (selon lui) de la prostate, mictions qu'il trouve trop fréquentes et gênantes, etc. Mais ces symptômes sont vagues et parfois d'ordre psychologique.

Aussi n'est-il pas étonnant que, devant cet étalage de symptômes approximatifs, le médecin, se croyant en présence d'une affection d'ordre psychosomatique, décide ne pas pousser plus avant son investigation.

Le seul dossier médical du malade, pas plus que la seule analyse de ses urines, ne suffisent pas à établir un bon diagnostic. Pour être en mesure d'affirmer ou d'infirmer un premier diagnostic de prostatite chronique, le médecin doit, de toute nécessité, extraire un échantillon de liquide prostatique, par massage digital de la prostate.

L'analyse de cet échantillon lui permettra d'être sûr de son diagnostic. Si, sur le plateau de son microscope, l'instrument étant réglé à un grossissement de 40 fois, il peut discerner plus de 15 leucocytes (globules blancs), le diagnostic doit être affirmatif: le patient souffre de prostatite chronique. À moins de 15 leucocytes, le diagnostic est négatif. C'est aussi simple que ça.

Le massage de la prostate est pénible pour le patient et parfois douloureux. Je ne suis pas du tout convaincu que la prostate est une zone érogène. Par contre, il n'y a guère de doute que l'anus puisse en être une!

Je me rappelle d'avoir insisté, lors d'une réunion de médecins, sur la nécessité de l'examen au microscope d'un échantillon de liquide prostatique pour diagnostiquer une prostatite bactérienne chronique. Un médecin m'a alors demandé ce qu'il devrait faire s'il ne dispose pas d'un microscope. Sa question m'a quelque peu déconcerté mais indiquait bien que cette technique n'était pas reconnue par tous et que son utilisation était très peu fréquente. Plus tard, j'ai commencé à comparer le liquide prostatique à un ruban de leucocytes étalonné. J'ai constaté que la lecture était élevée pour presque tous les patients atteints d'une prostatite bactérienne chronique. La corrélation entre ces lectures et les lectures au microscope de plus de quinze leucocytes était extraordinaire et je prépare actuellement un rapport scientifique sur ce sujet.

Je dois dire que l'examen microscopique n'est pas la technique reconnue pour diagnostiquer une prostatite bactérienne chronique. L'examen académiquement approuvé a été élaboré il y a longtemps par les Drs Meares et Stamey.

Il s'agit d'effectuer une numération bactérienne sur un échantillon des premières gouttes d'urine, une deuxième numération sur un deuxième échantillon recueilli après l'écoulement des dix premiers millilitres, puis une culture bactérienne d'un échantillon de liquide prostatique extrait par massage digital de la prostate et enfin, une numération bactérienne sur un échantillon d'urine recueilli après le massage de la prostate. Lorsque la numération bactérienne de l'échantillon d'urine recueilli après le massage excède celle des deux premiers échantillons, on diagnostique une prostatite bactérienne chronique. C'est un examen très élaboré, qui prend beaucoup de temps et qui n'est pas toujours réalisable. Souvent, les patients ne peuvent pas recueillir sur demande les différents échantillons d'urine. C'est pourquoi je choisis de baser mon diagnostic sur l'examen au microscope d'un échantillon du liquide prostatique.

Le traitement de la prostatite chronique prévoit des mesures d'ordre général et d'autres d'ordre plus spécifique. Les mesures générales comprennent d'abord un régime qui prescrit une forte absorption de liquides pour nettoyer le système, puis des bains chauds pour activer la circulation sanguine dans la région concernée, et enfin une activité sexuelle soutenue pour accomplir ce qui, autrement, devrait être effectué périodiquement par un massage de la prostate par toucher rectal. Le patient doit diminuer sa consommation d'alcool, de café et d'épices et, mieux encore, les éliminer complètement de son régime. Ce sont des irritants qui font gonfler les tissus. Leur consommation fait pour la maladie ce que fait l'essence pour l'incendie: elle l'active.

Quant aux mesures spécifiques, elles se réduisent surtout à la prescription d'antibiotiques par le médecin. Mais cela soulève une difficulté, puisqu'il existe une véritable barrière entre la prostate et la circulation sanguine. Peu de substances antibactériennes acceptent de passer du sang à la prostate. Il existe cependant deux produits pharmaceutiques qui passent facilement du sang dans les tissus de la prostate. Ce sont la combinaison sulfaméthoxazole/triméthroprime (dans le commerce: Bactrim ou Septra) et un antibiotique, l'érythromycine. L'érythromycine n'est pas très active contre les micro-organismes tels que les colibacilles d'Escherich (plus communément appelés les E. coli), qui sont pourtant la cause la plus commune de la prostatite. Mais on peut accentuer son effet si l'on ajoute du bicarbonate de soude au régime du patient. Le bicarbonate alcalinise les liquides de l'organisme et les rend plus réceptifs à ce médicament. La combinaison sulfaméthoxazole/triméthroprime demeure l'agent le plus efficace et le plus prescrit. La posologie ordinaire est d'une pilule à double dose deux fois par jour.

Certains experts considèrent efficaces les tétracyclines de la deuxième génération, tel le chlorhydrate de minocycline (Minocin) et la doxycycline (Vibramycin). Pour qu'elle donne son plein rendement, la tétracycline simple doit être prise à jeun. Elle perd son efficacité si on la prend avec du lait et elle peut provoquer une décoloration des dents et avoir des effets nocifs qui s'apparentent à la cécité des neiges, si l'on s'expose au soleil. Tous ces problèmes ont été corrigés avec l'avènement de la seconde génération de ce médicament. Mais il supprime rarement la prostatite chronique. Ce n'est donc pas la découverte du siècle.

Les médicaments de la famille des quinolones, comme la norfloxacine (Noroxin), la ciprofloxacine (Cipro) et l'ofloxacine (Floxin) sont rapidement devenus des médicaments de choix. Je prescris à mes patients un traitement de deux semaines aux quinolones (Cipro ou Floxin plutôt que Noroxin que je prescris en cas d'infection urinaire simple), suivi d'un traitement aux sulfamides pendant deux autres semaines, et le cycle est répété trois fois. Après douze semaines, je prescris des doses réduites des mêmes médicaments pendant six à douze mois.

On a comparé la prostatite chronique à un feu qui couve sous la cendre. Il paraît éteint mais il peut toujours réapparaître alors qu'on s'y attend le moins. Le traitement de la prostatite chronique par médicaments est une affaire de longue haleine. Je poursuis la médication et les restrictions alimentaires jusqu'à ce que le liquide de la prostate soit tout à fait limpide, ce qui arrive parfois mais pas souvent, hélas! Fréquemment, le liquide prostatique s'éclaircit, mais le patient continue à éprouver un malaise persistant. Dans ces cas, il est indiqué de fournir au malade un bon soutien psychothérapeutique.

Et j'irai plus loin. Je ne m'objecterais même pas à ce que le patient tâte un peu de magie, si cela le tente. Il n'y a pas de mal à ce qu'il utilise les multivitamines, par exemple, ou le zinc. On s'est mis dans la tête que, puisque l'on trouve plus de zinc dans la prostate que dans tout autre organe du corps humain tout entier, il se pourrait bien que, lorsque la prostate présente des problèmes, c'est qu'elle manque de zinc! Après tout, quel mal y aurait-il à essayer? En fait, on sait de façon certaine, scientifiquement, que lorsqu'il y a déficience de zinc, une administration d'un supplément de zinc active la guérison. Il faut cependant l'administrer par injection. On n'a jamais pu prouver que le zinc sous forme de cachet ou de pilule ait activé la guérison de quiconque.

La chirurgie n'a guère sa place dans le traitement de la prostatite chronique. Il peut arriver, à l'occasion, qu'un malade, au bout de son rouleau, réussisse à convaincre son médecin de lui enlever sa prostate. Mais on ne peut jamais être sûr qu'une prostatectomie radicale pourra guérir le malade de ses symptômes.

Pour décrire les conditions de la prostatite, en plus de l'expression «prostatite bactérienne chronique», on utilise parfois les expressions «prostatite non bactérienne chronique» et «prostatodyne». Je ne suis pas certain si la prostatite non bactérienne est une maladie distincte ou une maladie bactérienne où la présence de bactéries ne peut pas être démontrée. Les Drs William Costerton et Curtis Nickel, de l'Université Queen, à Kingston, Ontario, ont démontré à ma grande satisfaction, que des bactéries ordinaires peuvent se cacher sous un «biofilm» à l'intérieur de la prostate. Je surtraite peut-être mes patients, mais je ne pose jamais un diagnostic de prostatite non bactérienne avant d'avoir procédé à au moins un essai de médicaments antibactériens. La prostatodyne qualifie un trouble morbide associé à des spasmes musculaires de l'anus. Je prescris à ces patients des médicaments qui sont des relaxants musculaires, des anti-inflammatoires, des antispasmodiques et/ou du diazépam (Valium), mais plusieurs cas de prostatodyne continuent de me déconcerter. J'espère qu'un jour, un traitement par hyperthermie provoquée par micro-ondes de la prostate permettra de traiter les cas difficiles. Les bactéries cachées qui échappent aux médicaments antibactériens pourraient être «cuites» par la chaleur. Le traitement par hyperthermie a été expérimenté dans des cas d'hypertrophie bénigne, mais les résultats ne sont pas clairs, et son application aux cas de prostatite est encore plus expérimentale.

Questions et réponses

• **Pourquoi est-ce que je souffre du gland quand c'est ma prostate qui est malade?**

C'est que la prostate est innervée par un nerf, le nerf honteux, qui innerve aussi le gland. Quand la prostate est irritée, elle stimule ce nerf et la sensation désagréable est ressentie aussitôt à la tête du pénis. C'est la même chose qui se passe quand une douleur au cœur est ressentie aussi à la pointe de l'épaule. Tous deux (le cœur et la pointe de l'épaule) sont innervés par un même nerf. Cette douleur est désignée sous le nom de douleur irradiée.

• **Si je souffre de prostatites à répétition, pourquoi ne pas procéder simplement à l'ablation de la prostate?**

L'exérèse du tissu glandulaire qui forme le corps de la prostate, pratiquée dans les cas d'hypertrophie bénigne, laisse derrière elle une surface à vif qui constitue un terrain sensible aux infections.

Il faut bien comprendre que l'exérèse partielle de la prostate ne guérit pas vraiment de l'infection qui avait causé le développement de la prostatite. Elle laisse une blessure longue à guérir et, parfois, une cicatrice qui pourrait obturer la liaison entre la vessie et la prostate. La seule intervention chirurgicale qui pourrait aider serait l'ablation radicale de la prostate, comme on la pratique dans le cas d'un cancer de stade B. Dans le passé, on avait rarement recours à cette opération, car elle provoquait l'impuissance du malade dans 100 % des cas et présentait un risque d'incontinence dans 10 % des cas. Mais récemment, on a mis au point un nouveau protocole d'intervention pour l'ablation radicale qui ménage la virilité de l'opéré et qui ne présente qu'un léger risque d'incontinence. Ce développement récent ouvre un nouvel horizon, plein de promesses pour ceux qui souffrent de prostatite chronique.

- **La prostatite peut-elle affecter la puissance sexuelle?**

Au plus fort de la maladie, tous les patients sont impuissants, ou du moins très inquiets au sujet de leur sexualité. Ils se sentent très malheureux, craignant souvent de perdre leur potentiel sexuel pour toujours ou encore de transmettre ce problème à leur partenaire. Mais une fois les symptômes de la maladie disparus, ils recouvrent pour la plupart leur virilité perdue. Certains se plaignent d'être moins virils qu'avant l'opération, mais on peut se demander si leur problème est bien d'ordre physique et non pas plutôt d'ordre psychologique.

- **Si je souffre d'une prostatite, y a-t-il un risque que je transmettre une MTS à ma partenaire?**

Il est théoriquement possible de transmettre par le sperme des bactéries de la prostatite à une autre personne, mais en pratique, il faut savoir que le sperme transporte rarement assez de bactéries pour y provoquer une infection. Mais cela demeure une possibilité. Aussi, je suggère toujours que le malade utilise un condom pendant les deux premières semaines de son traitement. Je suis d'avis qu'après deux semaines, le condom n'est plus nécessaire. Je n'ai jamais eu l'occasion de recevoir à mon cabinet un patient infecté par un malade atteint de prostatite, mais je dois confesser que je ne sais pas trop bien ce qui peut se passer dans la vie privée de mes patients.

- **Quand je souffre d'une prostatite, le café est-il contre-indiqué? et le décaféiné?**

En plus de la caféine, le café contient au-delà d'une bonne centaine de produits chimiques. De tous ces produits, la caféine, semble-t-il, ne serait pas le seul irritant. Il reste donc, dans le décaféiné, bon nombre de produits irritants. Le thé, qui contient de la caféine, contient moins d'autres produits chimiques irritants.

• **Pourquoi ne puis-je pas prendre le double de la dose de médicaments que vous avez prescrite?**

Cela ne ferait qu'augmenter les risques de brûlures d'estomac et de dérangements intestinaux et n'accélérerait aucunement la guérison.

Conclusion

Il est étonnant qu'une glande normalement si petite — pas plus grosse qu'une noix de Grenoble — puisse être la source de tant de misères pour l'homme.

S'il est opéré pour une hypertrophie bénigne de la prostate, il conserve son potentiel orgastique, mais pas s'il subit une prostatectomie complète ou si la prostate est très malade. L'hypertrophie bénigne de la prostate peut l'empêcher d'uriner; le cancer de la prostate est souvent impossible à identifier, à ses débuts et s'il est avancé, il est fatal. Enfin, l'infection de la prostate demeure souvent insensible à tout traitement antimicrobien.

Tout homme un peu sensé ferait bien de réduire sa consommation des grands irritants de la prostate: l'alcool, le café, les épices. Il ferait bien aussi de boire plus d'eau, de consommer plus de légumes et de fruits frais, plus de poisson et de blanc de volaille, et de réduire sa consommation de viande rouge. Il se soumettra enfin à un examen de la prostate, par toucher rectal, de façon régulière, au test PSA et à un examen trans-rectal de la prostate aux ultrasons quand la prostate présente une excroissance dure, une asymétrie ou un taux élevé de PSA. Et il ne craindra pas de maintenir une activité sexuelle sérieuse.

CHAPITRE V

La stérilité

La stérilité, hélas, est beaucoup plus fréquente qu'on ne se l'imagine habituellement. Jusqu'à il y a dix ans, on admettait généralement que 10 % à 15 % des unions étaient stériles. En d'autres mots, une famille sur huit n'avait pas d'enfant. Mais les données des dix dernières années (1985 – 1995) indiquent que cette proportion a doublé. La stérilité semble être un problème plus urbain que rural et on présume que les responsables sont les polluants industriels et les micro-organismes transmis sexuellement, comme les chlamydiae.

Lequel des partenaires est responsable de la stérilité? D'après mon expérience, les hommes le sont pour un tiers des cas et les femmes pour un deuxième tiers. Quant au troisième tiers, on n'en sait rien. Pour trouver qui, de l'homme ou de la femme, était la cause de la stérilité, on a longtemps fait subir à la femme une quantité d'examens de toutes sortes avant de penser à examiner l'homme. On a modifié cette pratique au cours des dernières années parce que l'examen de l'homme est facile et moins douloureux que celui de la femme. Il n'y a pas le moindre doute que l'investigation doit commencer par l'homme.

Investigation chez l'homme

La stérilité est un état plutôt qu'une maladie. En fait, dans la plupart des cas, le sujet ne présente aucun problème médical, aucun trouble d'ordre urinaire, aucune malformation sexuelle, aucun symptôme de quelque affection que ce soit.

L'histoire médicale du patient permet rarement de suspecter qu'il puisse être stérile. Évidemment, s'il a déjà souffert des oreillons (après sa puberté), cela peut nous laisser soupçonner qu'il pourrait être stérile. Mais les oreillons n'affectent ordinairement qu'un des deux testicules. Il reste encore que, par suite d'une opération pour une hernie inguinale, le patient peut souffrir de stérilité, surtout si le chirurgien a fait une ligature un peu trop serrée, ce qui peut empêcher le sang d'irriguer les testicules. Mais si on découvre la présence d'une varicocèle, on est devant une cause probable de la stérilité. J'ai vu bon nombre de testicules abîmés par une opération pour une hernie, mais il est rare que cela provoque la stérilité puisque, habituellement, l'intervention se pratique sur un seul côté. Par ailleurs, on sait que certains produits chimiques, comme les composés de plomb, peuvent attaquer les testicules par leur toxicité, mais je n'ai jamais connu de cas de stérilité attribuable à un produit chimique. Par contre, j'ai vu des testicules attaqués par la radiothérapie ou par l'action de remèdes antibactériens tels que la nitrofurantoïne, souvent prescrite dans le cas d'infection des voies urinaires. Les effets des médicaments, cependant, se résorbent habituellement quand le patient cesse d'en prendre.

L'examen physique

Il y a un point que le médecin vérifie spécifiquement. Il cherche à déterminer s'il existe une varice dans le scrotum. On la trouve habituellement vers la gauche. C'est ce que l'on appelle une varicocèle, c'est-à-dire une dilatation des veines du canal spermatique et du scrotum. On estime à 10 % la partie de la population masculine qui a une varicocèle gauche. Si le patient ne ressent ni douleur ni malaise, on n'a pas à se soucier de cet état. Cependant, devant un cas de stérilité, la présence d'une varicocèle est importante parce qu'il suffit parfois de la faire disparaître pour que le patient retrouve sa fertilité, comme il en sera question aux pages 120 à 122.

Il arrive, mais rarement, que l'examen physique nous permette de faire d'étonnantes découvertes. Par exemple, on peut s'apercevoir que le patient ne possède pas de canal déférent, ce tube qui permet aux spermatozoïdes de passer des testicules dans les vésicules séminales. Même s'il naît sans canal déférent, le mâle peut être par ailleurs tout à fait normal, ses testicules et sa production d'hormones normaux, sa seule anormalité étant d'être stérile. En fait, il est dans le même état qu'un vasectomisé. On ignore comment se produit cette infirmité (l'administration de stilbestrol à la mère, au cours de sa grossesse, peut provoquer des aberrations urogénitales chez l'enfant mâle, et l'on croit possible qu'elle produise cette infirmité). On n'a pas encore trouvé de moyen de corriger cet état, que ce soit par implantation d'un canal déférent ou par sa reconstitution. Dans d'autres cas, mais rarement, les testicules du patient paraissent, à l'examen, beaucoup plus petits que normalement et peut-être un peu plus fermes. Il arrive aussi que le patient soit une personne longue et mince, avec des bras particulièrement longs, ce qui donne à penser qu'il puisse souffrir du syndrome de Klinefelter (il s'agit d'une aberration chromosomique associée à la stérilité). Ou encore, le patient n'aura qu'un testicule et, de plus, ce testicule présentera un apparent trouble de fonctionnement. Il se peut aussi que le patient présente aux seins des tissus apparentés aux tissus des seins chez la femme, ce qui peut donner à craindre qu'il ne souffre de cancer du testicule, ou bien encore qu'il présente des nodules le long de ses canaux déférents, ce qui se produit en cas de tuberculose. Mais la majorité des patients qui se plaignent de stérilité ont des organes génitaux tout à fait normaux.

Ce qui n'est vraiment pas normal chez eux, c'est qu'ils peuvent être très actifs sexuellement, sans le moindre contraceptif et sans paternité!

L'analyse du sperme

Le test définitif qui nous permet d'identifier l'affection dont souffre le patient, c'est l'examen de son éjaculat. Les modes de cueillette du sperme peuvent varier selon les laboratoires concernés, mais il existe des principes de base dont on ne peut dévier. Le patient doit s'abstenir de toute activité sexuelle pendant les trois ou quatre jours qui précèdent l'examen: abstinence totale. L'éjaculat doit être récolté dans une bouteille stérile et il faut l'examiner dans les deux heures qui suivent la récolte. Les spécimens de sperme recueillis dans un condom ou gardés au réfrigérateur son nuls pour l'examen.

Le laboratoire de l'hôpital où je suis affecté établit une heure de rendez-vous pour le patient, lui fournit une bouteille et lui demande de produire du sperme par masturbation, ce à quoi je n'ai jamais vu d'objection sérieuse jusqu'au jour où l'un de mes patients vint se plaindre à moi de cette rude épreuve:

J'étais sérieusement embarrassé, me dit-il. Vous ne m'aviez pas préparé à cela. Imaginez ça d'ici, une jeune femme me remet un petit bocal et m'indique l'emplacement de la salle de toilettes. Ce recoin était mal tenu et, en fait pas tellement privé. Je ne sais pas si ces circonstances peuvent affecter les résultats de l'examen, mais je puis vous assurer que je n'ai pas eu là une expérience bien agréable.

Je me suis apitoyé sur son sort, je lui ai dit que je comprenais bien qu'il se plaigne, mais je lui ai fait remarquer que, quand il s'agit d'examen dans un hôpital, il faut laisser sa pudeur à la porte.

J'ai eu affaire à des patients qui insistaient pour me dire que leur religion défendait la masturbation, d'autres qui voulaient emmener leur femme à l'hôpital, demandant qu'on leur fournisse un coin où ils pourraient copuler en paix, d'autres enfin qui insistaient pour recueillir leur sperme à la maison et qui m'arrivaient avec un bocal contenant un condom tout mouillé et souillé. D'habitude, cependant, l'analyse du sperme ne pose pas plus de problèmes que les autres tests de laboratoire.

Normalement, je demande au laboratoire trois analyses de l'échantillon fourni.

Les rapports détaillés que me fournit le laboratoire comportent le nombre de spermatozoïdes par millilitre de sperme, son PH (degré d'acidité ou d'alcalinité), sa couleur, la présence ou l'absence de fructose, ses bactéries et le nombre de globules blancs (leucocytes), etc. Tous ces détails ont leur importance, mais le plus important est le nombre d'éléments actifs par unité de volume.

Normalement, le mâle fertile possède plus de 50 millions de spermatozoïdes par millilitre de sperme. Ce chiffre peut aller jusqu'à 200 millions. Plus de 60 % de ces spermatozoïdes ont une forme normale (pas de spermatozoïdes à double tête, à petite tête ou à tête géante). Et la plupart nagent vivement en ligne droite. Chez le patient stérile, on trouvera moins de 20 millions de spermatozoïdes par millilitre, beaucoup de spermatozoïdes morts ou de forme anormale, et plus encore nageant très lentement en décrivant des cercles.

Quand l'analyse de l'éjaculat ne révèle rien d'anormal et que, par ailleurs, le patient se porte bien, l'investigation chez l'homme se termine là. J'avise le couple que je ne peux détecter rien d'anormal chez l'homme et que l'investigation chez la femme peut commencer, si ce n'est déjà fait.

Si l'analyse indique une absence de fructose, c'est une indication certaine que le patient est né sans vésicules séminales. C'est une anormalité à laquelle on ne connaît pas de remède.

Quand l'analyse révèle la présence de spermatozoïdes moins nombreux ou moins actifs que la moyenne, on fait subir au patient un test sanguin pour vérifier son taux d'hormones. Les hormones qui sont testées sont les suivantes: la LH (hormone lutéinisante), la FSH (hormone folliculo-stimulante), la testostérone et, parfois, la prolactine.

Les tests d'hormones

Si le test révèle une anormalité quelconque dans la quantité de LH ou de testostérone, il se peut que le problème soit réglé par la prescription d'un supplément de l'une ou de l'autre hormone. Si c'est le taux de prolactine qui est anormal, c'est peut-être une indication qu'il existe un problème au niveau de l'hypophyse (glande pituitaire.) Le cas le plus fréquent est le taux anormalement élevé de FSH, ce qui indique que les testicules sont fortement déficients. J'attache beaucoup d'importance au compte de FSH. Il s'agit d'une hormone sécrétée par l'hypophyse en réaction au nombre et à la vitalité des spermatozoïdes produits par les testicules. En cas de production normale de spermatozoïdes, la production de FSH se maintient à un niveau normal. Mais si la production de spermatozoïdes est nulle ou très basse, le niveau de FSH s'élève. Dans ces cas-là, je mets fin à mon investigation et je confie au patient que la science, pour le moment, ne peut rien pour lui. Quand le taux de FSH est normal, mais que l'éjaculat ne présente pas de spermatozoïdes, je poursuis mon investigation en soutirant une goutte de liquide de l'épididyme à l'aide d'une mince seringue. Cet échantillon est examiné au microscope pour vérifier s'il contient des spermatozoïdes. Si c'est le cas, il est indiqué de chercher s'il y a obstruction quelque part. Quand le niveau de FSH est normal, il ne me reste plus qu'à encourager le patient à poursuivre ses efforts, même s'il commence à désespérer.

Je considère que, depuis l'avènement du test du niveau des hormones, la biopsie testiculaire est dépassée et sans objet. On la pratique encore, mais je n'y trouve aucun intérêt.

Chez l'homme, l'investigation pour un cas de stérilité est vraiment simple. Quelques minutes pour le questionnaire, quelques minutes encore pour l'examen et quelques minutes de plus pour les tests.

Investigation chez la femme

Lorsqu'une femme a des problèmes de stérilité, elle consulte un gynécologue. Quoique je ne sois point gynécologue moi-même, je vais tout de même tenter d'expliquer succinctement à quoi tient la stérilité chez la femme.

Pendant ses années de puberté et jusqu'à la ménopause, la femme rejette périodiquement la muqueuse qui se forme chaque mois dans son utérus pour accueillir un ovule fécondé. Ce flux périodique, accompagné d'un liquide sanglant, constitue le cycle menstruel. Ce cycle est contrôlé par deux hormones de l'hypophyse, la LH et la FSH, en concordance avec l'œstrogène et la progestérone, hormones produites par les ovaires.

Quand tous les systèmes concernés fonctionnent bien, les menstrues (ou règles) se produisent tous les 28 jours. Au cours de ce cycle, l'ovule est libéré par l'ovaire le quatorzième jour et si un coït se produit autour de ce jour-là, il peut y avoir conception. Or il se peut que le cycle ne soit pas de 28 jours, mais qu'il soit, disons, de 21 jours. Dans ce cas-là, la libération de l'ovule se produira probablement quand même vers le quatorzième jour avant le début des règles suivantes. On peut donc, dans tous les cas, déterminer la période de fertilité en comptant à reculons, mais on ne peut en avoir qu'une idée approximative si on compte les jours qui restent avant le début des prochaines règles.

Quand il a été démontré que l'homme n'est pas responsable de la stérilité du couple, le gynécologue a le choix entre plusieurs tests.

Il peut prélever de la muqueuse utérine, qu'il remet à un pathologiste qui en fera l'analyse. Il peut aussi prendre des échantillons de sang et d'urine à diverses dates du cycle menstruel pour étudier les hormones qu'ils contiennent. Il peut vérifier si les trompes de Fallope ne sont pas bloquées. Il le fait en y introduisant un gaz ou un liquide visibles aux rayons X. Normalement, l'ovule dégagé par l'ovaire descend dans l'utérus en passant par les trompes de Fallope. C'est au cours de ce passage dans les trompes que l'ovule est fertilisé par les spermatozoïdes qui remontent dans les trompes. Normalement, l'ovule, une fois fécondé, descend dans l'utérus, mais il peut arriver qu'il s'incruste dans la paroi de la trompe. Il en résulte une grossesse ectopique, qui menace la vie de la mère. Il arrive un moment du développement du fœtus où la trompe va exploser sous la pression.

Le gynécologue peut demander à sa patiente de noter sa température chaque jour parce que cette température s'élève légèrement au moment où l'ovule s'échappe de l'ovaire. Enfin, le médecin peut être obligé de faire une laparoscopie. Il s'agit d'une opération mineure au cours de laquelle le médecin introduit dans le ventre de la patiente un mince instrument, un peu sous le nombril, grâce auquel il pourra examiner l'ovaire et parfois en extraire l'ovule au moment où il se dégage de l'ovaire.

On voit que l'investigation est beaucoup plus pénible chez la femme que chez l'homme. C'est pourquoi je recommande que l'on examine l'homme d'abord.

Le test postcoïtal

Certains spécialistes en stérilité insistent pour faire subir à leur patient un test postcoïtal même avant de faire l'analyse de son éjaculat. On demande alors à la femme de se rapporter immédiatement après le coït. On aspire l'éjaculat ainsi que du mucus du col, que l'on examine aussitôt. Si tous les spermatozoïdes sont morts ou immobiles, on entreprend alors une recherche sur les causes de cet état, par exemple, la présence d'anticorps qui auraient pu mettre fin à la vie des spermatozoïdes, particulièrement si l'analyse de l'éjaculat n'a rien révélé d'anormal. Ce test postcoïtal n'a de valeur que s'il est pratiqué au cours de la période de fertilité de la femme.

Traitement de la stérilité chez l'homme

Souvent, on me réfère un patient dont l'histoire médicale et physique ainsi que l'analyse du sperme sont tout à fait normales et dont la partenaire est en parfaite santé. Mais le couple est stérile. Ces cas ne sont pas rares. Je recommande alors au couple le régime suivant.

Je leur conseille d'avoir des relations tous les trois ou quatre jours. Pas plus, pas moins. Je leur explique que certaines études, faites souvent sur des prisonniers, avec leur accord, ont révélé que le taux de spermatozoïdes était à son plus haut niveau quand il n'y avait qu'une éjaculation aux quatre jours et que leur vitalité était plus élevée quand l'éjaculation n'avait lieu que tous les trois jours.

Je conseille au patient de n'éjaculer à l'intérieur de sa partenaire que le premier jet de son éjaculation, puis de se retirer pour poursuivre son éjaculation à l'extérieur, ceci au milieu du cycle menstruel, alors que la partenaire est fertile. Le premier jet de l'éjaculat est le plus riche en spermatozoïdes, le reste n'ayant pour effet que de le diluer et de réduire la possibilité de conception. Je crois qu'au cours d'un cycle menstruel, on ne peut compter que deux ou trois occasions de conception: quand le coït se produit en dedans de quarante-huit heures de l'ovulation et si la fréquence du coït se maintient à des intervalles de trois à quatre jours.

Il m'arrivera de demander au couple d'utiliser des condoms pendant six mois, sans exception. Voici pourquoi. Pour des raisons qu'on n'arrivera peut-être jamais à élucider, le couple peut avoir développé des anticorps qui tuent ou immobilisent les spermatozoïdes. Les tests qui permettent de vérifier cette éventualité sont plutôt dispendieux et souvent erronés. Quand on trouve des anticorps chez la femme, le traitement, jusqu'à maintenant, a été d'utiliser le condom pendant six mois, d'immuniser la patiente avec un traitement à la cortisone et l'injection du sperme directement dans l'utérus. Ce sont des traitements surtout expérimentaux et ils n'ont réussi que rarement.

Récemment, il est devenu à la mode de parler des «radicaux libres» et de leur élimination par des «antioxydants» qui par réaction chimique leur enlèvent de l'oxygène et ainsi neutralisent l'action des anticorps. Les antioxydants les plus populaires sont la vitamine C, la vitamine E et le bêta-carotène. Pour se garder en bonne santé, je recommande une dose quotidienne de 1000 mg de vitamine C, 400 mg de vitamine E et 10 000 unités de bêta-carotène.

Aux caleçons serrés, particulièrement ceux de type bikini, en nylon, on doit préférer le caleçon lâche qui ne colle pas le sexe à la peau. Les testicules doivent pendre à l'aise, dans leurs bourses, à l'écart du corps, parce que leur température doit se maintenir à quatre degrés de moins que la température du corps. C'est pourquoi il est aussi contre-indiqué d'abuser des saunas et des bains chauds.

Je propose au couple de suivre ces prescriptions pendant une année entière et de revenir me voir si madame n'est pas encore enceinte.

Ligature d'une varicocèle

Quand l'analyse du sperme indique un taux trop bas de spermatozoïdes, et que ceux-ci sont plutôt inactifs, mon seul espoir est de trouver chez le patient une varicocèle. Si je n'arrive pas facilement à la détecter, je demande au patient de forcer comme s'il voulait avoir une selle. L'anatomie du mâle semble prédisposée à provoquer la formation d'une varicocèle du testicule gauche. La veine qui draine ce testicule se vide dans la veine rénale gauche après un parcours de 40 à 60 cm. Cette colonne de sang semble exercer une pression trop forte sur les valves à sens unique des vaisseaux sanguins du testicule. Il en résulte un gonflement de la veine et une destruction des valves, autrement dit une varice qu'on a appelée «varicocèle». La varicocèle est moins susceptible de se créer du côté droit parce que la veine du testicule droit se vide beaucoup plus bas, dans la veine cave (la plus grosse veine du tronc). On recommande de recourir à l'intervention chirurgicale lorsqu'on constate la présence d'une varicocèle chez le patient ou qu'il peut en exister une.

Il s'agit d'une intervention mineure. On peut la pratiquer sans hospitalisation, mais je préfère faire admettre mon patient à l'hôpital. Sous anesthésie, générale ou locale, je pratique une incision de 2,5 cm de la marge de l'os. Je pratique une incision dans le muscle, je repousse le péritoine et j'identifie la veine du testicule concerné. Deux veines se présentent à la vue. Parfois, une veine voisine, la veine épigastrique, peut être confondue avec la veine du testicule. Pour être sûr d'opérer sur la bonne veine, il faut tirer sur le testicule, ce qui va la faire bouger et permettre de l'identifier. La veine épigastrique, elle, ne bouge pas. Cette simple manœuvre prévient un sectionnement de la mauvaise veine, accident que j'ai eu à réparer à quelques occasions. Je sectionne à deux endroits la veine du testicule, je retire le segment gonflé et je suture la plaie. La plupart des patients peuvent rentrer chez eux dès le lendemain.

Pourquoi suffit-il d'une varicocèle d'un seul côté pour provoquer la stérilité? On n'est pas fixé là-dessus. Il semble que la varicocèle, lorsqu'elle est établie depuis longtemps, peut faire ratatiner le testicule. On a aussi prétendu que l'excédent de sang chaud présent dans la varicocèle élève la température du testicule, ce qui réduirait et même mettrait fin à sa production de spermatozoïdes. D'autres encore ont estimé que des produits de déchets des reins ou des glandes adrénalines, qui normalement n'auraient pas dû atteindre le testicule, seraient responsables de son mauvais état. Mais aucune étude n'a encore pu soutenir sérieusement cette hypothèse. Pourquoi un désordre dans un seul testicule serait-il cause de stérilité, alors que l'autre testicule a une production normale? Cela reste un mystère pour la médecine.

Cependant, cette simple intervention semble améliorer le taux de spermatozoïdes et leur vitalité. Certains services de santé rapportent que dans 25 à 50 % des cas de patients qui ont subi cette intervention, la compagne est devenue enceinte. La seule autre intervention chirurgicale qui puisse guérir de la stérilité est la suppression d'une obstruction quelconque dans le réseau spermatique, un peu comme dans le cas de la vasovasostomie, qui est l'inverse de la vasectomie. Nous traiterons de ce sujet plus loin (chapitre 6).

Traitement par des produits pharmaceutiques

Enfin, dans les cas où le taux de spermatozoïdes est déficient mais le taux de FSH normal, je traite le patient au citrate de chlomiphène, qui accroît la production de FSH et de LH par stimulation de l'hypophyse. La médication prévoit qu'on prenne oralement une demi-pilule (25 mg) par jour, pendant environ quatre mois. Quand la médication s'avère efficace et que le taux de spermatozoïdes s'accroît, on poursuit le traitement, mais si on ne constate pas d'amélioration, il faut cesser la médication.

Je n'ai jamais utilisé d'autre médicament. Certains experts croient pouvoir améliorer l'état du patient en lui prescrivant de prendre de la testostérone pendant un certain temps, puis de cesser cette pratique subitement, dans l'espoir que le taux de spermatozoïdes va faire une bond subit. Je ne suis pas convaincu que cela puisse fonctionner ainsi; je crains même que cette pratique ne soit pas sans danger. Le Pergonal, un médicament préparé à partir de l'urine de femmes ménopausées et qui contient des gonadostimulines et du FSH, ainsi que la bromocriptine (Parlodel) qui inhibe la production de la prolactine, sont peut-être efficaces pour le traitement des effets secondaires de la ménopause, mais je ne crois pas qu'ils puissent jouer un rôle dans le traitement de la stérilité chez l'homme (même si leur rôle dans le traitement des femmes est reconnu).

Traitement de la stérilité chez la femme

Il semble bien que chacun a sa petite idée sur ce qu'il convient de faire pour pallier la stérilité de la femme. Mais ce ne sont pas toujours des avis qui émanent d'études scientifiques sérieuses. Voici les conseils que je donne et qui, pour ma part, me paraissent raisonnables.

Il y a de bonnes raisons pour conseiller à la femme de se coucher sur le dos pendant une quinzaine de minutes après le coït, car cela peut empêcher l'éjaculat de s'écouler hors du vagin et d'être perdu pour la fécondation. Dans les cas où l'examen du sperme indique que sa pénétration dans l'utérus se fait difficilement, le traitement à l'œstrogène administré du dixième au quatorzième jour après les règles peut améliorer la perméabilité du mucus du col de l'utérus. On considère qu'une dose de 20 microgrammes d'estradidiol (Estinyl) est suffisante.

Quand l'ovule ne se dégage pas de l'ovaire, le médecin a à sa disposition plusieurs médicaments pour favoriser l'ovulation:

1. La deltacortisone (Prednisone) à 5 mg par jour réduit le taux d'hormones mâles chez la femme et aide à provoquer l'ovulation.

2. Le citrate de clomiphène (Clomid) stimule la production de FSH et peut ainsi provoquer l'ovulation. On administre un comprimé de 50 mg à partir du cinquième jour

jusqu'au neuvième jour avant la date de l'ovulation. En cas d'insuccès, on peut doubler, tripler et même quadrupler la dose. Parfois, il se produira une hyperstimulation ovarienne provoquant des grossesses multiples. C'est probablement pour cette raison que l'on a surnommé ce médicament la pilule miracle.

3. On utilise le Pergonal quand le citrate de clomiphène s'est révélé inefficace et n'a pas provoqué de grossesse. Le Pergonal comporte de l'hormone folliculo-stimulante FSH, extraite de femmes ménopausées par un procédé très complexe. C'est pourquoi le médicament coûte si cher.

4. La bromocriptine est un inhibiteur de la synthèse et de la libération de la prolactine, hormone de l'hypophyse. C'est un suppresseur de la lactation. On le prescrit quand l'ovulation est inhibée par une trop grande production de prolactine, hormone de l'hypophyse qui a pour fonction de provoquer la lactation. La bromocriptine supprime la prolactine et encourage l'ovulation par le fait même. L'hyperproduction de prolactine est peut-être due à la présence d'une tumeur de l'hypophyse, problème qu'il faut d'abord régler puisqu'il représente un danger certain pour la survie de la patiente.

Quand les trompes de Fallope sont obstruées par suite d'une quelconque opération ou rétrécies par une infection, on peut les dégager par microchirurgie. En général, cette intervention réussit moins bien que la vasovasostomie (recanalisation après une vasectomie). Les rétrécissements infectieux (ou sténoses) sont plus difficiles à recanaliser. Souvent, au lieu d'essayer de recanaliser les trompes, on a recours à la fertilisation *in vitro* (bébé éprouvette).

L'endométriose

Les femmes stériles sont très souvent victimes d'endométriose, cause de la stérilité d'un bon 20 % des femmes stériles.

Il s'agit d'une affection caractérisée par le développement, hors de l'utérus, de tumeurs bénignes constituées de parcelles de la muqueuse utérine (ou endomètre). On en trouve surtout sur les ovaires et l'enveloppe de divers organes du bassin, tels que les trompes de Fallope et les ligaments de l'utérus, mais on en trouve aussi sur l'enveloppe du rein, celle de la vessie, celle de l'urètre, etc. Ces parcelles de tissus se comportent comme l'endomètre (ce tissu qui tapisse la cavité de l'utérus). C'est pourquoi on les appelle les endométriomes. Ils saignent périodiquement et, parce que ce sang ne peut pas s'écouler comme les règles puisqu'il ne provient pas de la cavité utérine, il est susceptible de provoquer une congestion prémenstruelle douloureuse. On a prétendu que l'endométriose pouvait être causée par un épanchement du flot menstruel par rejet à l'intérieur de la cavité abdominale, par les trompes de Fallope. J'ai eu l'occasion de trouver des endométriomes même sur la tunique interne d'une vessie. Il est difficile de comprendre comment le flot menstruel peut se déverser à l'intérieur d'une vessie, ce qui donne à douter du bien-fondé de cette théorie. On a aussi trouvé des endométriomes dans le poumon, dans les muscles des membres et dans les os. Leur présence dans ces endroits est encore plus difficile à expliquer.

L'endométriose se traduit par des douleurs lors des règles et par la stérilité de la patiente. On la traite actuellement avec le Danazol, qui inhibe la production de l'hormone stimulatrice de follicules (FSH) et de l'hormone de lutéivisation (LH) et produit une ménopause temporaire. Le traitement doit se poursuivre pendant six mois. Les règles réapparaissent un mois environ après la fin de la médication, et dans plus de la moitié des cas, la fertilité est restaurée.

Insémination artificielle

L'insémination artificielle, c'est tout mode d'introduction de sperme dans le vagin autrement que par le pénis. La semence peut être fournie soit par le conjoint, soit par un donneur anonyme.

Il semblerait logique que, lorsque le mari a un sperme pauvre en spermatozoïdes, on lui suggère de réserver son sperme dans un récipient quelconque, et peut-être de le faire concentrer afin de l'utiliser pour une insémination artificielle. Jusqu'à maintenant, cependant, on n'a jamais réussi à améliorer la qualité du sperme hors du corps humain. Dans certains centres médicaux, on a tenté d'éluder le problème de la pauvreté du sperme en l'introduisant directement dans l'utérus pour lui éviter le contact avec la muqueuse du col, qui peut-être pourrait agir comme un bouchon interdisant aux spermatozoïdes peu vigoureux l'entrée de l'utérus. Rien n'a été publié jusqu'à maintenant qui nous donnerait à penser que l'expérience ait réussi.

Des techniques de «lavage de sperme» sont devenues populaires au cours des dernières années. L'éjaculat est incorporé dans le liquide, puis centrifugé. On retire le liquide de surface et on injecte le résidu dans l'utérus. On peut aussi ajouter un autre produit au résidu et incuber le mélange pendant une heure. Les spermatozoïdes qui ont migré dans le produit sont utilisés pour l'insémination selon une technique appelée «swim-up». Quand le produit contient de l'albumine, on utilise une technique appelée «swim-down».

Quant à l'insémination artificielle par le sperme d'un autre donneur que le mari, c'est différent. Il est indubitable que cela réussit. La plupart des centres rapportent qu'il y a conception une fois sur quatre.

Voici comment le problème se pose, au plan purement médical: nous sommes devant un homme qui est définitivement stérile et sa femme, qui est normale. Le couple a diverses options. Ou bien il accepte la situation comme elle est et se fait une raison. Ou bien il décide d'adopter un enfant, et il s'adresse à un CLSC (centre local de services sociaux), seul agent officiel d'adoption. Ou encore, il pense à l'insémination artificielle par un donneur anonyme. Pour plusieurs, ce n'est pas un choix facile.

J'ai connu des maris qui acceptaient l'insémination artificielle, alors que leur femme ne pouvait se faire à cette idée. Parfois, c'est l'inverse. J'ai même rencontré un mari qui voulait mettre fin à son mariage pour permettre à sa femme de «se réaliser». Sa femme était en pleurs et ne voulait rien entendre. Dans un autre cas, c'est la femme qui ne comprenait pas que son mari ne veuille pas accepter l'idée de se faire remplacer par un donneur anonyme. Il arrive aussi parfois que le couple tente de me faire prendre parti pour l'un ou l'autre d'entre eux.

Une fois la décision prise, voilà la procession des questions, toutes plus difficiles les unes que les autres, qui commence. Quel est le taux de réussite de ce type d'intervention? En général, il y a conception une fois sur quatre. Les risques de malformations? Pas plus que dans le cas d'une insémination normale. En fait, d'après les rapports qu'on a eus, il y aurait plutôt moins de malformations. Qui sont les donneurs? La plupart du temps, ce sont des étudiants en médecine et, pour le reste, des étudiants d'autres facultés. Quel soin prendra-t-on pour que l'enfant ne soit pas trop différent du mari? Il est actuellement possible de choisir la race, la couleur de la peau et la religion. Y a-t-il des risques de problèmes à long terme? Le principal risque, c'est qu'il y ait consanguinité, ce que l'on n'est pas en mesure de vérifier. On court toujours le risque que l'enfant, devenu adulte, épouse un proche parent. (Actuellement, c'est encore un risque tout à fait minime.) Il y a encore le risque que l'enfant, comme beaucoup d'enfants adoptés, cherche à retrouver son père biologique. Qu'ai-je à répondre à ces inquiétudes? Pas grand-chose.

L'épidémie de sida a provoqué une forte diminution de l'insémination artificielle par donneur anonyme. Pour des raisons médico-légales, le sperme des donneurs anonymes doit maintenant être congelé et conservé pendant que le donneur doit se soumettre à un test de dépistage d'anticorps anti-VIH. Le sperme conservé est un peu moins efficace et le test anti-VIH a découragé plusieurs donneurs.

L'insémination elle-même n'est pas plus compliquée que l'examen vaginal de routine. Le médecin introduit un spéculum (l'instrument qu'utilise le gynécologue pour examiner le col de l'utérus et pour exécuter un frottis vaginal pour le test de Pap) dans le vagin de la patiente et il fait gicler sur le col le sperme que contient sa seringue. À l'occasion, si la conception est difficile à provoquer, il utilisera du citrate de clomiphène pour provoquer l'ovulation à la date où il compte pratiquer l'insémination.

Le bébé éprouvette

Les docteurs Robert Edwards et Patrick Steptoe ont étonné le monde scientifique lorsqu'ils ont annoncé qu'une fillette née en Angleterre, au cours de l'été 1978, avait été conçue en laboratoire, dans une éprouvette. La mère avait des trompes abîmées irréparables, mais était par ailleurs tout à fait normale. Le père aussi.

Les bébés éprouvettes sont le produit d'une alliance très savante et très délicate de la science avec la nature. Le chirurgien utilise un laparoscope, instrument semblable à un cystoscope mais qui, inséré dans la cavité abdominale à travers la paroi du ventre, juste sous le nombril, permet au chirurgien de voir à l'intérieur et d'y exécuter certaines manipulations. Il peut retirer un ovule du ventre de la mère, après avoir bien pris soin de calculer le moment exact où l'ovule est fécondable. Un peu avant l'ovulation, l'ovaire produit un surcroît d'œstrogène. Le moment exact de cette surproduction peut être prévu par l'analyse des urines. Juste avant l'ovulation, il se produit un accroissement subit de production de LH et la femme est prête à subir une laparoscopie.

Si on examine l'ovaire à ce moment-là, on peut discerner la présence, sur l'ovaire, de quelques petites bulles foncées. Utilisant comme guide le laparoscope, maintenu en position dans le ventre de la patiente, le chirurgien, à l'aide d'une longue aiguille, perce une de ces bulles et y recueille le liquide où baigne l'ovule. Si on avait laissé faire la nature, la bulle aurait crevé d'elle-même et expulsé l'ovule qu'elle contenait, lequel aurait été happé par le pavillon de la trompe de Fallope.

Le sperme, qui a incubé dans une solution spéciale, est alors mélangé au liquide contenant l'ovule. Certains laboratoires rapportent qu'il suffit de 35 000 spermatozoïdes pour effectuer la fertilisation dans ces conditions. Il est bon de faire remarquer cependant que 35 000 spermatozoïdes provenant d'un donneur fertile sont très différents de 35 000 spermatozoïdes provenant d'un donneur stérile. De toute façon, on peut voir venir le jour où l'on pourra fertiliser un ovule en éprouvette avec du sperme à basse teneur en spermatozoïdes. Actuellement, les laboratoires hésitent encore à tenter cette expérience parce qu'elle serait très coûteuse et plus hasardeuse qu'avec du sperme à taux normal de spermatozoïdes.

On peut maintenant examiner au microscope la pénétration de l'ovule par le spermatozoïde. On change alors de nutriments et, au stade de huit cellules, l'embryon est placé dans l'utérus. C'est une intervention à la fois extrêmement simple et extrêmement complexe. De nombreux laboratoires, partout dans le monde, ont répété la démarche d'Edwards et de Steptoe. Presque tous font état d'une longue suite de succès et d'insuccès. Même aujourd'hui, la fertilisation *in vitro* (ou en éprouvette) est loin d'être une opération de routine.

Mais la mise au point de cette technique ouvre la porte à bien des possibilités. Par exemple, on peut maintenant congeler des embryons de huit cellules et les conserver intacts indéfiniment. Si tous les embryons ne résistent pas à la congélation ou à la décongélation, bon nombre survivent très bien. Il existe aussi dorénavant la possibilité d'avoir recours aux services d'une mère porteuse, soit parce que la mère biologique a perdu son utérus, soit parce qu'elle ne peut pas tolérer une grossesse. Ou encore, il y a le cas de la mère qui n'a plus d'ovaires, mais qui a un utérus normal. Qu'est-ce qui l'empêche dorénavant d'emprunter un ovule, de le faire fertiliser *in vitro* par le sperme de son mari, puis de faire implanter l'embryon dans son propre utérus?

Les innombrables questionnements d'ordre moral, éthique, politique et religieux créés par ces recherches scientifiques constituent un bourbier d'où l'on ne sait pas comment on pourrait en sortir. Je crois que nos avocats, médecins, politiciens et moralistes seraient malvenus de poser des règles rigides au sujet de ces nouveaux développements du comportement humain, parce que tout est relatif. Ce qui est bien dans un cas peut être mauvais dans un autre. Les problèmes de comportement ne sont pas tous issus uniquement des découvertes les plus avancées de la recherche médicale. Je me souviens en particulier d'un jeune homme venu me voir pour un examen de fertilité prénuptial :

– Pourquoi voulez-vous que je calcule le taux de spermatozoïdes de votre sperme ?

– Nous trouvons, ma fiancée et moi, que ce serait une bonne chose à connaître.

– Vous savez que ce test ne peut pas vous indiquer si vous aurez des enfants ou non ?

– Comment ça ?

– Votre taux de spermatozoïdes peut être normal, mais cela ne garantit pas que votre femme va devenir enceinte. Bien plus, il se pourrait que vous ayez un taux faible. Si je vous le fais savoir, cela peut provoquer chez vous des problèmes psychologiques ou autres que vous n'auriez pas eus autrement.

– Vous pensez donc que je ne devrais pas subir ce test ?

– Je ne vous le recommande pas. Pourquoi vous créer des problèmes sans raison ?

Ce conseil semble satisfaire bon nombre de mes patients. D'autres insistent. Que faire ? Dois-je les écouter et faire à leur guise ? Ou bien dois-je les référer à un confrère ? Je me pose la question depuis un bon moment et je ne suis pas encore sûr de savoir comment y répondre.

Une technique récemment développée en Belgique permet l'insémination artificielle «un spermatozoïde – un ovule». On donne à cette technique le nom d'injection spermatique intra-cytoplasmique (ISIC). On attrape un spermatozoïde par la queue et on l'injecte par microchirurgie au centre d'un ovule. Cette technique joue un peu le rôle des spermatozoïdes kamikazes qui préparent le chemin pour l'unique spermatozoïde qui fertilise l'ovule. Je ne peux dire si les risques de malformations du fœtus sont plus élevés, quoique jusqu'à maintenant, les résultats ne sont pas alarmants. Les spermatozoïdes extraits de la tête de l'épididyme et qu'on a toujours cru incapables de provoquer une grossesse ont réussi à fertiliser des ovules grâce à cette technique «un spermatozoïde – un ovule». Les centres qui procèdent à ces expérimentations doivent charger aux clients le prix des essais, qu'ils soient fructueux ou non. Chaque essai coûte des milliers de dollars, et le taux de réussite est d'environ un sur quatre. Cette technique peut susciter des expérimentations contraires à l'éthique, mais jusqu'à maintenant, aucune n'a été portée à ma connaissance.

Questions et réponses

• **Pourquoi faut-il des millions de spermatozoïdes pour provoquer une grossesse? Je croyais qu'un seul suffisait.**

Il faut des milliers et même des centaines de milliers de spermatozoïdes pour littéralement bombarder l'enveloppe de l'ovule avant qu'un spermatozoïde réussisse à la traverser pour pénétrer au cœur de l'ovule et le féconder. Il se fait actuellement des recherches pour trouver comment on pourrait affaiblir l'enveloppe de l'ovule, afin que la fertilisation exige moins de spermatozoïdes. Nous ne savons pas si les manipulations que cela exigerait ne provoqueraient pas par ailleurs la création d'enfants difformes. Il est évident que tous les cas de stérilité du couple ne peuvent être traités de cette façon.

• **Ma femme et moi avons eu des enfants de nos précédents mariages. Pourquoi souffrons-nous maintenant d'un problème de stérilité?**

Plusieurs explications sont possibles. C'est peut-être parce que la fertilité est relative et diminue avec l'âge ou peut-être parce que votre combinaison mâle-femelle a entraîné un problème de stérilité.

- **Mon sperme présente un taux peu élevé de spermatozoïdes. Ne pourrait-on pas emmagasiner mon sperme pour ensuite le concentrer?**

Je ne crois pas que cette question ait été sérieusement étudiée. Il arrive souvent que l'on fasse congeler plusieurs échantillons d'un même donneur, qu'on les emmagasine et qu'on les utilise plus tard sans qu'il n'y ait une perte significative de fertilité du sperme. Par ailleurs, il semble bien que l'emmagasinage puis la concentration de plusieurs échantillons de sperme se solderaient par une perte substantielle de sperme viable. Mais l'un n'empêche pas l'autre et ce pourrait constituer un très bon sujet de recherche et les techniques de lavage et de manipulation du sperme deviennent de plus en plus populaires.

- **Une grande variation dans les résultats d'analyse du taux de spermatozoïdes dépend-elle du patient ou du laboratoire?**

Elle est parfois causée par des erreurs de laboratoire, mais dans la plupart des cas, elle reflète des fluctuations du taux chez le patient. On ne connaît pas encore les causes réelles de ces fluctuations.

- **Que peut-on faire après le coït pour pallier la stérilité?**

Certains médecins conseillent à la femme de se coucher sur le dos pendant une quinzaine de minutes après le coït, car cela peut empêcher l'éjaculat de s'écouler hors du vagin. Il n'y a aucune donnée scientifique qui permet d'affirmer que cette façon de faire augmente les chances d'une grossesse.

- **Pourquoi ne pouvez-vous pas utiliser mon sperme, même s'il présente un taux peu élevé de spermatozoïdes, pour fertiliser dans une éprouvette un ovule de ma femme?**

Cela peut certainement se faire. Mais la plupart des cliniques de fertilisation préfèrent réserver la technique de fertilisation *in vitro* aux femmes dont les trompes de Fallope sont obstruées, parce que le taux de succès de cette technique est plus élevé dans ces cas-là. En effet, il n'a pas été prouvé que la même technique, la fertilisation *in vitro*, réussirait avec un sperme à basse teneur en spermatozoïdes.

- **Si ma femme et moi étions moins anxieux d'avoir un enfant, est-ce que cela pourrait aider à régler notre problème de stérilité?**

Que la stérilité soit causée par un état psychologique est en grande partie sans fondement. On raconte souvent que telle ou telle femme est devenue enceinte après que le couple ait démissionné. Par ailleurs, combien de couples ont démissionné et n'ont jamais eu d'enfant? Certaines études indiquent que lorsqu'ils sont en période d'examen, les étudiants voient baisser leur taux de spermatozoïdes. On présume que cela est dû à la fatigue ou à la caféine. Mais comment la fatigue, une maladie soudaine ou la fièvre peuvent-elles modifier le taux de spermatozoïdes, quand on sait que leur production prend plus de soixante-dix jours? La réponse à cette dernière question n'est pas claire.

- **Est-il possible qu'un homme naisse avec des testicules mais sans canaux déférents? Peut-on remédier à cette situation?**

Il peut y avoir absence d'un ou des deux canaux déférents. Actuellement, il n'existe aucune technique permettant la substitution ou la création d'un canal déférent.

- **Un testicule qui ne peut pas produire de spermatozoïdes peut-il produire des hormones mâles?**

L'hormone mâle, la testostérone, est produite par les cellules de Leydig logées dans le testicule. Ces cellules sont assez vigoureuses. Le spermatozoïde, par contre, se forme à partir de cellules qui tapissent l'intérieur des canalicules séminipares, très fins et longs canaux fluxueux dont le nombre varie de 250 à plus de 1000 et la longueur de 30 cm à 1,75 m. Ces cellules, au cours de leur développement, acquièrent la forme de petits têtards à grosse tête et courte queue (qui est la flagelle, organe du mouvement du spermatozoïde qui s'allongera et prendra de la vigueur au cours de son passage par l'épididyme). La production du spermatozoïde est un procédé très complexe et très fragile qu'un rien peut perturber, à l'inverse de la production des hormones.

• **Les enfants nés d'un couple ayant eu des problèmes de stérilité risquent-ils d'être anormaux?**

Cette crainte n'a aucun fondement scientifique. On observe, en fait, plus de fausses-couches, mais moins de malformations.

CHAPITRE VI

La vasectomie et la recanalisation (ou vasovasostomie)

L'éthique et la morale

L'*Homo Sapiens* est une créature très active sexuellement. Aucun autre animal ne tire du coït autant de jouissance que nous. Pour nous, il n'existe aucune limite, ni saisonnière, ni horaire, ni encore liée à la fréquence de nos ébats amoureux. Je n'adhère pas à toutes les théories de Freud, mais il a certainement raison de considérer la sexualité comme un des éléments les plus actifs et les plus puissants du comportement humain. Or, comment se comporter au sujet des problèmes d'ordre éthique ou moral que soulève la sexualité? Est-ce que le respect de la vie doit s'étendre jusqu'à respecter tous et chacun des spermatozoïdes du sperme? Et sinon, pourquoi pas? Doit-on toujours respecter l'ovule fertilisé ou l'embryon, ou ne le respecter que lorsqu'il donnera un enfant viable? Et qui peut prétendre avoir l'autorité de décider?

Je comprends facilement que certains patients et certains médecins s'objectent à la stérilisation à cause de leurs convictions religieuses. Ce à quoi je m'objecte, cependant, c'est à leur volonté d'imposer aux autres leurs principes religieux. Je considère que leur sens moral est arbitraire. Je n'en veux pour exemple que le fait suivant: J'ai reçu un jour un patient, aveugle et déjà père de deux enfants, qui venait me dire qu'il ne pouvait se faire vasectomiser parce que son curé s'y opposait. Je l'ai référé à un prêtre plus jeune qui le lui permit sans hésitation.

Je n'hésite pas à pratiquer régulièrement la vasectomie. Cependant, je me pose des questions lorsque c'est un homme jeune qui veut se faire opérer. Souvent, il n'est pas marié, mais il est déjà sûr de ne pas vouloir engendrer un enfant qui vivra dans notre «horrible» monde. Je lui suggère alors d'y réfléchir deux fois plutôt qu'une, soulignant que s'il lui arrivait de connaître un amour profond, il pourrait changer d'idée. La plupart du temps, il n'en croit rien. Il y a bien pensé et il trouvera bien quelqu'un pour l'opérer. Que me dicte alors ma conscience? Dans ces cas-là, je suggère à mon jeune patient de continuer à réfléchir quand même et de revenir me voir dans un an. Si, revenant alors, il insiste pour obtenir une vasectomie, je n'ai plus d'argument à lui opposer. Certains sont revenus et ils ont obtenu leur opération. D'autres ne sont jamais revenus et quelques-uns sont revenus pour me remercier de leur avoir donné l'occasion de réfléchir.

Il m'est arrivé, à la demande de la mère et du neurologue du patient, d'opérer un jeune handicapé mental. Mais comme je n'étais pas certain de la légalité de l'opération, étant donné les circonstances, j'ai demandé l'avis de mon association professionnelle. On m'a dit qu'il n'existait pas de règle officielle. Je m'en suis donc tenu à ma conscience et j'ai opéré le patient.

Par contre, je n'ai jamais pratiqué d'opération bidon comme l'a déjà fait un de mes confrères. La femme de l'un de ses patients étant devenue enceinte, ce dernier, déjà opéré une première fois, a demandé à son médecin une seconde vasectomie pour corriger la première. Or, après examen, il s'est révélé que son sperme ne contenait aucun spermatozoïde et que la première vasectomie n'avait pas à être corrigée! Pour éviter de provoquer des explications désagréables chez ce couple qu'il avait trouvé sympathique, mon ami a décidé de pratiquer une opération bidon, c'est-à-dire de se contenter d'une simple incision dans la peau de la verge du patient. Il m'a demandé si j'aurais agi de même. Je lui ai répondu que non mais que, cependant, je n'avais jamais été placé dans une telle situation.

Ordinairement, je ne me fais pas de souci d'ordre moral au sujet de la vasectomie. Il nous faut une certaine forme de contrôle des naissances. Lorsqu'un ménage est stable, que la famille est terminée, la vasectomie demeure encore le moyen le plus sûr et le moins traumatisant de pratiquer la limitation des naissances.

L'opération

De toutes les opérations au bistouri ou avec coupure que je suis appelé à pratiquer, c'est la vasectomie, ou stérilisation masculine, qui est la plus simple. Je l'ai pratiquée des milliers de fois dans mon cabinet et jamais un opéré n'a dû être hospitalisé pour complications. (J'ai cru que ce record venait de se terminer après plus de cinq mille vasectomies le jour où l'un de mes patients a dû être hospitalisé. De fait, la «complication» était une maladie neurologique aiguë, appelée syndrome de Guillain et Barré, provoquant la paralysie de différents muscles. Comme le patient avait cessé de respirer, on a eu recours à la ventilation assistée. Le patient s'est remis lentement mais complètement. Nul ne peut dire si la vasectomie a déclenché ou non la maladie neurologique.)

Ma secrétaire m'alloue 20 minutes par cas, ce qui inclut le temps consacré à répondre aux questions du patient, le temps qu'il prend pour se dévêtir et se revêtir et parfois, le temps de raser la partie supérieure du scrotum si le patient a oublié de le faire lui-même à la maison comme je le lui avais prescrit. Il me reste donc environ 10 minutes pour l'opération proprement dite.

Je me souviens d'un cours de recyclage pour médecins de famille où j'avais soutenu que l'on peut pratiquer une vasectomie sans effusion de sang (enfin, moins de cinq gouttes) et sans aucun point de suture intérieur ou extérieur. Deux médecins incrédules me demandèrent s'ils pouvaient assister à une de mes opérations. Je les ai invités à venir, si le patient ne s'y objectait pas. Je ne me souviens pas des détails, ni s'ils ont assisté à une ou deux opérations, mais je me rappelle très bien que le traumatisme chirurgical a été aussi minime que je l'avais dit.

Voici ma technique. D'abord, je désinfecte le scrotum avec une solution de proviodine. Puis je localise de l'extérieur l'un des deux canaux déférents et je le tiens fixé à la peau du scrotum entre mon pouce et l'index. De l'autre main, j'injecte un anesthésique local dans le scrotum près de l'extrémité de mon pouce, juste au bout et sur chacun des côtés de chaque canal déférent (injection de 2 ml de Xylocaine à 1 %). L'injection provoque une sensation qui rappelle la piqûre d'un moustique. On ne sent presque rien si l'injection est très lente. Puis je pratique une incision de 3 mm de longueur à l'endroit même où j'ai piqué. L'anesthésique ayant agi presque instantanément, le patient ne sent rien. Avec une petite pince chirurgicale, je saisis le canal déférent et je peux alors libérer ma main qui le maintenait en place. J'installe une pince courbe sur le canal déférent que j'ai d'abord dégagé de l'épaisse enveloppe qui le protège et j'en sectionne une longueur de 1 cm. Puis, avec un électrocautère à aiguille, je cautérise les deux extrémités du canal déférent. Je répète l'opération sur l'autre canal déférent.

Cela peut être surprenant, mais il existe bien des variantes opératoires pour la vasectomie. C'est ainsi que vous trouverez des spécialistes qui vont pratiquer une incision de 2 à 5 cm dans la partie médiane du scrotum. Pourquoi une incision si longue? Cela demeure un mystère pour moi. D'autres préfèrent replier sur elle-même chacune des extrémités du canal déférent sectionné pour minimiser les risques d'une recanalisation spontanée (naturelle), après quoi ils les maintiennent en place par une ligature. Mais il existe toujours un risque de recanalisation spontanée dans 1 cas sur 400 ou 500, quelle que soit la technique utilisée. Il se peut que ce bouclage des extrémités puisse réduire quelque peu ce danger, mais je crois que cette intervention comporte un risque accru d'infection sans commune mesure avec le peu de sécurité additionnelle qu'elle procure. Certains médecins cautérisent les extrémités du canal déférent sectionné avec une solution de phénol saturée (comme on le fait souvent dans le cas de l'appendicectomie). Cette cautérisation chimique est très valable, mais la cautérisation électrique est plus simple et donc meilleure. Il existe encore une autre technique de vasectomie qui fut très populaire pendant un certain temps. Il s'agissait d'introduire une particule d'or dans la lumière du canal déférent. On prétendait pouvoir ensuite rétablir la fertilité du patient sur demande, tout simplement en retirant la particule d'or. En fait, cela est faux et cette technique est passée de mode.

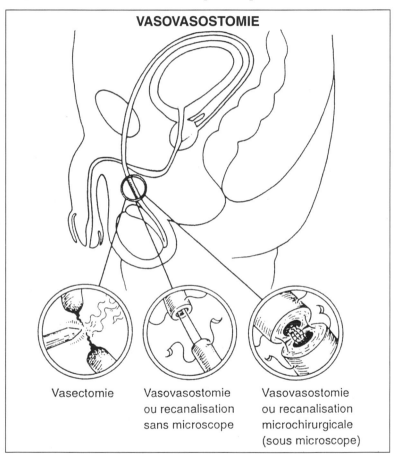

VASOVASOSTOMIE

| Vasectomie | Vasovasostomie ou recanalisation sans microscope | Vasovasostomie ou recanalisation microchirurgicale (sous microscope) |

Récemment, une technique de vasectomie sans bistouri, qui venait de Chine, a été saluée comme une innovation majeure. Je n'ai pas suivi les cours qui étaient offerts ni acheté les instruments requis mais je n'ai trouvé dans cette technique rien d'autre que ce que je fais depuis trente ans. Il me semble qu'on ait voulu réinventer la roue et une campagne de publicité, aussi habile soit-elle, ne remplacera jamais le sens commun.

Trois mois après l'opération, je fais un test pour voir s'il reste des spermatozoïdes dans l'éjaculat. Je le faisais auparavant après deux mois, mais je trouvais encore trop de résultats positifs à ce moment-là. Par la vasectomie, on sectionne le canal spermatique entre les testicules (qui produisent les spermatozoïdes) et les vésicules séminales (qui les emmagasinent). Mais, pour éviter à coup sûr la grossesse, on doit d'abord évacuer totalement le dépôt de spermatozoïdes des vésicules séminales. Le nombre d'éjaculations post-vasectomie nécessaires pour éliminer totalement le dépôt de spermatozoïdes n'a pas été calculé avec précision. Au début, on croyait qu'il suffisait de 10 éjaculations, d'autres rapports en prévoyaient 20, d'autres encore 30. L'homme qui est sexuellement très actif va probablement éliminer sa réserve plus rapidement que celui qui est moins actif. En général, un homme jeune élimine sa réserve plus rapidement qu'un homme plus âgé. Il semble qu'un délai de trois mois soit approprié pour le premier test. Si on ne détecte pas de spermatozoïdes au microscope au premier test, on examine un deuxième éjaculat. Quant à moi, pour le troisième test, je réfère toujours mes patients à un laboratoire indépendant. Même si les trois tests sont négatifs, j'avertis mes patients qu'il existe toujours un risque de retour spontané à la fertilité et je leur suggère de subir un test par année.

J'ai été traduit en justice une fois, au début de ma carrière. Après un premier test, qui s'était révélé négatif, j'avais demandé à mon patient de revenir me voir pour en subir un deuxième. Mais il ne s'en est pas soucié et ne m'est revenu que lorsque sa femme est devenue enceinte. Je lui ai donc fait subir un nouveau test qui a montré que le patient passait de nombreux spermatozoïdes. Il s'agissait d'un cas de recanalisation naturelle. Le patient subit alors une seconde vasectomie sans complications. J'ai été assigné à me présenter en cour pour soumettre ma défense, ce que j'ai fait, mais heureusement la poursuite fut abandonnée. Le formulaire de consentement à la vasectomie que signe le patient comporte une clause spécifiant que la vasectomie ne peut, en aucun cas, être garantie.

Les autres méthodes de contraception

La plupart des autres méthodes de contraception sont dangereuses pour la santé ou, à tout le moins, peu sûres, comparativement à la vasectomie.

Bon an mal an, 25 % des couples qui suivent la méthode rythmique font face à une grossesse non désirée.

Le condom et le diaphragme, avec ou sans spermicide, sont à peine plus fiables, avec 5 à 15 % de grossesses non désirées. Mais cependant, ce sont peut-être les meilleures méthodes provisoires de contraception, après la vasectomie qui, elle, est considérée comme permanente.

On considère que le stérilet est sûr à 98 %, mais il est de plus en plus abandonné parce qu'il peut provoquer une stérilité permanente, des douleurs, des hémorragies, et qu'il se déplace souvent. J'ai connu un cas où on l'a retrouvé dans l'abdomen. Les problèmes causés par le stérilet ne sont pas communs, mais ils sont assez graves, quand ils se produisent, pour convaincre la plupart des fabricants d'en cesser la production.

La pilule pourrait sembler plus acceptable. Elle est, après tout, sûre à 99,9 %, mais elle est quand même assez dangereuse et injuste pour la femme pour que je me demande pourquoi les mouvements de libération de la femme ne s'y opposent pas davantage. Quand elle a été mise au point, on l'a testée sur un très grand nombre de femmes. On a pu alors la juger sûre sur plusieurs milliers de cycles menstruels, ce qui impliquait que les femmes pouvaient la prendre sans danger, indéfiniment. Mais ce qui n'a pas été expliqué clairement à ce moment, c'est qu'il y a une grande différence entre l'expérience vécue par 5000 femmes ayant pris la pilule pendant trois périodes de suite (un total de 15 000 cycles menstruels) et l'expérience de 50 femmes la prenant toute leur vie active (soit 15 000 cycles menstruels), même s'il s'agit à peu près, et globalement, du même nombre de cycles.

Les caillots dans le sang, les attaques cardiaques et les décès causés par la pilule, de 15 à 17 ans après la commercialisation de la pilule, provoquèrent une surprise totale dans le monde médical. On peut affirmer aujourd'hui que la pilule n'a jamais été expérimentée de façon vraiment scientifique. On a prétendu que les complications n'étant survenues que dans moins d'un cas sur mille, cela suffit pour en justifier l'usage. C'est peut être vrai, sauf pour les femmes qui représentent le «un cas sur mille». C'est aux jeunes femmes à décider si elles acceptent de courir le risque à 1 sur 1000 d'avoir des caillots dans les urines, qui peuvent aller se loger dans les poumons et causer, par congestion pulmonaire, la mort, ou encore le risque d'angine, trois fois plus grand chez les consommatrices de la pilule. Actuellement, le taux de mortalité attribuable à la pilule s'établit à 1,5 sur 100 000 femmes de 20 à 35 ans. Les femmes qui ne prennent pas la pilule ont un taux de mortalité, pour cause de congestion cérébrale ou pulmonaire causée par des caillots sanguins, de 0,2 sur 100 000. La pilule multiplie donc par 7,5 le risque de décès. Chez les femmes de 40 ans et plus, le risque est cinq fois plus grand. C'est pourquoi les médecins, s'ils sont particulièrement sensibles à ce danger, déconseillent fortement à leurs patientes de plus de 40 ans de prendre la pilule, surtout si elles souffrent d'embonpoint, si elles fument, si elles souffrent d'hypertension artérielle ou si elles sont diabétiques. Les risques sont tout simplement trop grands.

La stérilisation de la femme, malgré les progrès récents qu'elle a connus, demeure une opération beaucoup plus sérieuse et considérable que la vasectomie. Quelle que soit la technique employée, il faut ouvrir la cavité abdominale (ou péritonéale) pour être en mesure d'atteindre les trompes utérines (ou trompes de Fallope) et les ligaturer. Il faut donc pratiquer une incision dans la paroi antérieure de l'abdomen ou la percer à l'aide d'un laparoscope qui permet de voir à l'intérieur de l'abdomen. On installe des pinces sur les trompes et on ligature les extrémités, ou encore on les cautérise électriquement. Il y a toujours risque d'infection et même de péritonite. La ligature des trompes, pour être sécuritaire, ne peut être pratiquée qu'en salle d'opération et presque toujours sous anesthésie générale. Tout comme pour la vasectomie, le risque d'une recanalisation spontanée existe dans une proportion de 1 cas sur 400 ou 500.

Les complications de la vasectomie

La vasectomie n'est souvent qu'une simple intervention pratiquée au cabinet même du médecin. Mais elle n'est pas toujours exempte de complications.

Elle est parfois suivie d'une hémorragie interne qui durcit les bourses, les bleuit, les noircit et les rend douloureuses. La cause? Trop de sondages, trop de dissection par un chirurgien inexpérimenté, ou encore trop d'activité physique par le patient trop tôt après l'opération, c'est-à-dire au cours des jours suivant l'opération. Les tissus environnants et la peau du scrotum ne sont pas assez résistants pour retenir le sang et ils forment un sac où il va s'accumuler. Il peut être utile de poser un pansement serré ou une bande athlétique immédiatement après l'opération, mais il est bien évident que le meilleur moyen d'éviter les accidents est, pour le chirurgien, de réaliser l'opération avec le plus de minutie possible et, pour le patient, de suivre à la lettre les conseils du médecin au sujet de sa conduite après l'opération. J'engage toujours mes opérés à garder le lit deux journées complètes après l'opération. Ensuite, ils pourraient faire un peu de marche, mais pas de jogging évidemment, ni de course. Les rares fois où mes patients ont vu leurs bourses bleuir et noircir, ils ont invariablement fini par admettre qu'ils n'avaient pas suivi mes recommandations. Ils se sentaient si bien, disaient-ils, qu'ils croyaient pouvoir prendre le risque de jouer un peu au hockey ou au football.

Le patient risque aussi de souffrir d'infection à la plaie, douloureuse et accompagnée de fièvre. L'hémorragie et l'infection se présentent quelquefois en même temps par la faute, parfois, du chirurgien, parce que sa technique n'est pas tout à fait au point. Certains médecins, dans l'espoir d'éviter l'infection, prescrivent au malade de suivre un traitement aux antibiotiques. Ce n'est pas nécessaire et c'est abuser des antibiotiques. Mais lorsque, et c'est rare, survient une infection, il est indiqué de prescrire un antibiotique à large spectre d'activité, comme la tétracycline.

Il existe une faute chirurgicale qui, à mon avis, est plus grave encore et c'est de se tromper sur l'identité d'un organe et d'opérer sur un autre conduit que le canal déférent. J'ai déjà entendu des patients se plaindre que leur vasectomie avait été mal réalisée. Ils avaient dû se faire opérer une deuxième fois parce qu'ils possédaient, disaient-ils, un troisième canal déférent. Je n'ai jamais vu de troisième canal déférent et je doute qu'il en existe. Mais c'est une excuse facile et commode pour le médecin. Par ailleurs, il n'est pas rare de rencontrer un patient qui ne possède qu'un seul canal déférent. Il se peut que cette infirmité soit une complication, rare, de l'absorption de stilbestrol (qui remplace parfois l'œstrogène) par la mère du patient, au cours de sa grossesse.

Enfin, comme je l'ai dit plus haut, il peut arriver que les extrémités du canal déférent, qu'elles aient été sectionnées, ligaturées ou cautérisées, se rejoignent et provoquent une recanalisation spontanée. Cet accident peut s'expliquer par une faute technique du chirurgien, mais pas nécessairement. C'est un accident qui peut se produire dans 1 cas sur 400 à 500. Les risques sont plus élevés au cours des premiers mois suivant l'opération, mais cet accident peut se produire en tout temps. Je recommande toujours à mes patients de subir une fois par année un test qui permet de vérifier s'ils passent des spermatozoïdes, mais peu d'entre eux suivent cette recommandation.

Les fausses complications de la vasectomie

Certaines des objections faites contre la vasectomie, à ses débuts, provenaient de critiques qui étaient opposés à cette opération pour des raisons philosophiques et qui cherchaient à appuyer leur objection sur des bases scientifiques. Par exemple, on a prétendu que 70 % des vasectomisés souffraient d'arthrite par suite de leur opération. À première vue, les statistiques étaient frappantes: 70 % des opérés souffraient en effet d'arthrite. Mais il ne faut pas oublier qu'après un certain âge, 70 % de la population générale souffre d'arthrite. Ce qui démontre clairement que les vasectomisés ne sont pas plus susceptibles d'en souffrir que les autres.

D'autres recherches ont établi que les rats vasectomisés perdaient tout intérêt pour les activités sexuelles et que le niveau d'hormones mâles dans le sang de ces animaux baissait au point d'atteindre celui des rats castrés. Les résultats de ces recherches ont été publiés pour mettre les hommes en garde contre la vasectomie. Mais il faut savoir que lorsque le canal déférent est sectionné chez le rat, il se développe, dans les vaisseaux qui aboutissent au point sectionné, une pression qui, avec le temps, détruit complètement les testicules de l'animal. Chez l'homme la pression n'est pas suffisante pour détruire les testicules. Ces erreurs sont courantes dans la recherche biologique sur des animaux. C'est que certaines expériences ne provoquent pas les mêmes effets chez l'animal et chez l'homme.

Plus récemment encore, un chercheur réputé a établi hors de tout doute, par ses recherches sur les singes, que la vasectomie accélérait le processus de développement de l'athérosclérose. Mais ici encore, le phénomène établi scientifiquement chez le singe, en laboratoire, ne se réalise pas chez l'homme.

En 1993, des épidémiologistes de Boston affirmaient que le risque de développer un cancer de la prostate était 60 % plus élevé chez les vasectomisés que chez les non-vasectomisés. Statistiquement parlant, l'étude avait été soigneusement effectuée. Le taux de cancer de la prostate chez les non-vasectomisés était de 7 % et chez les vasectomisés, de 11 %. Cette différence de 4 % représente une augmentation de 60 %. Mais les chercheurs bostonnais n'ont pas tenu compte dans leur étude de toutes les variables possibles. Et je crois que comparer des hommes qui choisissent la vasectomie et les hommes qui ne la choisissent pas, même si on tient compte des variables âge, revenu, éducation et ainsi de suite, revient à comparer des pommes avec des oranges. Premièrement, les hommes qui choisissent la vasectomie présentent peut-être un intérêt plus marqué pour les activités sexuelles et ont peut-être des taux plus élevés de testostérone. Deuxièmement, et c'est encore plus important, d'autres études n'ont pas permis d'établir un lien entre la vasectomie et le cancer de la prostate. Le cancer de la prostate affecte 9 % de la population mâle, et c'est un problème réel. Et si jamais un lien de cause à effet entre la vasectomie et le cancer de la prostate est établi, je n'hésiterais pas à ne plus pratiquer cette intervention.

Au point où en sont les recherches, on peut affirmer que la vasectomie chez l'homme fertile est sûre, simple et efficace.

La recanalisation ou vasovasostomie

Quoique la vasectomie procède toujours, pour le patient comme pour le médecin, d'une décision irrévocable, les conditions de vie du patient peuvent changer et il arrive que des patients désirent renverser leur décision. Le décès de sa femme ou de son enfant amène parfois un homme à revenir sur sa décision, mais la raison la plus fréquente de recourir à une vasovasostomie est le désir d'avoir un enfant avec une nouvelle partenaire. Parfois, cependant, c'est pour une raison bizarre. Je me souviens d'un patient que son gourou avait persuadé qu'il devait retrouver son «intégrité». Le psychiatre auquel je référai ce patient lui donna raison. J'ai donc procédé à sa vasovasostomie.

Au contraire de la vasectomie, la vasovasostomie exige une hospitalisation. Tous sont d'accord là-dessus. Quant à savoir quelle est la meilleure technique opératoire, les spécialistes sont très partagés sur la question. Imaginez qu'on ait à rattacher bout à bout, tout en alignant leurs lumières, les extrémités de deux tubes fins comme un fil. Voilà ce qu'est la vasovasostomie! Les experts se divisent en deux écoles. Une école d'experts prétend qu'il faut absolument recourir à la microchirurgie (en travaillant sous microscope), tandis qu'une autre croit que l'usage du microscope est superfétatoire, c'est-à-dire tout à fait inutile. Quant à moi, j'ai utilisé les deux techniques. En microchirurgie, la vasovasostomie est une opération très longue et vraiment lassante, de même qu'épuisante, mais on en retire un immense sentiment de réalisation et de fierté professionnelle. Sous le microscope, on peut joindre par plusieurs points infiniment petits et serrés, et séparément, les parois intérieures, puis les couches extérieures. Sans microscope, il suffit de quatre points pour joindre à la fois la paroi intérieure et l'enveloppe du canal déférent. Mais il m'a paru que les résultats de l'opération au plan de l'objectif à atteindre sont aussi valables et que les discussions au sujet de la valeur comparative des deux techniques ne peuvent que nous éloigner de ce qui est vraiment important, c'est-à-dire trouver le meilleur moyen de vérifier si l'opération a réussi.

Les opérations de vasectomie et de vasovasostomie nous valent parfois, à nous médecins, des problèmes qui ne sont pas toujours d'ordre strictement médical. C'est ainsi qu'il m'est arrivé un jour, à mon cabinet, un patient qui venait m'annoncer que sa femme était enceinte. Je félicitai ce patient que j'avais vasovasostomisé six mois plus tôt, mais je lui exprimai aussi ma surprise.

Normalement, lui dis-je, j'attends de 9 à 12 mois avant de prendre la peine de vérifier le taux de spermatozoïdes après l'opération, parce que les résultats d'un test trop hâtif sont ordinairement décevants. Mais puisque votre femme est enceinte, tant mieux. Tout le monde est content, réjouissons-nous!

Trois mois plus tard, le patient me revient pour me dire que sa femme l'a quitté et qu'elle a emmené l'enfant avec elle. Il me rappela que je lui avais laissé entendre que l'enfant n'était peut-être pas de lui et que si c'était le cas, il cesserait de verser une pension alimentaire à sa femme. Et il me demanda de pratiquer quelques tests sur son potentiel de paternité.

Je lui ai proposé de pratiquer une numération de ses spermatozoïdes. Si l'opération n'avait pas réussi, nous aurions ainsi une preuve scientifique qu'il n'était pas le père. L'analyse du sperme révéla qu'il contenait plus de cent millions de spermatozoïdes au millilitre. Sa fécondité ne faisait aucun doute! Je commençais déjà à me voir passer, comme témoin, de nombreuses et pénibles journées devant le juge.

Mais il revint me voir un peu plus tard pour me dire de ne plus m'en faire. Sa femme avait admis qu'il n'était pas le père et elle ne lui réclamerait pas de pension alimentaire. Il n'y aurait donc pas de procès. Puis il me demanda si j'acceptais de le vasectomiser de nouveau... Je le reconduisis poliment à la porte de mon cabinet!

Questions et réponses

• **Où passent les spermatozoïdes après la vasectomie?**

C'est simple. Ils vivent leur vie normale, meurent et se désintègrent en quelques heures. Puis ils sont digérés par les globules blancs. Il ne se fait aucune accumulation, on ne sent rien, le vasectomisé ne court aucun risque de quelque ordre que ce soit.

• **Devez-vous raser mon scrotum avant une vasectomie?**

L'incision se pratique sur la partie pileuse du scrotum, vers le haut. Si l'on ne rasait pas cette partie du scrotum, le chirurgien aurait une moins bonne vision de son champ d'opération et les poils pourraient se glisser dans la plaie pendant l'opération, ou après, durant le processus de cicatrisation. Auparavant, on craignait aussi que la présence des poils ne provoque de l'infection.

Je demande à mes patients, pour ma part, de raser ou de faire raser leur scrotum sur une petite surface d'un pouce carré de part et d'autre de la ligne médiane du scrotum avant de se présenter à mon cabinet pour l'opération.

• **Aurai-je besoin de prendre des antibiotiques ou des analgésiques après la vasectomie?**

Les antibiotiques ne sont pas nécessaires. Si, mais cela se produit très rarement, il se développe une infection de la plaie, alors on recueille un peu de pus pour l'analyser afin de déterminer quel antibiotique il y a lieu d'utiliser. Il n'est pas utile non plus de recourir à de puissants analgésiques. Un analgésique léger comme les acétaminophènes (Tylenol ou Atasol) est amplement suffisant. En fait, la meilleure façon de soulager l'opéré, s'il éprouve de la douleur au scrotum, est d'appliquer des sacs de glace sur l'endroit douloureux. Il suffit de remplir de cubes de glace un sac de plastique et d'envelopper le sac dans une serviette.

• **Puis-je reprendre mes activités tout de suite après l'opération?**

Si, au cours de l'opération, les veinules qui irriguent les canaux déférents se mettent à saigner, on les cautérise à l'électricité. Par ailleurs, si l'opéré est trop actif immédiatement après son opération, les veinules peuvent se remettre à saigner. Comme il vaut mieux prévenir que guérir, on recommande au patient de réduire ses activités pendant quelques jours après l'opération.

• **Combien de temps après l'opération puis-je avoir des rapports sexuels?**

Après l'opération, il faut s'abstenir de rapports sexuels pendant deux jours et, après ces deux jours, il faut tout simplement suivre son bon jugement. Si ça ne va pas, arrêtez, mais si tout va bien, il n'y a rien qui vous empêche de continuer. Naturellement, tant que l'éjaculat est susceptible de contenir des traces de spermatozoïdes, l'usage de contraceptifs s'impose.

• **Mon éjaculat sera-t-il différent?**

Son volume diminuera peut-être de 1 à 5 %, mais c'est un change-ment trop petit pour être remarqué. La couleur, la consistance et l'odeur de l'éjaculat ne subiront aucun changement.

• **La vasectomie affectera-t-elle ma virilité ou mon potentiel sexuel?**

La vasectomie n'affecte aucunement la virilité ou le potentiel sexuel de l'opéré. C'est en grande partie le niveau de testostérone (l'hormone mâle) qui détermine le niveau d'intensité de la virilité. Ni la production des hormones ni leur émission dans la circulation sanguine ne sont altérées par la vasectomie.

• **Y a-t-il des effets secondaires à long terme, comme le développement d'un cancer?**

Plus d'une génération (au moins 25 années) a passé depuis que se pratique la vasectomie partout dans le monde, et, même avec un échantillon de cette envergure, on n'a pu détecter d'effets secondaires morbides.

• **Combien faudra-t-il de temps après une vasovasostomie pour que je devienne père?**

En théorie, les spermatozoïdes vivants réapparaissent dans le sperme environ trois mois après la vasovasostomie. Mais on n'en trouve en grand nombre qu'au bout d'une année. Cependant, j'ai vu des cas où le nombre de spermatozoïdes, qui était encore plutôt modeste après une année, continuait d'augmenter avec le temps. Par contre, j'ai vu aussi des cas où les spermatozoïdes, très nom-breux au départ, diminuaient en nombre avec le temps. Il est donc impossible de prédire avec exactitude combien de temps il faudra, après l'opération, pour que le patient devienne père.

- **Est-il possible qu'on ait enlevé une trop grande section des canaux déférents, rendant ainsi impossible une vasovasostomie?**

L'écart entre les extrémités du canal déférent laissé par une vasectomie joue pour beaucoup dans le rétablissement de la fécondité. Un écart de 5 cm, et même plus, peut se rattacher facilement. Mais dès que cet écart est vraiment important, on est obligé de tailler plus avant dans les tissus environnants et le traumatisme opératoire s'accroît d'autant. Si le canal a été sectionné près des testicules, il sera beaucoup plus difficile à rattacher que s'il a été sectionné quelques centimètres plus loin. C'est que lorsque le canal a été sectionné près de l'épididyme, il faut le rattacher à un canicule très fin situé à l'intérieur même de l'épididyme. Cette microchirurgie est très difficile à réaliser.

- **Pourquoi la vasovasostomie n'est-elle pas toujours réalisable?**

La technique est très difficile et on ne peut pas s'attendre à ce qu'elle réussisse toujours. Par ailleurs, il arrive que les testicules ne recouvrent pas leur faculté de produire des spermatozoïdes, ou, s'ils le font, c'est avec moins de vitalité; néanmoins, on ignore toujours pour quelles raisons et dans quelle proportion des cas.

CHAPITRE VII

Les tuméfactions du scrotum
(ou des bourses)

Les tuméfactions du scrotum sont faciles à détecter puisqu'il ne s'agit que d'une peau qui recouvre les structures internes. La découverte d'une tuméfaction peut provoquer une panique injustifiée puisque, et j'insiste là-dessus, la grande majorité des tuméfactions sont anodines. C'est de ces différentes tuméfactions que nous allons traiter dans ce chapitre en espérant qu'il permette d'éviter que des décisions d'intervention sottes et irrationnelles soient prises.

Il est notoire qu'un chanteur pop britannique bien connu porte des «bourrures» sous son pantalon pour s'avantager. Ce comportement est moins bizarre qu'on le croit. Au cours de ma pratique médicale, j'ai eu bon nombre de patients qui ont décidé, pour la même raison, de ne pas se faire opérer pour une tuméfaction des bourses. Ils préféraient se donner des allures de surmâle. Aux XVᵉ et XVIᵉ siècles, les hommes portaient en Europe des collants munis, pour loger les parties intimes, d'une enveloppe protubérante (et flatteuse, trouvait-on alors). Inutile de dire qu'il s'agissait surtout d'un moyen de donner à ces parties une allure proprement démesurée. Mais ce fut longtemps la mode*.

---

*   *Note du traducteur.* Cette enveloppe protubérante s'appelait la braguette. Le pantalon masculin a toujours une braguette, mais elle est maintenant réduite à sa plus simple expression, qui est la fermeture éclair.

L'équivalent moderne est le support athlétique comportant une armature métallique qui protège les testicules. Tous les hommes le savent, les testicules sont des organes sensibles et délicats, peu protégés contre les coups et les blessures.

Je me souviens d'un patient qui présentait aux bourses une tuméfaction de la grosseur d'un œuf. Il m'a demandé de vérifier s'il s'agissait d'une tumeur cancéreuse. Mais je l'ai assuré qu'il ne s'agissait que d'une tuméfaction séreuse ou hydrocèle (c'est-à-dire une accumulation d'eau entre les tissus du scrotum) non cancéreuse. Il a alors décidé, avec plaisir, de la conserver. C'est tout heureux qu'il m'avoua avoir expliqué à ses amies, jusqu'à sa visite à ma clinique, qu'il s'agissait d'un troisième testicule. Il prétendait que cette anomalie lui avait valu un grand succès auprès d'elles. Et il avait bien l'intention de continuer son innocente supercherie. Il n'était venu me consulter, me dit-il, que pour s'assurer qu'il n'avait pas le cancer.

Ce en quoi il avait eu bien raison, parce que, si les tuméfactions des bourses sont souvent anodines, il arrive aussi qu'elles soient d'origine cancéreuse.

Les tuméfactions anodines (hernie, hydrocèle, etc.)

Les tuméfactions anodines comprennent la hernie, l'hydrocèle, la varicocèle, la spermatocèle, le kyste de l'épididyme, l'épididymite et l'orchite ourlienne. Deux de ces tuméfactions bénignes, la hernie et l'hydrocèle, peuvent atteindre une taille vraiment énorme.

La hernie

La hernie est une tumeur molle formée par un organe totalement ou partiellement sorti (par un orifice naturel ou accidentel) de la cavité qui le contient normalement. La hernie est habituellement nommée selon son siège (l'endroit de l'organisme où elle se produit). C'est ainsi que l'on aura la hernie diaphragmatique ou hernie hiatale, qui se définit comme la saillie d'une partie de l'estomac vers le haut de la cage thoracique; la hernie ombilicale, quand l'intestin ou une partie de l'intestin fait saillie à travers le nombril; la hernie ventrale, quand une faiblesse du péritoine, généralement provoquée par une intervention chirurgicale avec ouverture de l'abdomen, permet à une partie de l'intestin de saillir hors du péritoine et, enfin, les hernies inguinales ou hernies de l'aine, qui se divisent en trois variétés. Ce sont:

1) la hernie inguinale directe, qui est une tumeur molle formée dans l'aine par une partie de l'intestin sortie de sa cavité par une fissure de la paroi antérieure du péritoine;

2) la hernie fémorale, qui est une tumeur molle formée par une partie de l'intestin dans le bas de la cuisse, près du point où l'on peut sentir le pouls; et, enfin,

HERNIES INGUINALES

Hernie inguinale directe

Hernie fémorale

Hernie indirecte étranglée

3) la hernie inguinale indirecte, qui est une tumeur molle formée dans le scrotum par une partie de l'intestin sortie de
sa cavité par le conduit qu'ont suivi les testicules pour descendre dans les bourses. Cette hernie peut atteindre la
grosseur d'un ballon de football.

La hernie est dite réductible si l'intestin protubérant peut être
repoussé dans l'abdomen, irréductible s'il est impossible de l'y
repousser, et enfin étranglée si sa circulation sanguine en est interrompue. C'est ce qui se produit quand l'orifice par où est passée
une partie de l'intestin se referme sur elle avec un effet de pince.
Certains patients préfèrent ne pas se faire opérer pour une hernie
quand elle ne les gêne pas. D'autres choisissent de porter un bandage herniaire. Il s'agit d'une ceinture rembourrée assujettie à une
armature métallique. Elle a pour fonction de soutenir la partie faible
de la paroi de l'abdomen où la hernie s'est produite et de repousser
vers l'intérieur la partie de l'intestin qui s'échappe vers l'extérieur.
La seule façon de se débarrasser d'une hernie est l'intervention
chirurgicale, qui est toujours préférable dans le cas de toute hernie
et qui est impérative dans le cas d'une hernie étranglée.

L'opération consiste: 1) à repousser en sa cavité normale la
partie de l'intestin qui s'en est échappée; 2) à sectionner la poche
de tissus formée par la partie du sac abdominal qui contenait cette
partie de l'intestin; et, enfin, 3) à recoudre la fissure du sac abdominal et à la renforcer. On a mis au point plusieurs techniques à cet
effet. En principe, on cherche à coudre de solides tissus ligamen-
teux à d'autres tissus solides, par exemple à l'enveloppe des os.
Lorsqu'il n'existe pas de tels tissus aux endroits où ils seraient
utiles, on utilise des tissus synthétiques, tel du filet de dacron.

**HERNIE
INGUINALE INDIRECTE**

Une toute nouvelle technique pour corriger une hernie a récemment été mise au point: la correction par laparoscopie. À l'aide des mêmes instruments utilisés pour enlever une vésicule biliaire à travers plusieurs ouvertures, le chirurgien ramène en arrière la partie de l'intestin et fixe une plaque à l'endroit de la hernie. Cette technique n'a pas encore passé l'épreuve du temps, mais la période de récupération est sensiblement réduite. Un patient d'un de mes collègues a pu reprendre son travail une semaine après l'opération.

L'hydrocèle

Quand la partie du péritoine descendant dans les bourses a provoqué une hernie inguinale, il arrive que la poche ainsi formée se referme à son niveau supérieur et se remplisse d'un liquide séreux près du testicule, provoquant une bosse plus ou moins importante

à laquelle on a donné le nom d'hydrocèle. Tout mâle peut présenter une hydrocèle. Elle est provoquée par une blessure au scrotum
ou par une irritation du testicule qui stimule la formation, par les
cellules de la poche du péritoine, d'un liquide séreux qui s'y emmagasine. Ce liquide ne peut disparaître de lui-même. Quand
l'hydrocèle n'est pas trop grosse et qu'elle ne gêne pas le patient, il
n'est pas nécessaire d'opérer. Mais il se peut que l'accumulation de
liquide prenne des proportions fort importantes. Il m'est arrivé
d'avoir à retirer des bourses d'un patient jusqu'à deux litres de
liquide. Dans de tels cas, l'hydrocèle est très gênante et souvent
douloureuse. On peut alors retirer ce liquide jaune pâle et clair
comme de l'eau à l'aide d'une seringue que l'on pique au travers de
la peau du scrotum. Si l'hydrocèle a été provoquée par une blessure, ce traitement suffira et il n'y aura pas d'autre accumulation de
liquide. Or, dans la plupart des cas, on ignore la cause de la formation de l'hydrocèle et le liquide ne cesse de réapparaître, puisqu'on
n'a pas pu éliminer le facteur déterminant de l'hydrocèle. Mais on
peut souvent freiner cette accumulation en instillant dans les tissus
affectés un produit chimique sclérosant (c'est-à-dire durcisseur),
après avoir, au préalable, retiré tout le liquide séreux. On utilise
communément pour cela de la tétracycline, un antibiotique. L'ins-
tillation de 250 mg de tétracycline, dilués dans environ 2 ml d'un
anesthésique local, suffit souvent à empêcher la récidive, mais pas
toujours. Plus de 80 % de mes patients n'ont pas eu à recourir à
une chirurgie subséquente.

L'intervention chirurgicale de l'hydrocèle est très simple. Il
suffit de sectionner le sac de l'hydrocèle, de le retirer et de retourner
les tissus restants. Par conséquent, la surface du tissu du péritoine
qui sécrétait le liquide qui s'accumulait dans les bourses et causait la
formation d'une hydrocèle est retournée vers la surface interne de la
peau du scrotum plutôt que vers la peau du testicule, comme avant.
Or, contrairement à la peau du testicule, la surface interne du scrotum a la propriété d'absorber le liquide sécrété par les tissus du sac
inguinal (ou tissu du péritoine) au fur et à mesure qu'il est sécrété.

HYDROCÈLE

Cette intervention chirurgicale n'exige pas nécessairement l'hospitalisation du patient, mais d'habitude on lui demande d'être hospitalisé pour une journée ou deux.

La varicocèle

La varicocèle, autre tuméfaction des bourses, n'est qu'un amas de veines variqueuses. Il ne s'agit, en somme, que de varices aux veines des bourses. Comme on le sait, la veine est un vaisseau qui ramène le sang vers le cœur. Dans le système circulatoire sanguin, les artères portent le sang vers les divers organes du corps à partir du cœur, véritable pompe refoulante. Or les veines qui ramènent ce sang aux poumons et au cœur n'ont pas de telle pompe. La circulation veineuse est un système à basse pression qui ne dépend que de la pression qu'exercent sur les veines la gravité, les tissus voisins

VARICOCÈLE

des veines et la poussée du sang artériel. On pourrait donc craindre que cette pression ne soit insuffisante pour faire remonter le sang vers le cœur et que ce sang reflue vers le bas. Mais ce danger est prévenu par une série de valvules à sens unique qui empêchent le reflux du sang et permettent de maintenir sa remontée vers le cœur. (On peut constater la présence de ces valvules par l'expérience suivante: si on laisse pendre le bras pendant un assez long moment, les veines se gorgent de sang. En appuyant un doigt sur une veine gonflée et en descendant le doigt vers le bout de la main, tout en maintenant la pression du doigt sur la veine, on la vide de son sang. On verra alors que le sang ne viendra plus remplir cette veine que jusqu'à un point précis, facilement visible. C'est qu'à cet endroit se situe une valvule qui empêche le sang de refluer.)

Les veines qui drainent le sang hors du testicule gauche subissent souvent une très forte pression sanguine parce qu'elles sont très fines et très longues (de 45 à 60 cm) et parce que, au point où elles peuvent enfin drainer le sang qui les enfle, elles forment un angle de 90° avec la veine où elles se déchargent. Ces éléments se conjuguent pour provoquer, chez ces longues et fines veines, la formation de varices, origine de la varicocèle. Au moins 1 % de la population mâle a une varicocèle du testicule gauche. Il y en a moins souvent du côté droit parce que la veine du testicule droit a un parcours moins long à effectuer avant de se vider dans une autre veine et que, de plus, elle le fait à un angle moins aigu avec la veine où elle se vide et parce que, enfin, cette dernière est plus grosse que celle où se jette la veine du testicule gauche.

Il est vraiment facile de diagnostiquer la présence d'une varicocèle. Au toucher, on sent un réseau de veines durcies, un peu comme si la bourse logeait un paquet de vers de terre. C'est qu'il ne s'agit pas d'une seule veine, mais d'une quantité de veines gonflées et durcies.

Ici non plus, l'opération n'est pas essentielle. La varicocèle ne présente pas nécessairement d'inconvénients inquiétants et, souvent, elle ne cause qu'une vague gêne.

Ce n'est que si le patient est très gêné par sa varicocèle, ou s'il éprouve des problèmes de fertilité parce que son sperme est trop pauvre en spermatozoïdes, que l'on songe à l'opération. (Ce problème est traité plus longuement au chapitre sur la stérilité.)

La spermatocèle et le kyste de l'épididyme

La spermatocèle est une poche de liquide séreux qui se forme sur l'épididyme. On ignore pourquoi et comment elle se produit. L'épididyme est constitué par un très fin et très long conduit (environ 6 m) plusieurs fois enroulé sur lui-même, situé sur la face postérieure du testicule, et par lequel passe le sperme en direction du canal déférent. Si, pour une raison quelconque, il se produit un gonflement de ce tube le long de son parcours et qu'il se remplit d'un fluide laiteux, contenant souvent du sperme, cet accident provoque la

KYSTE DE L'ÉPIDIDYME

formation d'une poche sphérique de la dimension d'un pois ou d'une balle de golf ou même plus grosse. C'est ce que l'on appelle une spermatocèle. Elle n'obstrue pas complètement le passage du sperme, et même s'il arrivait qu'elle le fasse, la fertilité du sujet n'en serait pas diminuée parce que la spermatocèle n'affecte pas le fonctionnement de l'autre testicule, puisque chaque testicule possède son épididyme. L'éjaculat ne présente guère de modification car la quantité de liquide qui émane de l'épididyme est très minime.

L'épididyme peut aussi être le siège d'une tuméfaction qui prend la forme d'une poche remplie de liquide non plus jaunâtre, comme dans le cas de la spermatocèle, mais tout à fait limpide, comme l'eau. Elle se forme au même endroit, en arrière et un peu au-dessus du testicule. C'est ce que l'on appelle le kyste de l'épididyme. Il présente les mêmes symptômes que la spermatocèle et seul un examen du liquide qu'il contient permet d'établir la distinction entre les deux.

La spermatocèle et le kyste de l'épididyme sont des affections bénignes qui ne nécessitent une intervention chirurgicale que si elles prennent suffisamment de volume pour gêner le patient. L'intervention chirurgicale est simple et n'exige qu'une journée d'hospitalisation. Il s'agit d'atteindre la tuméfaction à travers une simple incision du scrotum et de la disséquer sur place. Il arrive souvent qu'il soit possible de retirer le kyste entier, sans avoir à le disséquer d'abord.

La tuméfaction inflammatoire des bourses

Il existe trois principales causes de tuméfaction des bourses:

1. Infection bactérienne (dans le cas de l'épididymite);
2. Infection par un virus (orchite ourlienne – inflammation du testicule par suite d'une complication des oreillons);
3. Torsion d'un testicule (par torsion du cordon spermatique).

L'épididymite

L'épididymite est une infection de l'épididyme, organe qui se trouve sur la face postérieure du testicule et par où se déversent les spermatozoïdes sécrétés par le testicule. L'agent d'infection est le plus souvent une bactérie intestinale, mais ce peut aussi être la chlamydia (bactérie minuscule transmise sexuellement), le bacille de Koch (bacille de la tuberculose), une bactérie quelconque de la peau ou encore un virus. L'agent infectieux pénètre dans l'épididyme par la circulation sanguine ou par le canal déférent. Nous ignorons pourquoi les bactéries véhiculées par le sang s'installent dans l'épididyme, mais il est connu que les bactéries qui passent par le canal déférent proviennent souvent d'une infection de la vessie, de la prostate ou de l'urètre.

L'inflammation de l'épididyme peut causer une tuméfaction bénigne. Elle peut, dans ce cas, être traitée simplement par absorption orale d'antibiotiques. Mais elle peut aussi être assez grave pour provoquer une fièvre qui empêche le patient de poursuivre ses occupations régulières. Il faut alors administrer au malade des anti-biotiques par voie intraveineuse, ainsi qu'un supplément de liquide par voie intraveineuse. Le traitement exige aussi l'alitement du patient et le relèvement des bourses, auxquelles il est indiqué, en plus, d'appliquer des compresses de glaçons. Tout récemment encore, on recourait, dans les cas graves, au drainage de la tuméfaction, mais aujourd'hui nous possédons des antibiotiques assez puissants pour guérir l'infection sans avoir besoin de recourir à la chirurgie, qui est, dorénavant, rarement nécessaire. Une épididymite sévère peut se propager au testicule, provoquant une forte enflure du testicule et la formation de pus dans cette glande.

L'orchite ourlienne

Les oreillons sont une maladie de l'enfance. Il s'agit d'une inflammation de la glande parotide, située sous l'oreille. C'est ce que l'on appelle plus savamment la parotidite. Quand cette infection se présente après la puberté, elle s'attaque aussi au testicule (et à l'ovaire) dans un cas sur quatre. Cette inflammation peut faire gonfler le testicule jusqu'à cinq fois sa taille normale. C'est une affection très douloureuse, à tel point qu'il arrive que le médecin soit forcé de geler, par anesthésie locale, le nerf concerné. Ordinairement, l'enflure se résorbe d'elle-même mais laisse un testicule très atrophié, parfois même réduit à la grosseur d'une bille, qui ne produira plus de spermatozoïdes et peut-être même plus d'hormones. Heureusement, le virus coupable de ce véritable assassinat ne s'attaque habituellement qu'à un seul des deux testicules.

La torsion

La torsion du cordon spermatique se rencontre presque uniquement chez les adolescents, mais il arrive qu'elle se produise chez les garçons plus âgés et chez les adultes. En fait, il est vraiment étonnant qu'elle ne soit pas plus fréquente. Comme on l'a déjà dit, un peu avant la naissance, les testicules descendent dans les bourses, où ils sont suspendus, chacun par un cordon, un peu comme un

yo-yo. Ces cordons sont formés de divers vaisseaux veineux et arté-
riels, ainsi que des canaux déférents. Chaque cordon est contenu
dans un long muscle en spirale. Quand ce muscle se contracte sou-
dainement (si le sujet est sexuellement excité, par exemple, ou
lorsqu'il subit un coup), il arrive que le testicule se torde sur lui-
même à l'intérieur des bourses. Si l'accidenté peut rapidement
consulter le médecin, celui-ci sera en mesure de vérifier si l'épididyme a été déplacé de sa position normale. Si oui, il peut
généralement détordre le cordon pour remettre le testicule dans son
premier état. Mais si la visite au médecin tarde trop, les tissus vont
rapidement enfler par accumulation de liquide séreux. La vision du
médecin sera gênée par la présence du liquide et il lui sera impossible de remettre le testicule en position normale. Il faut souvent
recourir à la chirurgie pour détordre le cordon. Pire encore, après
cinq ou six heures de torsion, le testicule est irrécupérable et il faut
l'amputer.

Il est souvent difficile de faire la distinction entre une torsion
et une épididymite. Si l'on soulève les bourses, on devrait s'attendre
à soulager la douleur s'il s'agit d'une épididymite, et à l'augmenter
s'il s'agit d'une torsion. Mais on ne peut pas se fier uniquement à
ce test. Aussi, lorsque l'on a des raisons de suspecter que le patient
souffre d'une torsion, il faut le mener en salle d'opération. Au
cours de ma carrière, j'ai été témoin d'au moins une demi-douzaine
d'erreurs d'identification dans des cas de torsion. Je me souviens
particulièrement du cas d'un étudiant en médecine. Mon professeur
s'était trompé dans son diagnostic. Parfois, on peut opérer même
après le délai fatidique de six heures. Il faut d'abord détordre le cordon, puis faire baigner le testicule dans une solution liquide et
chaude. Pendant un bon moment, on observe de près le comportement du testicule. Si on peut y détecter le moindre signe de vie, la
moindre apparence d'une légère teinte rosée, on le remet en place
dans le scrotum. En même temps, ou un peu plus tard, on pratique
trois points de suture à l'autre testicule pour l'empêcher de se
tordre.

Récemment, on a remis en doute la nécessité de suturer l'autre testicule. Selon une étude, cette opération ne serait pas nécessaire. Mais comme les résultats de cette étude n'étaient pas concluants, la plupart des urologues continuent de suturer l'autre testicule.

Le cancer du testicule

Dans la classe des 20 à 40 ans, le cancer du testicule est en importance, la troisième cause de décès et le cancer mortel le plus commun du monde occidental. On diagnostique, chaque année, 3 cas de cancer du testicule par 100 000 hommes.

Il est donc de toute première importance, pour les jeunes hommes, d'apprendre à s'examiner, de la même façon qu'il est essentiel pour la femme de pratiquer l'examen mammaire. Le testicule normal a la consistance d'un œuf bouilli débarrassé de sa coque. Il est à la fois ferme et tendre. On peut facilement, à travers la peau du scrotum, l'examiner partout, sauf à l'endroit où l'épididyme s'y attache. Il est plus facile de pratiquer cet examen dans un bain chaud ou sous la douche en palpant l'organe entre le pouce et le bout des doigts. Inutile de dire qu'il faut le faire délicatement. On sait combien ce précieux organe est délicat et sensible. Si l'on sent la moindre irrégularité sur la surface habituellement lisse du testicule, ou la moindre petite bosse, il faut s'inquiéter. Il peut s'agir d'un cancer, mais peut-être aussi uniquement d'une infection chronique. Au moindre signe anormal, il faut consulter le médecin.

Tout au début, le cancer ne présente aucun symptôme. Même quand la tumeur cancéreuse a envahi tout le testicule, il arrive qu'on ne puisse discerner aucun symptôme. Par contre, si le cancer est déjà établi depuis un bon moment, il peut se révéler par une sensation de lourdeur et de tiraillement dans les bourses. Il arrive aussi qu'un épanchement de sang dans la tumeur, ou un arrêt de la circulation sanguine dans le testicule, provoque, chez le malade, une douleur qui constitue un autre symptôme de la présence d'un cancer.

L'examen du testicule aux ultrasons est extrêmement précis et il donne un aperçu très fidèle de l'état de la glande. Il peut détecter des modifications de la surface du testicule de l'ordre de 1 mm, soit beaucoup plus précisément que l'examen manuel.

Le cancer et l'ectopie du testicule

L'utilisation des ultrasons est particulièrement utile lorsqu'il s'agit d'examiner un patient qui a déjà subi une opération pour l'ectopie d'un testicule. Les patients dont l'un des testicules n'était pas descendu dans les bourses au moment de leur naissance courent 20 fois plus de risques d'être atteint du cancer du testicule que les autres. (Sept pour cent des hommes qui souffrent du cancer du testicule avaient déjà souffert d'ectopie testiculaire et, dans 20 % de ces cas, le cancer se développe dans le testicule normal, c'est-à-dire dans celui qui était descendu dans les bourses.) L'examen de routine des testicules, par simple palpation, est rendu difficile chez ceux qui ont dû être opérés pour faire descendre un testicule ectopique, parce que l'opération laisse des traces d'altération du milieu anatomique. Il est préférable, dans ces cas-là, de recourir aux ultrasons.

Classification du cancer du testicule

On classifie le cancer du testicule en deux grands groupes: le cancer qui tire son origine des cellules productrices des spermatozoïdes et celui qui prend naissance dans les autres cellules. Ce dernier cas est extrêmement rare, à tel point qu'il n'est pas utile de le décrire ici.

Quant au premier groupe, on peut le diviser en quatre types:
1. Séminome (cancer de la semence);
2. Carcinome ou tumeur maligne des cellules embryonnaires;
3. Carcinome tératogénique;
4. Chorioépithéliome.

Chacun de ces types de cancer existe comme tel ou en diverses combinaisons. Le pronostic est plus prometteur quand il s'agit d'une tumeur simple. Le pronostic du carcinome tératogénique et celui du carcinome des cellules embryonnaires sont plus faciles et exacts que celui du chorioépithéliome. Il y a longtemps déjà, un médecin a remarqué que lorsqu'il existe un élément de séminome dans une tumeur mixte, on peut espérer une guérison, tandis que si elle contient un élément de chorioépithéliome, le pronostic est plus sombre.

Quatre-vingt-cinq pour cent des carcinomes tératogéniques et des cancers des cellules embryonnaires sécrètent dans la circulation sanguine des produits chimiques détectables (les protéines alpha-fœtales et la bêta-HCG). On utilise cette propriété de ces cancers comme jalons pour suivre la progression de la maladie et pour évaluer la réponse du malade aux divers traitements qu'on lui administre.

Le chorioépithéliome sécrète aussi une hormone spécifique (la bêta-HCG). On peut mesurer les variations du niveau de présence de cette hormone dans l'organisme, ce qui permet de suivre de près l'évolution du cancer.

Le séminome pur sécrète aussi mais pas toujours, ces mêmes hormones, mais, on ne sait pas pourquoi, cette sécrétion est irrégulière.

Les stades de croissance du cancer du testicule

La croissance du cancer a été divisée en un certain nombre de stades qui permettent, au moment du diagnostic, de spécifier à quel niveau de développement en est rendue la maladie. Ces stades de développement du cancer du testicule se définissent comme suit:

Stade 1 :   La tumeur est confinée au testicule;

Stade 2a: La tumeur s'est étendue aux ganglions lymphatiques, mais le nombre de ganglions atteints n'excède pas le chiffre de cinq et aucune tumeur n'excède la dimension de 2 cm;

Stade 2b: Plus de cinq ganglions sont atteints, ou encore un ganglion au moins a excédé la taille de 2 cm;

Stade 2c: Les ganglions sont atteints en masse et cette masse peut probablement être sensible, dans l'abdomen, à l'examen manuel, mais rien n'indique que le cancer s'est propagé au-delà du diaphragme;

Stade 3 :   Le cancer s'est propagé au-delà du diaphragme, ou bien il a atteint le foie, les poumons, les os ou le cerveau.

Traitement

Dès que le cancer du testicule est diagnostiqué, on prélève du sang au patient pour l'analyse des jalons (les hormones sécrétées par les tumeurs cancéreuses) et on prépare le malade à subir l'opération nécessaire. Le testicule atteint est retiré des bourses par une ouverture semblable à celle que l'on pratique dans le bas-ventre lors de l'opération de la hernie. Il suffit de tirer sur le cordon spermatique pour faire sortir le testicule de ses bourses, puis de l'extraire par l'ouverture pratiquée dans le bas-ventre. Cette excision du testicule est une opération toute simple.

Pendant que le pathologiste étudie l'échantillon prélevé sur le testicule, on se prépare à déterminer le degré de croissance du cancer. Il faut pour cela pratiquer une scanographie des os et du foie, une lymphographie et une scanographie assistée par ordinateur pour déterminer à quel stade en est le cancer. (Nous avons traité de la scanographie des os et du foie au chapitre sur la prostate, dans la section sur le cancer de la prostate.)

La lymphographie est un examen radiologique des vaisseaux et des ganglions lymphatiques qui nous permet de déterminer quels sont les ganglions affectés, ainsi que leur taille et leur position. On utilise pour ce faire deux colorants. Un colorant foncé, injecté entre les orteils du patient, permet d'abord de distinguer, sous la peau, comme des lignes foncées, les vaisseaux lymphatiques le long desquels sont attachés les ganglions. Par dissection, on peut alors dégager ces vaisseaux, y insérer un très fin tube de plastique par lequel on injecte le second colorant, qui permettra de visualiser, grâce aux rayons X, la taille et la distribution des ganglions. Le scanner (ou tomodensitomètre) assisté par ordinateur permet, quant à lui, de détecter tout ganglion de plus de deux centimètres.

On peut presque toujours guérir un patient atteint d'un séminome en enlevant son testicule malade et en traitant par radio-thérapie les ganglions situés juste sous le diaphragme. (Ce sont ceux qui agissent sur le testicule.) Quand le cancer s'est étendu au-dessus du diaphragme de façon intrusive, c'est à la chimiothérapie que l'on a recours.

Il est souvent nécessaire de disséquer les ganglions pour établir le degré de développement du carcinome tératogénique et du carci-nome des cellules embryonnaires, sauf quand le cancer ne dépasse pas les limites du testicule. Dans tous les cas, il faut absolument sui-vre le patient par des examens aux ultrasons et au scanner assisté par ordinateur. À la moindre indication que le cancer commence à s'étendre aux ganglions, on doit entreprendre la chimiothérapie. Si les examens ont déjà indiqué que le cancer s'est propagé ou qu'il a attaqué des ganglions de plus de deux centimètres, il n'est pas nécessaire de disséquer les ganglions puisqu'il faut passer immédia-tement à la chimiothérapie. Rappelons enfin que la chimiothérapie est une thérapie extrêmement épuisante et pénible pour le patient, beaucoup trop pour être utilisée comme mesure uniquement préventive.

Dans le cas du chorioépithéliome, la présence de gonadotrophine chez le patient indique que le cancer est assez avancé pour qu'on ait recours à la chimiothérapie. Cette thérapie permet souvent de sauver le patient de ce cancer qui fut longtemps considéré comme incurable et mortel.

Le cancer testiculaire est, pour les jeunes particulièrement, une véritable tragédie. Comme ce cancer n'est hélas pas rare, j'ai souvent été, au cours de ma carrière, témoin de véritables drames.

Certains patients acceptent leur sort avec beaucoup de courage, mais d'autres sont moralement détruits par cette épreuve. Il semble bien que la foi en Dieu soit souvent une aide précieuse, mais beaucoup de malades n'ont pas la chance de croire et ils s'insurgent contre tous — parents, amis et Dieu lui-même. Voici quelques cas dont je me souviendrai toujours.

A.C. avait 28 ans et il achevait ses études en médecine. Il était à Boston, où il faisait une année d'internat, quand il s'aperçut qu'il avait une bosse dure au testicule droit. Il ne ressentait ni douleur, ni le moindre malaise et il n'avait aucune difficulté à uriner. Il consulta les médecins de l'hôpital où il travaillait. Tous furent d'avis qu'il fallait opérer sur-le-champ. Mais il choisit de revenir à Montréal et il vint me consulter dès sa descente d'avion. Il ne cessait de s'excuser de venir me déranger mais, malgré son appréhension, il était calme et dégagé et il conservait une bonne maîtrise de lui-même. En somme, il avait toutes les qualités qu'il faut pour être un bon praticien. À l'examen, je sentis immédiatement une bosse dure comme la pierre. Il n'y avait aucun doute qu'il souffrait d'un cancer du testicule.

Je lui fis part de mon diagnostic et nous fûmes d'accord qu'il devait se faire hospitaliser aussitôt, qu'on lui ferait une prise de sang pour établir la gravité du mal et qu'on procéderait à l'opération sans tarder.

L'exérèse du testicule fut une affaire de 15 minutes. Nous avons ensuite étudié les résultats de l'analyse du sang. Nous nous sommes demandés si le cancer avait proliféré hors du testicule, s'il y avait hémorragie à l'intérieur du testicule, et nous avons examiné le testicule au microscope.

Par ailleurs, nous avons reçu du pathologiste le meilleur rapport possible: la tumeur était un séminome simple. En fait, le séminome est la forme la plus commune de cette tumeur. On le rencontre chez des patients de tout âge. À l'intérieur, il a l'allure de la chair de poisson et il se désintègre rapidement sous l'effet des rayons gamma. Il répond si bien à la radiothérapie que, même quand on n'a aucune raison de craindre que le cancer se soit propagé plus loin, on offre tout de même au patient de subir une radiothérapie générale, pour plus de sécurité.

Cet étudiant était plus âgé que la plupart de ses condisciples, ayant travaillé quelques années comme technicien en laboratoire de recherche avant d'entrer à l'université. Il était marié, mais il attendait d'être reçu médecin pour avoir des enfants.

J'ai fait mettre en banque une certaine quantité de son sperme et lui ai fait subir une radiothérapie. Il n'a pas eu de récidive. Après son doctorat en médecine, il alla compléter son internat sur la côte ouest des États-Unis. Deux ans plus tard, il eut un enfant, grâce à son sperme congelé. Je ne sais pas s'il en reste suffisamment pour un autre enfant. En théorie, ce deuxième enfant serait à la fois jumeau et plus jeune que son frère, jumeau par le spermatozoïde dont il serait issu et plus jeune par l'ovule de sa mère!

Je me souviens aussi très bien du cas de B.D. Quand je l'ai connu, c'était un jeune révolté. Il avait depuis un mois le testicule gauche enflé et cela le faisait souffrir. Il avait vu un médecin qui avait diagnostiqué une épididymite, lui avait prescrit des antibiotiques et lui avait recommandé de freiner ses ardeurs sexuelles. Ce médecin lui avait donné à croire que son état provenait de ses trop grands succès galants Il en avait consulté un second, juste une semaine avant de venir me voir. Ce deuxième médecin ayant

diagnostiqué un cancer, B.D. venait me voir pour avoir une troisième opinion. Il m'a suffi d'un rapide examen pour constater que
le deuxième médecin avait, hélas! raison.

– Ce n'est pas beau, lui dis-je, Je crois bien... Je suis bien
obligé d'être d'accord avec votre deuxième médecin.

Il lança un juron bien frappé, ajoutant:

– Je n'ai que 26 ans et je vais mourir.

J'essayai de le rassurer un peu.

– Faut pas être si pessimiste.

C'est alors qu'il me lança:

– Mais, docteur, ce n'est pas tout. On a aussi trouvé quelque
chose quand on m'a fait passer un examen de la poitrine aux
rayons X.

Je suis devenu tout à coup furieux contre lui. Pourquoi, bon
Dieu, ne pas m'avoir dit cela tout d'abord? Pourquoi perdait-il son
temps à passer de médecin en médecin au lieu de se faire traiter?
C'était urgent. Il a bien vu que j'étais furieux, mais il a cru que je
l'étais contre la maladie, pas contre lui.

– Je ne suis pas un imbécile, me dit-il. Pourquoi me couper les
couilles quand le mal est déjà rendu aux poumons?

Je ne savais trop que répondre. Il est vrai que ce n'est pas en
enlevant l'organe où a débuté la maladie qu'on va régler le
problème si le cancer est déjà répandu partout dans l'organisme.

– Nous avons besoin de savoir de quel genre de tumeur il
s'agit, avant de décider quel traitement suivre.

– Pourquoi ne pas présumer le pire et ne pas passer tout de
suite à la chimiothérapie? C'est bien ça que vous voulez tous me
faire admettre, hein?

– En apparence, vous avez tout à fait raison, lui dis-je. En fait,
s'il s'agissait d'un autre type de tumeur, je serais tout à fait d'accord
avec vous. Vous pensez qu'une opération pourrait propager la maladie, qu'elle vous affaiblirait, que vous pourriez mal réagir à
l'anesthésie, que tous ces efforts enfin seraient tout à fait vains et ne
feraient rien pour vous guérir. Mais c'est là que vous vous trompez!

Nous avons besoin de connaître le genre de tumeur dont vous êtes affecté. Vous avez peut-être la chance de n'avoir qu'un séminome qui répondrait très bien à la radiothérapie. Mais si c'est un chorioépithéliome ou un carcinome des cellules embryonnaires, il faudra vous administrer la chimiothérapie cyclique.

    – Allez-vous accepter de me traiter?

    – Vous avez déjà consulté le D^r X, ne croyez-vous pas que vous devriez retourner le voir?

    – Je n'ai pas aimé sa façon de répondre à mes questions.

    – Mais vous, vous avez vraiment le tour de répondre aux questions!, lui dis-je, en acceptant de le traiter.

Or, il s'est révélé que sa tumeur était d'une espèce particulièrement grave. Il s'agissait d'un carcinome des cellules embryonnaires, qui s'était déjà étendu jusque dans les poumons. Je consultai un de mes amis, oncologiste spécialisé en chimiothérapie, et je ne cessai de visiter B.D. pendant qu'il subissait de nombreuses séances de chimiothérapie de tout ordre. Rien ne lui fut épargné: vinblastine (Velban), actinomycine D (Cosmegen), bléomycine (Blenoxane), cisplatine (Platinol), cyclophosphamide (Cytoxan) et doxorubicine (Adriamycin). Il perdit ses cheveux. Il souffrit de nausées et de vomissements. Il perdit du poids. Il devint enfin cadavérique. Puis il prit du mieux, il engraissa et se mit à espérer. En vain. Il mourut deux ans après sa première visite à mon cabinet.

Je me souviens de notre dernière conversation. Il me murmura: «Merci, docteur. Je ne vous en veux pas de m'avoir fait accepter de me soumettre à votre bistouri.» Évidemment, il nous fallait absolument faire une analyse de son tissu testiculaire, mais je demeure encore perturbé de ne pas avoir réussi à le convaincre tout à fait que c'était nécessaire. Il existait certainement une possibilité que les choses tournent autrement. B.D. n'a pas connu cette chance. Il faut bien savoir que les produits pharmaceutiques auxquels a recours la chimiothérapie sont tous des poisons pour l'organisme humain. Mais ils sont encore plus mortels pour les cellules cancéreuses que pour la plupart des autres cellules du corps.

Les cellules qui se reproduisent rapidement (telles que les globules blancs du sang, les cellules qui constituent la muqueuse de l'intestin et celles qui forment la racine des cheveux) sont particulièrement sensibles aux médicaments contre le cancer. C'est pourquoi, au cours d'une chimiothérapie, le patient est très vulnérable aux infections puisqu'il perd beaucoup de ses globules blancs. Les nausées, les vomissements, les saignements de la muqueuse intestinale sont dus, en grande partie, à cette baisse du nombre de globules blancs. C'est aussi pourquoi le malade perd ses cheveux. Ces produits pharmaceutiques détruisent la racine des cheveux et le patient devient chauve.

L'oncologiste doit administrer au malade des produits qui détruisent les cellules cancéreuses, tout en préservant les cellules normales, ce qui demande beaucoup de doigté. Il joue constamment avec un arsenal complet de produits pharmaceutiques, qu'il administre en rotation. Cette science est jeune et, avec l'expérience, il est certain qu'on en arrivera à établir des protocoles d'administration de plus en plus sûrs et standardisés.

Un troisième patient, dont le cas mérite qu'on s'y arrête, avait 34 ans quand il est venu me consulter. R.M. était fonctionnaire; il avait une charmante et jolie femme, qui était travailleuse sociale. Ils formaient un couple uni, et, à les voir, on les imaginait facilement entourés de jeunes enfants. Mais ils n'en avaient pas et bien malgré eux.

R.M. était né avec une double ectopie des testicules. À l'âge de cinq ans, il subit une opération pour corriger cet état, mais il se produisit une complication et on dut amputer son testicule droit. Or, il venait de s'apercevoir que son testicule restant présentait une bosse. À l'analyse, cette bosse m'apparut comme une tumeur maligne.

Après la prise de sang pour l'évaluation du degré de développement du cancer, le testicule a été retiré et confié au pathologiste qui détecta qu'il s'agissait d'un carcinome tératogénique confiné au testicule.

On a ensuite pratiqué la dissection des ganglions. Cette opération suit normalement la découverte d'une tumeur soupçonnée d'être un carcinome des cellules embryonnaires ou un carcinome tératogénique parce que ce type de cancer s'étend habituellement dans les vaisseaux lymphatiques et les ganglions pour ensuite attaquer les poumons, le foie et d'autres organes. On espère toujours qu'en excisant les ganglions atteints, on pourra empêcher le cancer de proliférer. En fait, dès qu'il s'est développé dans les ganglions, on peut être certain que, sauf à de rares exceptions, le cancer s'est déjà propagé plus loin, et il se pourrait bien que, dans la plupart des cas, la dissection des ganglions, très pénible, ne soit pas nécessaire.

Cette dissection constitue, en effet, une véritable attaque contre l'organisme. Le patient doit subir une longue incision au milieu de l'abdomen, du bas du sternum jusqu'à l'os pubien. On repousse ensuite les intestins pour laisser un passage au bistouri jusqu'à la membrane postérieure de la cavité abdominale. Le chirurgien pratique une incision dans cette membrane pour découvrir les deux plus importants vaisseaux sanguins, l'aorte et la veine cave. Il dégage ces vaisseaux de la graisse qui y adhère et qui, avec divers tissus fibreux, enveloppe les ganglions lymphatiques. Cette opération est très délicate et elle n'est pas exempte de complications. Qu'il suffise de dire, par exemple, que, pour dégager l'aorte, on doit nécessairement sectionner les fibres nerveuses du système sympathique (principal réseau nerveux). Il en résultera que, dorénavant, lors de l'éjaculation, la semence sera éjectée dans la vessie.

Lorsque le médecin décide de ne pas soumettre son patient à cette grave opération, il le suivra de très près et il prescrira une chimiothérapie dès que l'analyse sanguine révélera une haute teneur en protéines, indicatrice de la présence d'une tumeur. Une haute teneur en protéines alpha-fœtales indique qu'il existe quelque part dans l'organisme des cellules actives de carcinome des cellules embryonnaires ou de carcinome tératogénique qui sont en train de sécréter ces protéines. Une haute teneur en bêta-HCG indique la présence de cellules actives de chorioépithéliome. Par ailleurs, certaines cellules du séminome sécrètent aussi cette hormone, ce qui complique encore un peu plus le diagnostic. R.M. s'est bien tiré de la dissection des ganglions et on put constater que tous ses ganglions lymphatiques étaient exempts de tissu cancéreux. Un an plus tard, cependant, l'examen aux ultrasons révéla la présence, confirmée ensuite par le scanner assisté, d'un corps de trois centimètres recouvrant la partie inférieure de l'aorte. L'exploration chirurgicale révéla qu'il s'agissait d'un ganglion qui avait échappé à la dissection des ganglions l'année précédente. Après avoir extrait ce ganglion, on administra de la chimiothérapie au malade. Il y a de cela plus de quatre ans et R.M. se porte bien, sans qu'on puisse détecter chez lui la moindre tumeur, mais il vit avec une épée de Damoclès suspendue au-dessus de la tête.

On pourrait se demander s'il ne serait pas plus logique d'abandonner la pratique actuelle, qui est d'effectuer la pénible dissection des ganglions dans tous les cas. Il vaudrait peut-être mieux soumettre le malade à la chimiothérapie sans tarder, dès que l'on suspecte que les ganglions sont affectés. Il est bien possible que l'on en arrive là, mais les oncologistes ne semblent pas prêts, pour le moment, à recommander qu'on le fasse déjà. Ils font remarquer que la dissection des ganglions est une opération sans complications et qu'elle freine le développement du cancer dans bon nombre de cas, ce à quoi ils ajoutent que la chimiothérapie, par contre, n'est pas sans complications graves.

Mon quatrième cas est assez curieux. H.L. était étudiant en génie et il avait 21 ans quand il s'aperçut que des seins lui poussaient. Pas des seins de graisse, comme en ont souvent les jeunes gens suralimentés! Non, de véritables seins glanduleux, comme chez les toutes jeunes filles au moment de leur puberté, sauf qu'ils étaient duveteux. Son médecin le référa à un endocrinologiste, qui analysa son sang et découvrit qu'il avait une teneur en gonadotrophines-bêta extrêmement élevée. Le patient me fut référé, avec un diagnostic présumé de tumeur testiculaire.

Je fis un examen général et soigné de H.L., mais ses testicules me parurent tout à fait normaux. Je téléphonai à l'endocrinologiste pour lui en faire part.

«Êtes-vous bien sûr? me répondit-il. Je ne vois rien d'autre qui pourrait expliquer la présence d'une telle quantité de gonadotrophines. Elles dépassent le maximum que peut enregistrer l'appareil d'analyse sanguine.»

Nous avons alors entrepris une étude très approfondie de tout l'organisme de H.L., des pieds à la tête, et finalement, grâce aux ultrasons, nous avons pu trouver réponse à notre enquête. Nous avons pu discerner, au niveau de l'artère et de la veine du rein droit, la présence d'une tumeur de la taille d'une balle de tennis. Le scanner assisté par ordinateur confirma la présence de cette tumeur et, ce qui était plus important encore, l'absence de toute autre masse suspecte.

Au cours de l'opération, il fut très aisé de détacher la tumeur de l'artère et de la veine du rein, mais elle demeurait attachée à la veine cave, qui a trois centimètres de diamètre à cet endroit. Il fallut donc installer un clamp au-dessus de la section enserrée par la tumeur et un autre clamp au-dessous. Il fut impossible de détacher la «balle de tennis» sans émincer en même temps une partie de la paroi de la veine cave elle-même, et pour une bonne raison. La tumeur avait envahi la paroi de la veine, l'avait même traversée et formait une protubérance à l'intérieur de la veine. Si le cancer ne s'était pas déjà propagé à d'autres parties de l'organisme, nul doute qu'il était à la veille de le faire. Une fois recousue, la veine cave n'avait plus que la taille d'un crayon, alors que son diamètre était avant l'opération de trois centimètres. Le patient se rétablit vite. Son niveau de gonadotrophines baissa rapidement. Dès la fin de la première série de traitements de chimiothérapie, le niveau d'hormones dans son sang était revenu à la normale.

Six mois plus tard, un nouvel examen aux ultrasons révéla que le testicule droit présentait une légère tache. Ce testicule fut aussitôt excisé. L'examen fait au microscope par le pathologiste confirma que ce testicule portait une cicatrice microscopique, qui ne présentait aucune marque de cancer. Il n'est pas douteux, cependant, que c'est à cet endroit que le cancer s'était originairement formé. Il y a de cela trois ans et ce jeune patient se porte à merveille.

J'ai décrit quatre de mes cas. Je les ai choisis parce qu'ils comportent tous quelque chose de frappant: l'espoir. Ils reflètent bien en effet le genre d'optimisme devenu courant dans le domaine du cancer du testicule. Il y a 20 ans, après un diagnostic de chorioépithéliome, aucun malade n'aurait survécu plus d'une année.

Quand on parle de la guerre contre le cancer, on met trop l'accent sur l'aspect négatif: impuissance à connaître les causes du cancer, impuissance à guérir le cancer, que ce soit par chirurgie, par radiothérapie ou par chimiothérapie. On oublie de mentionner les succès obtenus dans cette lutte incessante. On peut aujourd'hui guérir 80 % des cas de cancer du testicule. Il est vraiment merveilleux de constater les progrès que l'on a accomplis dans la lutte contre la leucémie, le lymphome et la maladie de Hodgkin, pour ne nommer que quelques types de cancers. Quand notre société commencera à se préoccuper un peu plus des conditions de travail des chercheurs, qui font déjà des miracles avec des budgets très chiches, nous assisterons à des progrès plus grands encore. Si, pour chacun de ses malades, le médecin est amplement rémunéré, combien plus encore vaut le travail des chercheurs dont les découvertes permettent d'améliorer la santé de la population du globe!

Questions et réponses

- **Puis-je porter une ceinture herniaire plutôt que de me faire opérer?**

Il s'agit d'une ceinture rembourrée assujettie à une armature métallique. Elle a pour fonction de soutenir la partie faible de la paroi de l'abdomen où la hernie s'est produite. Quand la ceinture est bien ajustée et bien portée, elle réussit à contenir suffisamment une hernie de petite dimension. Par contre, j'ai vu des patients qui portaient une ceinture ne contenant pas leur hernie et ne supportant même pas la partie affaiblie de l'abdomen. Certains patients réussissent ainsi à retarder l'opération d'un bon nombre d'années, mais ils ne font rien pour guérir vraiment. Ils ne s'attaquent qu'aux symptômes du mal. Il n'y a qu'une façon de guérir une hernie et c'est l'intervention chirurgicale. Comme les complications postopératoires sont moins nombreuses et moins graves chez les jeunes, ces derniers auraient tort de remettre l'opération à plus tard. Mais si le patient veut éviter l'opération à tout prix ou la remettre à plus tard, rien ne l'empêche de faire à sa guise et de porter un bandage herniaire, s'il le préfère.

- **La correction d'une hernie se fait-elle sous anesthésie locale ou générale?**

On peut opérer sous anesthésie locale ou sous anesthésie générale. L'anesthésie locale a pour avantage d'éviter toute complication pulmonaire, comme il s'en produit parfois dans le cas des anesthésies générales. Par contre, si l'anesthésiste doit administrer de fortes doses d'anesthésiques locaux, il peut provoquer des irrégularités cardiaques. Le produit injecté peut aussi provoquer des distorsions anatomiques mineures, mais qui pourraient gêner la bonne marche de l'opération.

- **Est-il possible que mon hydrocèle se guérisse d'elle-même?**

Si le liquide peut s'épancher naturellement dans la cavité abdominale, l'hydrocèle peut disparaître. Dans ce cas, c'est une hydrocèle dite communicante qui malheureusement est plutôt rare.

• **Pourquoi certains hommes sont-ils plus gênés par la varicocèle que d'autres?**

Si la varicocèle se développe lentement, le patient ne sent rien. Mais si elle se développe rapidement, elle crée une certaine douleur dont l'acuité varie selon les individus.

• **Nous venons d'apprendre que notre fils de 15 ans a un testicule non descendu. Que devrions-nous faire?**

La plupart des experts recommandent l'excision du testicule non descendu et l'installation dans les bourses d'une prothèse. Dans ce cas particulier, j'ai préféré suggérer que l'on opère, au cas où le testicule serait assez bas dans le ventre pour être, par une simple opération, installé à sa place normale dans les bourses. J'ai aussi conseillé de faire procéder, après l'opération, à un examen aux ultrasons pour s'assurer que ce testicule n'était pas cancéreux.

• **Pourquoi ne pas pratiquer une biopsie d'un testicule soupçonné d'être cancéreux?**

Quand le cancer n'est que suspecté (et non détecté), il arrive que l'on pratique une biopsie du testicule. Il s'agit d'abord d'arrêter la circulation sanguine du testicule en pinçant l'artère et la veine spermatique, d'extraire le testicule par une ouverture pratiquée dans l'aine, puis de faire un prélèvement qu'on analysera après l'avoir fait congeler. On ne pratique jamais de biopsie sans interrompre la circulation sanguine, de peur de propager le cancer dans tout le système sanguin.

• **La calvitie causée par la chimiothérapie peut-elle être évitée?**

Non, mais après le traitement, les cheveux repoussent.

• **Une personne peut-elle mourir des effets de la chimiothérapie administrée dans le cas du cancer du testicule?**

Oui, mais c'est peu probable. Il est certain que le cancer est beaucoup plus nocif que la chimiothérapie et il n'existe aucun doute que la chimiothérapie guérit la plupart des patients atteints du cancer du testicule.

• **Un malade peut-il recouvrer sa fertilité après une chimiothérapie?**

C'est possible, mais on ne peut le prévoir. Aussi est-il toujours préférable, avant de subir une chimiothérapie, de faire mettre de son sperme en banque, pour usage ultérieur.

• **La chimiothérapie provoque-t-elle l'impuissance?**

C'est possible, mais peu probable. Les cellules du testicule qui sécrètent la testostérone ne se détruisent pas facilement. Mais le malade peut être impuissant pour un certain temps après avoir subi une chimiothérapie, à cause de son état de faiblesse.

CHAPITRE VIII

Le sexe aux divers âges de la vie et le changement de sexe

La sexualité humaine a depuis toujours fait l'objet de poèmes, de chansons, de fantasmes et même de déviations. Mais il n'est pas question pour moi d'aborder ici les aspects délicats et délicieux de la sexualité; je n'ai pas la compétence pour le faire. Mon propos est plutôt de parler de ce que l'on sait de la sexualité humaine et des modifications qu'elle subit au cours de la vie de l'individu.

Pour commencer par le commencement, disons quelques mots sur les chromosomes auxquels est lié le déterminisme sexuel.

Les chromosomes

Les chromosomes constituent, chez l'humain, le schéma directeur de son développement. Ce sont, en effet, les chromosomes qui déterminent le sexe de l'individu et son potentiel biologique. La moitié des chromosomes sont fournis par le père, et l'autre moitié par la mère. Au total, les humains possèdent 23 paires de chromosomes, dont une paire qui définit le sexe. Le père fournit un chromosome X ou Y, tandis que la mère fournit exclusivement un chromosome sexuel X. Lorsqu'un chromosome X, fourni par le père, s'allie au chromosome X fourni par la mère, on obtient une paire de chromosomes sexuels XX et l'enfant conçu est de sexe féminin. Lorsque le père fournit un chromosome Y, la formule chromosomique de l'enfant à naître est XY et ce sera un enfant mâle. C'est donc le chromosome du père qui détermine le sexe de l'enfant. Le chromosome Y provoque la transformation en testicules de la partie interne de l'appareil génital primitif du fœtus. Cet embryon de testicules produit de la testostérone qui, à son tour, stimulera la conversion de certains tissus en organes sexuels mâles. Dans de rares cas, l'embryon ne produira pas d'hormones mâles, bien qu'il possède la formule chromosomique XY; l'enfant naîtra alors sans organes génitaux masculins et il aura l'apparence extérieure d'une fille. Par ailleurs, un enfant de sexe féminin, ayant un taux d'hormones mâles particulièrement élevé, héritera de certaines caractéristiques d'allure masculine, telles qu'un clitoris hypertrophié. Quand il y a deux chromosomes X, la partie externe de la glande sexuelle primitive devient un ovaire et le fœtus développe des organes génitaux féminins, internes et externes.

Parfois, la formule chromosomique présente des anomalies, comme c'est le cas, notamment, dans le syndrome de Klinefelter et le syndrome de Turner. Dans le syndrome de Klinefelter, l'enfant hérite d'un chromosome supplémentaire qui donne la formule XXY. Cette aberration chromosomique produit un individu aux longs bras maigrelets, un développement excessif des seins, une verge normale et de petits testicules qui ne produiront pas de sperme. Dans le syndrome de Turner, autre aberration chromosomique, l'enfant naît sans chromosome Y, ce qui donne une formule chromosomique XO. L'enfant aura l'aspect d'une fille, mais il sera souvent de très petite taille, avec un cou difforme, peu ou pas de seins et des ovaires non fonctionnels.

Il existe d'autres bizarreries de la formule chromosomique qui peuvent causer la stérilité et souvent l'arriération mentale, mais ces cas sont rares. La plupart des humains sont dotés des formules chromosomiques XX ou XY. On naît garçon ou fille. Bien que nous soyons tous très différents les uns des autres, nous franchissons essentiellement les mêmes étapes: de l'enfance à l'adolescence, puis de l'adolescence à l'âge adulte, en plus de vivre, pour plusieurs d'entre nous, l'expérience de la maternité ou de la paternité. La première étape importante de notre vie sexuelle est la puberté.

La puberté

La puberté se manifeste différemment chez la fille et le garçon, mais, pour chacun, les changements physiques sont tout à fait prévisibles.

La puberté chez la fille

Chez la fille, les changements apparaissent vers l'âge de 12 ans, alors que le corps connaît une importante poussée de croissance. Les seins commencent à se développer parfois dès l'âge de huit ans, parfois pas avant l'âge de 13 ans, et parfois même plus tard. Les poils pubiens apparaissent généralement avant la première menstruation, qui survient, en moyenne, vers l'âge de 13 ans. Tous ces changements se produisent graduellement. Les seins grossissent d'abord, puis leur cercle pigmenté, l'aréole, s'élargit. À mesure que les seins se développent, le mamelon et son aréole gonflent et les seins atteignent finalement la taille et la forme adulte, ronde et bien développée. Les poils du pubis changent progressivement d'aspect. Clairsemés, plats et légèrement colorés au début, les poils deviennent, avec le temps, drus, frisés et colorés et ils se distribuent selon un triangle inversé. La menstruation est irrégulière au début et pas toujours associée à une ovulation.

La puberté chez le garçon

Chez le garçon, la croissance fait généralement un bond vers l'âge de 14 ans. Toutefois, chez lui, les changements attachés à la puberté couvrent un champ plus étendu que chez la fille. La voix mue, devenant plus grave par suite du développement des cordes vocales. La barbe commence à pousser. Les muscles se développent, le scrotum, les testicules et la verge augmentent peu à peu de volume; les poils pubiens apparaissent et se multiplient pour former, avec le temps, un triangle pileux pointant vers le nombril. Chez 50 % des garçons, la poitrine prend de l'ampleur pour ensuite, au bout de deux ans, se réduire quelque peu. Tous ces changements s'étalent sur une période de deux à trois ans.

C'est vers l'âge de 14 ans que le garçon connaît sa première éjaculation, généralement soit par masturbation, soit par pollution nocturne.

La virginité

La perte de la virginité et le commencement de la vie sexuelle active constituent le deuxième changement important de notre évolution sexuelle. Chez le garçon, la perte de la virginité ne cause aucun changement physique apparent. Chez la fille, par contre, elle peut entraîner la déchirure de l'hymen, phénomène auquel certaines personnes et certaines sociétés attachent une grande importance. En fait, l'hymen est une membrane très ordinaire. Des patientes m'ont déjà demandé, à quelques reprises, de reconstituer un hymen déchiré, pour simuler la virginité. Bien que je n'aie jamais effectué moi-même cette intervention, je sais, par des gynécologues qui la pratiquent, qu'il suffit pour cela de recoudre la membrane déchirée. Afin d'éviter une cicatrisation trop rigide, l'intervention doit être faite juste quelques jours avant que l'hymen ne soit déchiré de nouveau.

La vie sexuelle normale

Il est bien prétentieux, sinon impossible, de définir ce qu'est une vie sexuelle normale. Le même problème se pose lorsqu'il est question d'exercices physiques, de régimes alimentaires ou même de la mode. Ce qui est bien pour l'un peut être trop pour un autre et pas assez pour un troisième. Néanmoins, des sondages sur la fréquence, selon l'âge, des éjaculations ou des coïts ont permis d'établir les moyennes que voici.

Il n'y a pas de doute, que, en moyenne, les hommes au début de la vingtaine ont plus d'éjaculations et de coïts qu'à toute autre époque de leur existence. Quant aux femmes, c'est vers la fin de la trentaine qu'elles vivent le plus intensément leur sexualité et connaissent le plus d'orgasmes. Pour les hommes, la fréquence des éjaculations et des coïts s'établit à quatre ou cinq fois par semaine dans la vingtaine; à deux ou trois fois par semaine dans la trentaine; à une ou deux fois par semaine dans la quarantaine et à aucune ou à une fois par semaine dans la cinquantaine. À partir de la soixantaine, on commence à parler de moyenne mensuelle et, le plus fréquemment, de une à deux fois par mois. Une étude a prétendu que, dans la soixantaine, les deux tiers des hommes ont une vie sexuelle active, mais seulement le tiers après 70 ans. Bien sûr, dans toutes ces études, les questions relatives à la vie sexuelle portent uniquement sur les éjaculations et les coïts. Bon nombre de personnes âgées (sans parler des lesbiennes) trouvent cette définition de la sexualité nettement trop limitative.

Il est évident que les hommes de plus de 60 ans mettent plus de temps à entrer en érection, qu'ils ont besoin de plus de stimulation directe de la verge, que leur membre perd de sa rigidité et que leurs éjaculations sont moins abondantes. Après une éjaculation, il leur faut aussi plus de temps qu'auparavant pour avoir une nouvelle érection. Ils peuvent cependant avoir, même sans éjaculation, des orgasmes qui, quoique moins intenses, peuvent être tout à fait satisfaisants sexuellement. Si la fréquence des relations sexuelles avec pénétration diminue avec l'âge, tout plaisir sexuel ne s'évanouit pas pour autant.

De toute façon, je n'accorde pas beaucoup d'importance aux moyennes dites normales. Souvent, lorsque je les mentionne à mes patients, ils me confient, tout heureux, que leur sexualité est supérieure à la normale. Et à un homme âgé qui voulait savoir pourquoi il n'arrivait pas à réussir autant d'exploits qu'un de ses voisins vantard, j'ai répondu un jour en citant un passage d'une bande dessinée qui avait capté mon attention: «Rien ne vous empêche de dire la même chose!»

La ménopause

Si l'on fait abstraction de la maternité, la ménopause constitue le troisième changement marquant de la vie sexuelle de la femme. C'est une période très importante pour la femme et, pourtant, la plupart des hommes sont très mal renseignés à ce sujet.

La ménopause se manifeste par l'arrêt des menstruations. Elle se produit vers le début de la cinquantaine, mais elle peut débuter à divers âges. On peut dire que plus les règles sont précoces, plus la ménopause sera tardive. Certaines femmes ne se plaignent d'aucun symptôme marquant associé à la ménopause, tandis que d'autres souffrent d'une réduction de la lubrification du vagin, d'irritation à la miction, d'irascibilité accrue ou de phases de dépression. Deux femmes sur trois souffrent de bouffées de chaleur, qu'elles décrivent comme une sensation subite de chaleur dans tout l'organisme, accompagnée de rougeurs au visage et à la partie supérieure du corps; cette sensation désagréable dure plusieurs minutes. Certaines femmes peuvent en souffrir durant un an et plus, et même jusqu'à cinq ans.

Les femmes qui éprouvent des difficultés avec leur ménopause ont besoin du support et de la compréhension de leur partenaire. La ménopause n'est ni un caprice ni un trouble psychologique, c'est un changement physiologique. La plupart des symptômes désagréables associés à la ménopause sont causés par un manque d'œstrogène, une hormone sécrétée par les ovaires. On ne sait pas pourquoi les ovaires sécrètent moins d'œstrogène à l'âge mûr ou n'en sécrètent plus du tout.

Le traitement à l'œstrogène peut atténuer les symptômes de la ménopause et les troubles qu'elle entraîne. Il contribue à ralentir les modifications de la peau, qui a tendance à s'amincir et à se rider. Il aide également à lutter contre l'ostéoporose, c'est-à-dire la fragilisation des os, qui s'intensifie au moment de la ménopause; pour compléter le traitement, on recommande d'inclure dans l'alimentation un supplément de calcium. Les infections du vagin et de la vessie seront aussi moins fréquentes.

Mais l'utilisation d'œstrogène dans la thérapie hormonale de substitution augmente le risque de provoquer le cancer de la muqueuse utérine. Normalement, ce risque est évalué à 1 femme sur 1000 par année. Avec le traitement à l'œstrogène, le risque est quadruplé.

Les gynécologues utilisent de plus en plus, non pas l'œstrogène seul, mais une combinaison d'œstrogène et de progestérone. Cette combinaison correspond presque parfaitement à la physiologie féminine normale. Elle ne présente donc pas les risques que pourrait présenter une thérapie qui n'aurait recours qu'à l'œstrogène. Plusieurs études ont déjà démontré que les risques de développer un cancer de la muqueuse utérine n'augmentent pas chez les femmes qui prennent les deux hormones. Avec ce traitement à l'œstrogène et à la progestérone, par contre, les règles continuent, ce qui peut faire hésiter certaines femmes à la suivre. Aux femmes qui, à la ménopause, souffrent de symptômes désagréables et qui ont subi une hystérectomie, je recommande un traitement hormonal de substitution à base d'œstrogène. Aux femmes qui veulent suivre une hormonothérapie et qui ont encore leur utérus, je recommande un traitement œstrogène-progestérone. Mais qu'elles acceptent ou non ce traitement hormonal, les femmes doivent savoir que la ménopause n'entraîne pas de baisse du désir sexuel et que les petits problèmes qu'elle peut causer, tels qu'un manque de lubrification, sont faciles à traiter. Je vous en prie, mesdames, n'hésitez pas à poursuivre vos activités sexuelles!

L'andropause

L'andropause est le retour d'âge chez l'homme. Elle devrait, suppose-t-on, se produire entre l'âge de 45 et 65 ans. En fait, c'est peut-être plutôt un état d'âme qu'un véritable fait physiologique comme l'est la ménopause. L'andropause se définit comme un ensemble de signes de vieillissement plus ou moins intenses: perte d'appétit et de poids, difficulté à se concentrer, faiblesse, irritabilité, baisse de la libido et réduction de la fréquence des érections, en fait, rien de bien spécifique sur le plan médical. Tout homme qui se plaint de certains de ces symptômes pourrait tout aussi bien souffrir simplement d'anémie, de dépression ou d'une maladie non diagnostiquée que d'andropause.

Si l'andropause était la contrepartie de la ménopause, on assisterait à une baisse plus ou moins soudaine du taux de testostérone et, parallèlement, à une élévation des gonadostimulines hypophysaires à une période particulière de l'existence de l'homme. Or, tout ce que l'on remarque, c'est une baisse lente et progressive du taux de testostérone et une fonte irrégulière des tissus des testicules. Cependant, les testicules peuvent encore être fonctionnels chez des hommes âgés de 80 et même de 90 ans, ce qui explique que l'on puisse encore procréer à un âge avancé. Charlie Chaplin est peut-être le plus célèbre des pères de plus de 70 ans, mais il n'est certainement pas le seul.

L'andropause reste une période difficile à cerner. Il serait peut-être plus juste de considérer que ce sont le stress et les pressions de la vie moderne qui sont responsables de ces signes désagréables ressentis par l'homme quand il commence à vieillir que de s'attacher à trouver une définition d'ordre spécifiquement médical.

L'enthousiasme que suscite le concept de l'andropause subit des hauts et des bas. Récemment, ce concept a connu un regain d'intérêt en Angleterre, lors de la mise en marché d'un médicament oral à base d'hormones mâles, appelé undécanoate de testostérone (Andriol). Les médicaments usuels à base de testostérone peuvent endommager le foie. Andriol, d'après son fabricant, est moins nocif pour le foie. Une dose de trois comprimés d'Andriol par jour peut suppléer une sécrétion insuffisante de testostérone. J'ai peu expérimenté ce médicament mais je sais qu'il est beaucoup plus dispendieux que la testostérone en injection intramusculaire.

Les changements de sexe

Il faut reconnaître que la sexualité est un sujet complexe et qu'il est très difficile de donner des conseils d'ordre médical lorsque les troubles sont d'origine psychologique plutôt que d'ordre physique. À notre époque où se multiplient les androgynes mâles et femelles, l'apparence extérieure est souvent insuffisante pour que l'on puisse déterminer avec exactitude le sexe d'une personne. Il est vrai qu'on peut avoir hérité des chromosomes propres à l'un des sexes et ne pas se sentir à l'aise avec ce sexe chromosomique. Mais on a réussi quand même, de façon scientifique, à établir certains critères qui permettent de définir ce qui caractérise chacun des sexes.

Au point de vue médical, pour pouvoir établir si un humain est homme ou femme, il faut qu'il réponde aux cinq critères suivants:

1. Posséder la formule chromosomique correspondant au sexe masculin ou au sexe féminin;
2. Posséder les organes sexuels internes propres à un sexe donné (testicules, prostate et vésicules séminales pour les hommes; trompes de Fallope, utérus, col de l'utérus et vagin pour les femmes);
3. Posséder les organes sexuels externes d'un sexe donné (verge et scrotum pour les hommes; grandes et petites lèvres, clitoris et seins pour les femmes);
4. Posséder le psychisme de tel ou tel sexe;
5. Avoir été élevé comme un garçon ou comme une fille.

Certaines études démontrent que, de ces cinq critères, le plus important, sur le plan psychologique, est la façon dont l'enfant a été élevé. Ainsi, si un garçon a été accidentellement ou délibérément élevé comme une fille, il va se sentir plus fille que garçon, même s'il possède les organes sexuels internes et externes propres au sexe masculin. Dans certains cas, pour retrouver ce qu'il considère comme sa véritable identité, un individu aurait avantage à faire modifier son anatomie pour devenir une personne du sexe opposé. Dans de nombreuses cultures étrangères (et dans les civilisations anciennes), on se contente, pour passer d'un sexe à un autre, d'adopter les vêtements et les comportements de l'autre sexe. Depuis les années cinquante, les médecins ont commencé à pratiquer des interventions chirurgicales qui permettent de changer le sexe d'une personne. Ces interventions chirurgicales sont la réponse qu'apporte notre société moderne aux problèmes que vivent les transsexuels.

L'opération pour changer de sexe

D'homme à femme

Le transsexuel masculin est un individu qui a le sentiment d'être né avec le mauvais sexe. Ce n'est pas un travesti qui s'habille en femme uniquement à des fins d'excitation sexuelle, ni un homosexuel qui préfère avoir des relations sexuelles avec un autre homme. Le vrai transsexuel souhaite modifier son sexe physique pour vivre ce qu'il considère fondamentalement comme sa véritable identité sexuelle. Pour y parvenir, il devra subir des interventions chirurgicales très spéciales. Souvent, avant qu'on accepte de l'opérer, on exige qu'il consulte un psychiatre qui aura à déterminer s'il est un véritable transsexuel. Il se peut, bien que cela soit rare, que le psychiatre se fasse duper. Il existe, en effet, une très grande solidarité entre transsexuels. Il suffit qu'un candidat à l'opération discute avec ceux qui ont déjà été interrogés par le psychiatre pour qu'il apprenne les questions que ce dernier lui posera, ainsi que les bonnes réponses à y apporter.

Dès qu'un individu est reconnu comme étant un véritable transsexuel, le traitement commence. On lui administre, au départ, par voie orale, de l'œstrogène (l'hormone femelle). Puis, par électrolyse, on fait disparaître les poils indésirables et, parfois, on recourt à la chirurgie plastique pour augmenter le volume des seins. Cette transformation de l'apparence extérieure peut s'échelonner sur deux ans. Cette étape franchie, on peut alors procéder à la transformation des organes génitaux externes.

Plusieurs techniques ont été mises au point pour façonner les lèvres et le vagin. Une technique consiste à prendre un court segment du gros intestin pour former le vagin. Une autre technique consiste à prélever de la peau sur une autre partie du corps pour en garnir un tube quelconque qui deviendra le vagin. La technique la plus ingénieuse, d'après moi, consiste à façonner un vagin avec la peau de la verge.

Pour cette opération, le patient est installé sur la table d'opération, les pieds dans les étriers comme pour une prostatectomie ou pour un accouchement, puis dûment endormi. Le chirurgien glisse un cathéter dans la tête de la verge et à l'intérieur de l'urètre, jusque dans la vessie. Il pratique ensuite une incision de la peau autour de la verge, tout près du gland. Puis il tire cette peau en la ramenant vers le corps. Il excise ensuite délicatement les corps érectiles et le corps spongieux est ainsi mis à nu, en prenant bien soin de ne pas abîmer l'urètre. La peau du pénis est ensuite retournée sur elle-même et repoussée à l'intérieur du corps pour former le vagin. La peau retournée doit être placée au-dessous de l'os pubien, là où doit se trouver le vagin; cela se fait en taillant cette peau et en tirant sur elle. Une partie de la peau du scrotum est utilisée pour façonner ce qui deviendra les lèvres, et le surplus est coupé et rejeté. L'urètre, protégé avec soin et placé avec le cathéter au centre du nouveau vagin, est alors sectionné à la longueur voulue. Il est ensuite tiré hors du vagin à travers une petite ouverture, semblable à une boutonnière, pratiquée dans le vagin. Puis il est mis en place pour former un méat urinaire et fixé par quelques points de suture.

Comme la peau a naturellement tendance à se contracter, le vagin artificiel a aussi tendance à se refermer. Pour éviter cet accident, on y introduit des moules de plastique de diverses grosseurs qui dilatent le vagin et lui conservent la taille voulue. Au début, il est nécessaire de dilater le vagin une fois par jour. Il suffit par la suite de le dilater avec les doigts pour qu'il puisse conserver l'ouverture voulue.

Plusieurs complications peuvent survenir après l'opération pour la féminisation de l'homme. Immédiatement après l'opération, on doit craindre les complications suivantes: hémorragie interne, infection de la plaie, infection de l'os pubien, formation d'un trou entre l'urètre et le vagin. Plus tard, les complications sont aussi nombreuses: rétrécissement de l'urètre à l'endroit où il a été cousu au nouveau vagin, ou infection des voies urinaires, prostatite, resserrement du vagin.

Au plan de la chirurgie plastique, certains résultats peuvent laisser à désirer: lèvre scrotale trop petite ou trop grosse; méat urinaire placé trop haut, ce qui peut causer des problèmes à la miction; lèvres et vagin mal placés. Il est possible également que des résultats jugés très satisfaisants par le chirurgien ne répondent pas aux attentes du patient.

De femme à homme

Les femmes sont moins nombreuses que les hommes à afficher leur transsexualisme. Il est possible qu'il y ait autant de femmes transsexuelles que d'hommes, mais elles demeurent plus discrètes sur le sujet. C'est peut-être qu'elles savent qu'il est plus difficile pour les femmes que pour les hommes de subir une intervention chirurgicale leur permettant de changer de sexe, et que l'opération aurait moins de chances de réussir chez elles.

Jusqu'à maintenant, les chirurgiens ont tenté de façonner une verge avec une bande de tissus prélevée sur le bas-ventre de la patiente. Ils la roulent sur elle-même pour former un tube qui agira comme verge et ils façonnent le scrotum avec les petites et les grandes lèvres de la patiente. De plus, il leur faut pratiquer une voie urinaire continue à l'intérieur du nouveau pénis à partir de son extrémité jusqu'à la vessie, ce qui est une entreprise chirurgicale redoutable et très difficile. Autre problème: même si le chirurgien réussit à implanter de telles prothèses du pénis et du scrotum, ces organes artificiels demeurent tout à fait insensibles sexuellement.

Au cours de ma carrière, j'ai eu affaire à bon nombre de transsexuels, mais je n'ai jamais pratiqué de changement de sexe. L'hôpital où j'exerce a décidé, comme plusieurs autres centres hospitaliers, de ne pas pratiquer ce genre d'opération. Les raisons d'une telle décision sont les suivantes: le taux de réussite de cette opération est de une sur trois et ce taux est nettement insuffisant.

Même quand l'opération a été réussie, le taux de suicide, de dépression et de psychose chez les opérés est alarmant. De plus, les budgets sont trop serrés pour assurer de semblables soins. Un de mes amis, qui a déjà opéré des transsexuels, a depuis quelque temps cessé de le faire. Il m'a avoué qu'il ne pouvait plus supporter les appels incessants de ses patients, leurs menaces voilées et leurs plaintes constantes.

J'ai rencontré certains transsexuels dont les révélations étaient pour le moins surprenantes. Je me souviens, notamment, d'avoir demandé à l'un d'entre eux, qui devait se rendre à New York pour se faire opérer, comment il comptait s'y prendre pour payer l'intervention chirurgicale.

– Je travaille comme prostituée, me répondit-il.

Sa réponse me déconcerta et je lui fis part de mon étonnement. Il est vrai que le traitement à l'œstrogène lui avait permis d'acquérir une silhouette féminine et, avec une élégante robe et un maquillage soigné, il pouvait facilement passer pour une jolie femme. Mais il avait toujours son pénis, son scrotum et ses testicules.

– Oh! mais j'avertis mes clients, dit-il. Certains abandonnent la partie, mais la majorité d'entre eux sont curieux de voir ce que je peux leur offrir.

Un transsexuel désirait faire corriger l'intervention qu'il avait subie pour devenir femme. Après l'avoir examiné et avoir admiré les résultats plastiques de l'opération, je lui demandai ce qu'*elle* désirait.

– Il ne m'en a pas suffisamment coupé, dit-il. Quand je fais l'amour, j'ai encore des érections; ça me blesse et ça blesse mon partenaire.

Je lui dis qu'il pouvait s'estimer chanceux et que, s'il subissait une nouvelle opération, il risquait de souffrir d'infection, d'hémorragie interne ou d'un resserrement du vagin.

– Mais je ne peux pas continuer comme ça, c'est trop douloureux, insista-t-il.

J'ai alors acquiescé à sa demande et je lui ai fixé un rendez-vous. Mais, depuis, il a remis son rendez-vous deux fois et je dois avouer que je ne serais pas mécontent s'il renonçait définitivement à se faire réopérer.

Un autre transsexuel avait besoin de faire corriger son vagin, formé d'une section de son tube intestinal. À son point de jonction avec la peau du scrotum (devenue ses petites et grandes lèvres), l'ouverture s'était réduite au point où elle ne permettait plus même l'évacuation des mucosités. Elle a subi une chirurgie corrective dont les résultats ont été assez satisfaisants pour qu'elle puisse reprendre ses activités sexuelles. Quelques années plus tard, elle est morte, étouffée par un os de poulet. Elle avait été ma patiente transsexuelle et m'en avait référé plusieurs autres. Depuis sa mort je n'ai reçu aucun nouveau patient transsexuel.

Il faut reconnaître que le transsexualisme pose des problèmes auxquels il est difficile de faire face. Je plains les transsexuels qui se sentent piégés par un sexe qui ne correspond pas à leur moi véritable. Je plains également le chirurgien qui tente de transformer le physique d'un transsexuel afin qu'il corresponde à ses besoins psychiques.

Questions et réponses

- **Ma partenaire sexuelle peut-elle être allergique à mon sperme?**

C'est rare, mais c'est possible. J'ai connu une femme qui faisait une crise d'urticaire chaque fois que son mari ne portait pas de condom. Un chimiste, spécialiste en immunologie, s'intéressa à ce problème et entreprit une étude pour tenter de découvrir quel composant du sperme pouvait bien provoquer chez ma patiente une telle allergie. Mais il ne put se rendre au bout de ses recherches. Dès que l'on trouva le moyen de faire disparaître les effets de l'allergie, en lui prescrivant de prendre un comprimé d'antihistaminique avant chaque relation sexuelle, la patiente cessa de collaborer aux recherches de l'immunologiste!

• **Est-il possible que mon pénis se ratatine au point de disparaître?**

Il faut savoir que la taille de la verge ne diminue que lorsque le taux d'hormones tombe au niveau de la castration, comme cela se produit après l'ablation des testicules. Mais le plus souvent, il ne s'agit que d'une apparente réduction de la longueur de la verge causée par une accumulation des tissus graisseux adjacents.

• **Un pénis amputé peut-il être recousu?**

Par une microchirurgie très délicate, le chirurgien peut recoudre le pénis, mais pour que l'érection soit possible, il faut que les deux parties du nerf sectionné soient bien réunies, ce qui rend la tâche encore plus difficile. En plus du cas Bobbitt, largement publicisé, il existe de nombreux autres cas de pénis recousu. Je me souviens qu'une telle opération a été pratiquée à l'hôpital ou j'exerce. Les raccords de l'artère et du nerf sectionnés ont été effectués par des plasticiens. Les résultats ont été satisfaisants mais j'ignore si le patient a recouvré sa capacité d'érection.

• **Pourquoi les gens ont-ils une attitude si négative face à la masturbation?**

On sait que la masturbation est un sujet de réprobation dans nos civilisations occidentales, qui condamnent le plaisir sexuel sans désir de procréation. On dit même qu'elle va contre la volonté de Dieu. Ce n'est que récemment que la science médicale a osé déclarer que la masturbation ne peut pas faire de tort à l'organisme, ce qu'elle savait depuis déjà bon nombre d'années.

• **Les femmes qui sont en période de ménopause, ou qui l'ont terminée, devraient-elles toutes envisager de suivre une thérapie hormonale de substitution?**

Toutes les femmes qui sont en période de ménopause, ou qui l'ont terminée, devraient envisager de suivre une thérapie hormonale de substitution, sauf dans les cas suivants:

1. Si elles souffrent ou ont des raisons de croire qu'elles souffrent de tumeurs malignes — comme certains types de cancer du sein — qui peuvent être alimentées par l'œstrogène;
2. Si elles sont enceintes;
3. Si elles souffrent d'hémorragies vaginales d'origine inconnue;
4. Si elles ont des caillots ou sont portées à faire des thrombophlébites.

Pour ces femmes, l'hormonothérapie est interdite. Elle est, par ailleurs, acceptable, mais avec prudence, pour les femmes qui souffrent de troubles de la vésicule biliaire, de la jaunisse, de maladies du foie, d'hypertension, de tumeur fibrokystique du sein et qui présentent un fibrome de l'utérus.

Les femmes qui ne souffrent d'aucune maladie ou d'aucun des symptômes mentionnés ci-dessus peuvent songer à suivre une hormonothérapie dans le but, comme je l'ai dit précédemment de:

1. Régler la question des bouffées de chaleur;
2. Combattre le développement des symptômes de vaginite atrophique et d'infection vésicale (ou de la vessie);
3. Combattre l'ostéoporose;
4. Prévenir l'apparition de problèmes d'ordre psychologique tels que la dépression.

Évidemment, il n'est pas recommandé aux femmes qui n'en ont pas besoin de suivre une telle thérapie hormonale, pas plus d'ailleurs qu'elle ne serait souhaitable pour celles qui la considèrent dangereuse.

Si votre partenaire est en période de ménopause ou de postménopause et qu'elle n'a pas pensé à recourir au traitement hormonal, dites-lui qu'il est temps qu'elle y pense.

• **Existe-t-il un autre traitement que les hormones de substitution pour les femmes qui souffrent de bouffées de chaleur?**

Oui. Il y a le Bellergal qui contient un sédatif, le phénobarbital; l'ergotamine, médicament qui neutralise le système sympathique; et la belladone qui neutralise le système parasympathique. Tous ces médicaments ont été essayés avec un certain succès. La clonidine est habituellement prescrite dans les cas d'hypertension, mais si on la prend en doses réduites de seulement 0,05 mg deux fois par jour, elle diminue la fréquence et l'importance des bouffées de chaleur. La progestérone Provera, en doses de 20 mg par jour, a aussi été administrée pour traiter les bouffées de chaleur. Toutefois, il faut reconnaître que l'efficacité de ces médicaments est nettement inférieure à celle du traitement hormonal de substitution.

• **Si la présence d'œstrogène dans la pilule anticonceptionnelle vous inquiète, sa présence dans les hormones de remplacement ne vous inquiète-t-elle pas tout autant?**

L'œstrogène, dans le traitement de la ménopause, a essentiellement pour but de remplacer les hormones que l'organisme ne produit plus. Dans la pilule anticonceptionnelle, par contre, l'œstrogène vise à altérer le taux hormonal normal de façon à ce que l'ovulation ne puisse se produire.

Il est important, toutefois, de savoir que le dosage de l'œstrogène, dans l'hormonothérapie, est très différent du dosage utilisé dans la pilule anticonceptionnelle.

Un traitement hormonal bien dosé, pour les ménopausées, prévoit l'administration de 0,65 mg d'œstrogène Premarine pendant les 25 premiers jours du mois avec, du seizième au vingt-cinquième jour, un apport de 5 mg de progestérone Provera. La femme qui prend la pilule reçoit, chaque mois, une dose d'œstrogène de 5 à 12 fois supérieure.

- **Un homme féminisé peut-il avoir un enfant?**

On sait que, sur le plan théorique, il est possible d'implanter un embryon dans le ventre d'un homme et d'administrer à celui-ci les hormones nécessaires pour mener à bien sa grossesse. Une expérience similaire a déjà été faite avec une femme qui n'avait pas d'utérus. L'embryon et le placenta ont alors grandi sur la paroi de l'abdomen. Mais les hommes n'ont pas d'ovaires; il faudrait donc leur administrer chaque jour des hormones afin d'en maintenir le taux requis pendant la grossesse. En théorie, il pourrait donc y avoir un jour des hommes «enceints», mais en pratique, cela ne s'est encore jamais produit.

- **Existe-t-il des cas de femmes masculinisées?**

On a rapporté des cas de patientes heureuses d'avoir pris cette décision. Mais les résultats satisfaisants sur les plans esthétique, fonctionnel et sexuel sont encore à venir.

- **Pour Christine Jorgensen et René Richards, l'opération a réussi. Ces succès ne justifient-ils pas ce type d'intervention?**

Cet argument serait peut-être convaincant, si le régime universel et gratuit d'assurance-maladie n'était pas en cause. Le coût de ces opérations est extrêmement élevé et quand elles doivent être défrayées par les fonds publics, on est loin de les considérer comme des priorités. Les transsexuels canadiens font des pressions pour obtenir plus de soins de santé et ils envisagent même de recourir aux tribunaux pour forcer les hôpitaux à pratiquer des changements de sexe.

CHAPITRE IX

Les maladies transmises sexuellement (MTS)

Il y a une trentaine d'années, toutes les maladies infectieuses transmises sexuellement étaient désignées sous le terme générique de maladies vénériennes. On connaissait bien la syphilis et la blennorragie (ou gonorrhée). Par contre, on ne se souciait guère de la chancrelle ou chancre mou, de la lymphogranulomatose vénérienne et du granulome inguinal. Ces autres maladies vénériennes étaient considérées comme des maladies tropicales et très peu répandues en Occident.

L'ancien terme «maladie vénérienne» a depuis fait place au terme «maladie transmise sexuellement» ou MTS. Le sigle MTS englobe aussi bien les maladies vénériennes classiques que de nouvelles infections désignées sous le nom de chlamydia, trichomonas, herpès génital, végétations (verrues) vénériennes et sida (syndrome d'immunodéficience acquise). À ces maladies transmises essentiellement par contacts sexuels s'ajoutent quelques autres maladies qui peuvent se transmettre sexuellement ou autrement. Il s'agit notamment des affections causées par des levures, les vaginites bactériennes, la gale, l'hépatite B et le cancer du col de l'utérus, ainsi que les morpions. Le présent chapitre a pour objet de faire le point sur l'ensemble des MTS.

Aujourd'hui, les hommes et les femmes ne craignent plus guère les maladies vénériennes traditionnelles, étant donné que la médecine moderne dispose des armes nécessaires pour les combattre. Ce dont on a peur, et jusqu'à la terreur panique, c'est du sida — qui peut causer la mort — et de l'herpès — qui se traite, mais ne se guérit pas. Par ailleurs, on se soucie fort peu des autres maladies transmises sexuellement, bien qu'elles puissent être également mutilantes. Il faut donc prendre les mesures d'hygiène nécessaires pour se protéger.

Les MTS traditionnelles

La syphilis

Ce n'est que depuis 50 ans que la syphilis se traite avec succès, après avoir sévi dans le monde entier pendant des siècles. Les Anglais l'appelaient le «mal français», et je soupçonne les Français de l'avoir appelée le «mal anglais». (N.d.T.: En fait, ils l'appelaient le «mal italien».) Chaque pays en souffrait, mais aucun ne connaissait de remède efficace pour le combattre.

Le micro-organisme responsable de la syphilis ne peut être vu au microscope ordinaire. Il faut recourir à l'ultra-microscope muni d'un illuminateur. On peut alors distinguer dans une chambre noire, dans laquelle pénètre un rayon lumineux, des lumières dansantes. Ce sont les germes de la syphilis, facilement identifiables par leur grande taille et leur forme spiralée. L'identification au microscope est importante, car le tréponème pâle, c'est-à-dire le microbe qui cause la syphilis, ne peut être cultivé en laboratoire.

L'agent de la syphilis se transmet d'une personne infectée à une autre au cours de rapports sexuels. Il faut compter généralement trois semaines avant que n'apparaissent les premiers symptômes, bien que la période d'incubation puisse varier, selon les cas, entre 10 et 60 jours. Puis un ulcère, facilement identifiable, apparaît à l'endroit du contact infectieux.

L'ulcère, qu'on appelle communément un chancre, ressemble à un cratère miniature entouré d'aspérités dures et rugueuses. Sa surface est rosée et suintante. Une ou des lésions se forment, tandis que des ganglions lymphatiques gonflent dans l'aine tout en restant indolores. Ces ganglions se détectent facilement au toucher. Il s'agit du stade primaire de la maladie, qui dure de une à cinq semaines.

Après la cicatrisation, aucun symptôme ne se manifeste pendant 2 à 10 semaines. Puis une éruption de roséole apparaît, pour disparaître complètement après plusieurs jours sans aucun traitement. (Ce sont des taches rose pâle propres, n'entraînant pas de démangeaisons.) Cette attaque de roséole constitue le stade secondaire de la maladie. S'ils ne se font pas traiter, les malades s'exposent à souffrir de poussées de roséole durant une période qui peut aller jusqu'à deux ans.

La maladie entre alors dans une phase où elle demeure non apparente. Pendant les deux premières années de cette phase, le patient est infectieux, puis presque tout danger de contamination disparaît. Au cours de cette phase non apparente, qui peut durer des années et même une vie entière, la maladie va demeurer stationnaire ou bien évoluer sournoisement en s'attaquant à diverses parties du corps. Elle peut s'attaquer au cœur, et plus spécialement aux valves du cœur; elle peut également s'attaquer aux vaisseaux sanguins et entraîner une rupture d'anévrisme; elle s'attaque également à la moelle épinière, à l'endroit où les sensations nerveuses sont transmises au cerveau; la paralysie peut atteindre le cerveau, et c'est alors la démence la plus complète.

La syphilis se détecte par la recherche des micro-organismes, dans la sérosité prélevée sur l'ulcère qui se forme au stade primaire et, indirectement, par la recherche d'anticorps qui apparaissent dans le sang environ cinq semaines après l'infection. La détection des anticorps se fait au moyen du test V.D.R.L.

Le test V.D.R.L. *(Veneral Disease Research Laboratory)* est le test sanguin le plus couramment utilisé, bien qu'il ne soit pas entièrement sûr. En effet, chez une personne sur quatre, les tests peuvent se révéler négatifs au cours de la phase primaire de la maladie. Chez certaines personnes, les tests peuvent être positifs, non parce que la personne est infectée par la syphilis, mais parce qu'elle souffre de la malaria, de la lèpre ou du lupus, ou encore qu'elle a été vaccinée contre la variole.

Pour traiter la syphilis, il suffit d'une injection intramusculaire de 2,4 millions d'unités de pénicilline. Pour les personnes allergiques à la pénicilline, on prescrit de la tétracycline d'érithromycine par voie orale, à raison d'une capsule de 500 mg par jour, pendant 15 jours. Sous l'effet de ces traitements également efficaces, les anticorps disparaissent. Il n'est toutefois pas rare que des anticorps demeurent dans le sang trois ou quatre ans après le traitement, bien que les porteurs ne soient plus contagieux. La syphilis traitée au stade primaire guérit vite et bien et, même au stade secondaire ou tertiaire, il est toujours possible d'arrêter l'évolution de la maladie en la traitant de façon adéquate.

Depuis quelques années, on assiste à une recrudescence de la syphilis aux États-Unis. Elle coïncide avec l'augmentation de la pauvreté, de la consommation de drogues illégales et de la prostitution. On la rencontre aussi de plus en plus chez les personnes séropositives.

La blennorragie (ou gonorrhée)

Le microbe responsable de la blennorragie, le gonocoque de Neisser, est moins dangereux pour l'organisme que l'agent de la syphilis, mais il a la capacité de se développer et de se multiplier de façon insidieuse dans les tissus humides et privés d'oxygène de l'urètre, tant chez l'homme que chez la femme. La culture du gonocoque de Neisser, en laboratoire, doit se faire dans des milieux similaires. Au début, les laboratoires cultivaient le gonocoque sur une plaque enduite de sang et de gélatine, à la surface d'une jarre de culture dans laquelle brûlait une bougie pour faire le vide d'oxygène. Sans un milieu humide et privé d'oxygène, le microbe meurt. Voilà pourquoi les professionnels de la santé écoutent avec un sourire narquois les patients qui affirment avoir attrapé la blennorragie sur un siège de toilettes ou dans une piscine. La contamination est presque toujours attribuable à un partenaire sexuel qui est porteur du microbe et qui l'ignore, étant donné qu'il ne souffre d'aucun symptôme.

L'incubation de la blennorragie dure de 1 à 14 jours, mais elle peut durer plus longtemps. Règle générale, plus la période d'incubation est courte, plus l'attaque est virulente. Dans la moitié des cas, les personnes infectées ont des pertes abondantes, d'un jaune verdâtre, qui s'écoulent de l'urètre chez l'homme et du vagin chez la femme. Vingt-cinq pour cent des personnes infectées ont des pertes claires comme celles qui se produisent dans les autres formes d'urétrite. Par ailleurs, 25 % des personnes atteintes ne souffrent d'aucun symptôme et deviennent des porteurs qui s'ignorent.

Le diagnostic de la blennorragie repose sur l'examen microscopique du gonocoque qui se trouve dans les globules blancs des sécrétions. Le gonocoque est un diplocoque, c'est-à-dire un microbe double en forme de grain de café. On dit qu'il est également un «gram négatif» parce que, lorsqu'on le teint avec la liqueur Gram, il apparaît bleu et non rouge. Le diagnostic est ensuite confirmé par la culture en laboratoire des microbes contenus dans les sécrétions prélevées dans l'urètre ou dans le vagin.

La plupart des cas de blennorragie se traitent avec succès par une injection intraveineuse de pénicilline (4,8 millions d'unités), plus 1 g de probénécide administré par voie orale. La probénécide prolonge l'effet de la pénicilline en ralentissant son élimination par les reins. Pour les personnes qui ont horreur des piqûres, on prescrit l'amoxicilline, qui est une nouvelle forme de pénicilline, également efficace. Elle peut être administrée par voie orale, par doses de 3 g, avec 1 g de probénécide. Pour les personnes allergiques à la pénicilline ou à l'amoxicilline, on prescrit de la tétracycline prise oralement, quatre fois par jour, par doses de 500 mg, pendant deux semaines. Une certaine souche de gonocoque produit des enzymes qui annulent l'effet de la pénicilline; dans de tels cas, on administre un autre antibiotique, appelé spectinomycine, par injection intramusculaire de 2 g.

De récents rapports en provenance des États-Unis font état d'un million de nouveaux cas de blennorragie chaque année. Vingt pour cent de ces cas sont résistants aux antibiotiques traditionnels. Certains médicaments, accompagnés d'un traitement contre une infection possible à chlamydia, sont devenus des traitements de choix. Ce sont la ceftriaxone (Rocephin) en injection intramusculaire de 125 mg, la céfixime (Suprax), la ciprofloxacine (Cipro) ou l'ofloxacine (Floxin), en comprimé oral de 400 mg.

Une semaine après le traitement, il faut effectuer un test de contrôle en prélevant des sécrétions à 2 ou 3 cm de l'ouverture de l'urètre, afin de s'assurer que l'infection est bel et bien guérie. La blennorragie peut et doit toujours être traitée.

Chaque nouveau cas de blennorragie doit être rapporté aux autorités sanitaires. Les spécialistes de la santé se chargent ensuite de retrouver tous les partenaires sexuels (ou toute autre personne) qui auraient pu être contaminés. C'est en fait le seul moyen efficace qui permet de dépister et de traiter les porteurs qui s'ignorent et qui constituent les principaux agents propagateurs de la maladie. Le port du condom peut également aider à freiner la propagation de la blennorragie.

Les maladies vénériennes tropicales

Les cas de maladies vénériennes tropicales, tels la chancrelle ou chancre mou, la lymphogranulomatose vénérienne et le granulome inguinal, sont extrêmement rares en Occident. En fait, en plus de 32 ans de pratique médicale, je n'ai soigné que trois patients qui avaient été contaminés au cours d'un séjour dans les pays tropicaux.

La chancrelle (chancre mou)

Le germe responsable de cette maladie est le bacille de Ducrey. L'incubation de la chancrelle dure de 3 à 10 jours. Au début, la personne infectée peut souffrir de malaises accompagnés d'une fièvre légère. Puis un chancre se forme comme dans le cas de la syphilis, mais le chancre est mou et les ganglions qui enflent dans l'aine sont douloureux. Le traitement par les sulfamides (2 tablettes de trimethropine-sulfaméthoxozole à double action, pendant 10 jours) est généralement suffisant pour assurer la guérison. Pour les sujets allergiques aux sulfamides, on prescrit de la tétracycline ou de l'érithromycine.

Le traitement recommandé pour la chancrelle est un comprimé d'azithromycine (Zithromax), ou une injection intramusculaire de 250 mg de ceftriaxone (Rocephin) ou quatre comprimés par jour de 500 mg d'érythromycine (Eryc) pendant sept jours.

La lymphogranulomatose vénérienne

Cette maladie vénérienne est causée par une souche spéciale de la chlamydia. L'incubation dure de 3 à 14 jours, puis des ganglions enflent dans la région de l'aine. Sous la pression de la masse ganglionnaire, la peau se tend et devient rouge, pour ensuite se fendre. L'infection se traite avec succès par les sulfamides, la tétracycline ou l'érythromycine, mais le traitement actuellement recommandé est un comprimé de 100 mg de doxycycline (Vibramycin) deux fois par jour pendant sept jours.

Le granulome inguinal

Cette maladie présente les mêmes caractéristiques que les deux infections vénériennes décrites précédemment: masse ganglionnaire importante dans l'aine et chancres mous. Elle est causée par une autre famille de bactéries appelées Granula C. L'incubation dure de 8 à 80 jours.

Le traitement par les antibiotiques utilisés pour les autres maladies tropicales se révèle très efficace.

Les MTS courantes de nos jours

L'urétrite à chlamydia

L'urétrite causée par la chlamydia fut longtemps difficile à diagnostiquer, étant donné qu'il est impossible de cultiver les chlamydiae en laboratoire sur les milieux utilisés normalement pour la culture des bactéries. On doit les cultiver, comme on le fait pour les virus, sur des cellules vivantes. Il existe depuis peu une trousse de détection qui permet de détecter la présence de la protéine de la chlamydia en soumettant à une préparation d'anticorps et d'enzymes un échantillon prélevé dans l'urètre, chez l'homme et, sur le col de l'utérus, chez la femme. En présence de l'anticorps, l'enzyme change de couleur. Avant que l'on ait réussi à identifier la chlamydia, les sécrétions claires, non attribuables à la blennorragie, étaient désignées sous le terme d'urétrite non spécifique, soit une infection de l'urètre avec écoulements. On sait aujourd'hui que la chlamydia est responsable de la plupart des cas d'urétrite non spécifique et, également, de la plupart des cas d'épididymite provoquant l'enflure douloureuse de l'épididyme. Chez la femme, la chlamydia est le principal agent responsable de l'avortement spontané, de la grossesse extra-utérine, de l'inflammation pelvienne et de la stérilité.

Dans 50 % des cas toutefois, les infections à chlamydia sont exemptes de tout symptôme. Une étude effectuée à Montréal, auprès de 800 femmes venues passer leur test de Pap annuel, a révélé que 7,5 % de ces femmes étaient infectées à la chlamydia et l'ignoraient totalement.

L'infection s'est révélée deux fois plus fréquente chez les femmes de moins de 25 ans dont le col de l'utérus était rouge ou chez qui le test de Pap avait détecté une inflammation. Aussi est-il prudent pour tous les hommes et toutes les femmes qui ont plusieurs partenaires sexuels de se faire examiner pour détecter à temps la présence de la chlamydia.

Les symptômes de cette infection, chez 50 % des personnes qui en souffrent, apparaissent après une période d'incubation de une à trois semaines. Chez les hommes et chez les femmes, la maladie se manifeste par une sensation de brûlure à la miction, ainsi que par des écoulements aqueux et collants d'un blanc crème ou clair.

L'infection à chlamydia s'est répandue partout dans les sociétés occidentales. L'incidence réelle est inconnue mais plus de 5 % de toutes les femmes enceintes en sont infectées. C'est aussi la cause la plus fréquente de l'infection des yeux (ophtalmie) chez les nouveau-nés.

Depuis quelque temps, des tests d'autodépistage sont disponibles. Ils détectent la protéine chlamydiale en la fixant à un anticorps relié à une enzyme. Quand l'anticorps est fixé, l'enzyme change de couleur. Le test est moins efficace dans le cas des infections bénignes. Jusqu'à récemment les tests d'urine ne donnaient pas des résultats suffisamment précis mais des rapports récents font état de diagnostics plus précis à partir d'un échantillon d'urine.

Le traitement de l'infection à chlamydia est toutefois simple et efficace. Il comprend l'administration de tétracycline en doses de 500 mg, quatre fois par jour, pendant 10 à 14 jours. La maladie se traite également par l'érythromycine, par les nouvelles tétracyclines telles que la doxycyline (Vibramycin) ou la minocyline (Minocin) et par les sulfamides comme la combinaison sulfaméthoxazole-triméthoprime (Septra ou Bactrim). Un traitement de sept jours à l'ofloxacine semble également efficace, mais le traitement actuellement recommandé est une dose orale de 100 mg de doxycyline (Vibramycin) deux fois par jour pendant sept jours ou une dose orale unique d'azithromycine (Zithromax).

L'uréaplasma

L'uréaplasma est une bactérie rare et bizarre. Sa cellule, au contraire de la majorité des bactéries, ne possède pas de membrane. Au contraire des virus, elle est sensible aux antibiotiques. Au cours des récentes années, les microbiologistes ont mis au point un test spécial pour détecter l'uréaplasma. Reste à savoir si l'on prend soin de se faire soigner quand on souffre de cette maladie.

Soixante-dix pour cent des personnes qui ont l'uréaplasma ne souffrent d'aucun malaise. Certains sujets présentent des symptômes de façon intermittente. D'autres, chez qui seule l'uréaplasma a été identifiée comme agent pathogène positif, ont fait des fausses couches, des infections des trompes de Fallope ou des infections de l'épididyme.

Généralement, les spécialistes ne traitent l'uréaplasma que lorsque les trois conditions suivantes sont réunies: quand il y a des signes d'infection; quand le patient se plaint de certains symptômes; quand tous les tests pour détecter les maladies transmises sexuellement se sont révélés négatifs et que seul le test de l'uréaplasma est positif.

Les signes d'infection chez la femme sont: un col de l'utérus rouge et des écoulements purulents au col de l'utérus. La femme se plaint des malaises suivants: un écoulement vaginal transparent (abondant ou léger); une sensation de brûlure à la miction et des rapports sexuels douloureux à cause de l'inflammation des parois du vagin causée par les pertes. Chez les hommes, on peut remarquer un écoulement transparent à la verge.

Actuellement, l'infection se traite à la tétracycline. Les patients, dans une proportion de 75 à 80 %, guérissent. Toutefois et assez curieusement, des patients continuent à se plaindre des mêmes symptômes, en dépit du traitement. Les tétracyclines sont des médicaments forts qui provoquent souvent des dérangements d'estomac. Grâce aux études poursuivies actuellement en laboratoire, on espère en arriver un jour à traiter l'uréaplasma avec une nouvelle famille d'antibiotiques, les quinolones. Bien qu'aucune étude clinique n'ait jusqu'ici prouvé l'efficacité des quinolones pour le traitement de l'uréaplasma, des études ont démontré que le taux de guérison d'une infection à chlamydia, qui est une bactérie similaire à celle de l'uréaplasma, est de 75 % lorsqu'elle est traitée par les quinolones. Chez certains sujets, les symptômes disparaissent après un certain temps, sans aucun traitement, Parfois, les symptômes réapparaissent; d'autres fois, ils disparaissent à tout jamais. L'uréaplasma est encore considérée comme une zone grise de la médecine.

La vaginite à trichomonas

La vaginite à trichomonas provoque souvent chez les femmes des pertes vaginales malodorantes, mousseuses et entraînant des démangeaisons. Elle est provoquée par un parasite ressemblant à un minuscule insecte aquatique au corps plat, en forme de goutte d'eau, et muni d'une queue qui le fait osciller sur place lorsqu'on l'examine au microscope. Le trichomonas peut vivre également dans l'urètre ou dans la prostate de l'homme, sans que celui-ci ne se plaigne d'aucun symptôme. Étant donné que le trichomonas se développe aussi bien chez la femme que chez l'homme, on considère cette infection comme une maladie transmise sexuellement. Mais j'ai de la difficulté à la considérer comme une maladie essentiellement d'origine sexuelle. Je l'ai déjà découverte chez des femmes qui n'avaient aucune vie sexuelle. Sans que l'on sache pourquoi, c'est chez la femme qu'on trouve le trichomonas le plus souvent. Récemment, on a découvert que ces organismes unicellulaires peuvent survivre jusqu'à un jour sur des linges de toilettes et des vêtements souillés, dans l'eau javellisée, dans des bains chauds et des solutions légèrement savonneuses, et jusqu'à 45 minutes sur un siège de toilettes, ce qui augmente de beaucoup les risques de contamination sans relations sexuelles.

Le diagnostic se fait en laboratoire, où l'étude au microscope permet d'identifier les différentes formes de cet organisme unicellulaire et les cycles complexes de sa vie. Pour traiter la maladie, on prescrit le métronidazole (Flagyl), administré chez les femmes par voie vaginale, avec des suppositoires, ou par voie orale chez les deux partenaires avec des tablettes, de 250 mg, prises trois fois par jour pendant 10 à 15 jours. On a découvert que le Flagyl peut causer le cancer chez le rat, sans que l'on puisse déterminer les dangers éventuels qu'il pourrait représenter pour l'homme. Toutefois, malgré le faible risque qui pourrait exister, je continue à prescrire ce médicament à mes patients, car le Flagyl est pour l'instant le seul produit capable de combattre le trichomonas. Ce médicament est cependant considéré trop dangereux pour les femmes enceintes, chez qui il augmente les risques de malformations du fœtus au début de la grossesse.

Les pertes vaginales malodorantes associées à la vaginite à trichomonas peuvent être confondues avec les pertes associées à la vaginite due à la présence d'une bactérie anaérobique (qui se développe en l'absence d'oxygène) et avec les pertes causées par un champignon, tel le *Candida*.

Le PH (acidité) des pertes est supérieur à 4,5 quand elles sont dues à la présence d'une bactérie anaérobique. Quand un échantillon des pertes est dilué sur une lame dans une goutte d'une solution à 10 % d'hydroxyde de potassium (KOH), une odeur de poisson devrait indiquer une vaginite à trichomonas ou une vaginite bactérienne. L'aspect ramifié du champignon est mis en évidence par l'hydroxyde de potassium.

Les végétations vénériennes (condylomes et crêtes de coq)

Le nom scientifique des végétations vénériennes est «Condylomes acuminés». Comme toutes les autres végétations, elles sont dues à un virus qui, comme on doit s'y attendre, peut se transmettre au cours de rapports sexuels.

Les végétations ressemblent à de petits choux-fleurs de teinte rosâtre, très visibles chez l'homme. Il est plus difficile de les découvrir chez la femme, car les verrues se confondent chez elles avec les parois rugueuses et rosâtres du vagin. Il est facile d'identifier à la loupe les végétations lorsqu'on y dépose du vinaigre, qui les rend plus blanches.

Chez les hommes, les verrues se développent à la tête de la verge ou sur le sillon balanopréputial, sur le scrotum, autour de l'anus, à l'ouverture de l'urètre et même parfois à l'intérieur de l'urètre. Chez la femme, elles siègent près du clitoris, sur les petites et les grandes lèvres, autour de l'anus, à l'ouverture du vagin et même parfois à l'intérieur du vagin et sur le col de l'utérus. La taille des verrues va de quelques millimètres à quelques centimètres. Chez les partenaires qui ont des rapports oraux, des verrues peuvent également se développer à l'intérieur de la bouche.

Il existe de nombreux moyens pour traiter les végétations vénériennes. On le fait en appliquant directement sur les verrues une préparation à la podophylline. La préparation, qui comprend 20 % de podophylline dissoute dans de la teinture de benjoin pour épaissir la solution, est appliquée sur la verrue et sur environ un centimètre autour de la verrue. Après une à quatre heures, la préparation est enlevée. Le traitement à la podophylline peut causer de vives douleurs lorsqu'on l'applique sur des tissus aussi délicats que ceux qui garnissent le méat urinaire ou le gland.

Récemment, l'ingrédient actif de la podophylline, appelé podofilox (Condyline) est devenu disponible. Ce médicament peut être moins irritant pour la peau qui entoure les végétations. À l'aide d'un Q-tip, on applique une solution à 0,5 % deux fois par jour pendant trois jours et le traitement est répété quatre jours plus tard. Ce cycle de traitements peut être répété jusqu'à quatre fois.

Les végétations peuvent être brûlées par de la neige carbonique, par électrocoagulation ou par laser. La neige carbonique brûle généralement une surface de peau plus grande qu'il ne faudrait et l'électrocoagulation doit se faire sous anesthésie locale. Le laser, qui est totalement indolore, est appelé à devenir le traitement de l'avenir mais, pour l'instant, très rares sont les hôpitaux qui en sont équipés. Mal administré, le traitement au laser peut toutefois entraîner de terribles complications, comme ce fut le cas pour un homme qui, en plus d'avoir eu à subir des greffes de peau pour recouvrir des tissus brûlés par le laser, est devenu impuissant par suite de lésions aux nerfs. Mais de tels accidents sont très rares.

Lorsque des végétations se logent à l'intérieur de l'urètre chez l'homme, il faut éviter des traitements trop violents, telle l'électrocoagulation, qui peuvent causer un rétrécissement des voies urétrales. Il est préférable de recourir à des instillations hebdomadaires de médicaments anticancéreux, tels que le fluoro-uracil ou le thiotepa, qui ont déjà réussi à faire disparaître des verrues en cinq traitements. Quand on découvre des végétations sur le col de l'utérus, il est toujours prudent de pratiquer une biopsie afin de s'assurer que les végétations ne sont pas reliées à un cancer du col de l'utérus.

Il ne faut pas oublier que des végétations, même si elles sont entièrement détruites, peuvent réapparaître spontanément, sans nouvelle contamination. Si on néglige de les traiter, elles peuvent atteindre une dimension de plusieurs centimètres et même recouvrir complètement les organes génitaux. Elles peuvent être une cause du cancer de la vulve.

Je me souviens d'avoir été appelé un jour à traiter, par électro-coagulation et sous anesthésie générale, une femme porteuse de nombreuses végétations autour des organes génitaux. Après avoir brûlé les verrues logées sur la vulve et autour de l'anus, j'avais ensuite, avec le même instrument, brûlé une verrue dans la bouche de la patiente. L'infirmière qui m'assistait s'exclama avec effroi: «Vous jouez avec votre instrument comme un voyou avec son arme!» Je lui répliquai: «Je sais, mais il n'y a aucun problème, car l'instrument se stérilise automatiquement!» Elle me lança un regard de profond dégoût. J'ignore ce qui, de ma technique ou de l'infection de la patiente, souleva chez elle ce profond dégoût.

Je demande toujours à mes patients qui ont suivi un traite-ment de s'assurer qu'aucune végétation ne se développe au cours des 12 mois qui suivent l'éradication. Étant donné que l'incubation du condylome peut durer six mois, j'estime qu'il faut attendre au moins un an avant de pouvoir parler de guérison.

L'herpès génital

L'herpès génital vient au troisième rang des MTS les plus répan-dues. La blennorragie occupe toujours le premier rang, suivie de l'infection à chlamydia.

L'herpès est causé par un virus qui existe sous deux formes: le type 1 et le type 2. Entre les deux types, il n'y a qu'une légère différence chimique au niveau des protéines. L'herpès de type 1 se manifeste, dans 90 % des cas, par des vésicules qui apparaissent autour de la bou-che et, dans 10 % des cas, par des vésicules sur les organes génitaux. Quant à l'herpès de type 2, il se manifeste par des infections génitales dans 90 % des cas, et par des infections labiales dans 10 % des cas.

Le virus de l'herpès se transmet par contact direct d'une personne infectée avec une autre personne, en pénétrant dans l'organisme par la peau ou les muqueuses des organes génitaux. La période d'incubation varie entre 2 et 10 jours. Pendant ce temps, la personne infectée va ressentir une sensation de piqûres d'épingles et de brûlures à l'endroit de l'infection. Puis des symptômes généraux, semblables aux symptômes de la grippe, se manifestent: fièvre, maux de tête, malaises, douleurs musculaires et enflure des ganglions lymphatiques. Un peu plus tard, à l'endroit infecté, de petites vésicules sur fond rouge apparaissent. Chez la femme, les lésions se développent sur la vulve, le vagin et le col de l'utérus. Chez l'homme, les vésicules se forment sur le gland, le prépuce et le corps de la verge. Au bout d'une à deux semaines, les vésicules éclatent pour devenir, en se vidant, des ulcères douloureux. Une vingtaine de jours plus tard, une croûte se forme à la surface des lésions. Ainsi prend fin la période de contagion, qui débute au moment où les vésicules commencent à couler et qui se termine avec la cicatrisation des lésions.

Il faut compter environ trois semaines avant que l'infection ne soit complètement terminée. L'enflure et l'inflammation des ganglions lymphatiques de la région de l'aine disparaissent également. La crise est passée.

Toutefois, même si la crise semble terminée, le virus reste dans l'organisme, à l'intérieur des cellules nerveuses. Des attaques vont se reproduire chez 80 % des patients, mais elles sont ordinairement moins virulentes que la première.

Généralement, il suffit d'un simple examen pour diagnostiquer l'herpès. En cas de doute, on fait un prélèvement au fond de la vésicule, puis on le colore avant de l'étudier au microscope. Le prélèvement contient des cellules géantes à plusieurs nucléus, comme on en trouve dans les cas de zona ou de varicelle. L'ensemble des symptômes permet d'éviter toute confusion entre l'herpès et les deux autres affections. Le diagnostic peut également être confirmé par la culture de tissus viraux.

L'herpès génital se soigne mais ne se guérit pas. Depuis 1985, il existe un médicament, l'acyclovir, qui, s'il ne peut tuer le virus, parvient toutefois à ralentir sa reproduction. Une application d'onguent d'acyclovir atténue la douleur et accélère la cicatrisation des vésicules. Efficace lors de la première attaque d'herpès, il semble toutefois l'être beaucoup moins lors des récurrences. L'acyclovir se vend aussi en pilules. Pris en doses de 200 mg, toutes les quatre heures pendant 10 jours, l'acyclovir diminue la virulence de l'éruption et accélère la guérison. Il est également possible de réduire la fréquence des récurrences en prenant des pilules trois fois par jour, pendant six mois. Depuis la mise en marché relativement récente de l'acyclovir, aucun effet secondaire dangereux n'a été signalé; cependant, l'acyclovir demeure un médicament cher.

Une jeune femme, à la veille d'entreprendre une relation avec un homme qui avait déjà souffert d'herpès, me demanda si j'approuvais ou désapprouvais son intention.

Je lui ai tout simplement répondu que quand il y avait des vésicules, le condom n'était pas un moyen sûr s'il y avait encore un contact sexuel intime.

Je demeure par ailleurs convaincu qu'un amour véritable sera toujours plus fort que les risques de contracter une maladie comme l'herpès qui, heureusement, n'est pas une maladie mortelle.

Le sida (Syndrome d'immunodéficience acquise)

Le premier cas de sida a été détecté aux États-Unis en 1981. Depuis, le sida est devenu la plus terrible épidémie des 50 dernières années.

Les statistiques et les informations disponibles sur le sida (syndrome d'immunodéficience acquise) sont encore en perpétuel changement. Aussi est-il difficile, en plein cœur d'une épidémie, d'en prévoir l'évolution.

On compte plus de quatre-vingt-quinze pays touchés par le sida et cette maladie est responsable de la mort de plusieurs millions de personnes. Selon l'Organisation mondiale de la santé (OMS), à ce jour, dix millions de personnes ont été identifiées comme porteuses du virus (séropositives) et ce nombre pourrait atteindre quarante millions en l'an 2000. Dans la première édition du présent ouvrage, publiée en 1988, j'écrivais que 100 000 cas de sida avaient été signalés depuis la découverte du sida, en 1981, et que de cinq à dix millions de personnes avaient été identifiées comme séropositives. Il n'aura fallu qu'une période de deux ans (1988-1990) pour que le nombre de cas de sida passe de 100 000 à 200 000.

Aux États-Unis, on s'attend à une progression moins rapide: de un million de personnes actuellement séropositives à un million et demi à la fin du siècle. Le sida est devenu la première cause de décès à New York pour les femmes âgées de 20 à 25 ans et pour les hommes âgés de 25 à 50 ans.

Au Canada, comme aux États-Unis, la maladie touche de plus en plus la population hétérosexuelle. L'OMS prévoit que le taux d'infection relié à des activités hétérosexuelles sera beaucoup plus élevé que dans le cas des activités homosexuelles et que les infections toucheront plus les femmes que les hommes.

Pour enrayer l'épidémie, il n'existe que deux moyens: le développement d'un vaccin efficace ou une modification radicale des comportements sexuels. Selon le ministre de la Santé des États-Unis, il est peu probable qu'un vaccin puisse être disponible avant une trentaine d'années. C'est que le virus du sida, tout comme celui de la grippe, évolue constamment et rapidement et exige un vaccin nouveau pour chaque nouvelle famille du virus. Quand on sait qu'il a fallu 20 ans pour mettre au point un vaccin contre l'hépatite B, on ne s'étonne pas qu'il faille encore plus de temps pour trouver un vaccin anti-virus du sida, qui est une maladie infiniment plus complexe.

Il est difficile de savoir si la crainte du sida sera assez forte pour inciter la population à modifier ses comportements sexuels. Pourtant, à l'heure actuelle, les seuls moyens de se protéger consistent à veiller à la sécurité de ses relations sexuelles en choisissant ses partenaires et en utilisant le condom.

L'étude du sida pourrait se faire en prélevant le virus sur des tissus infectés, pour ensuite faire la culture des tissus cellulaires en laboratoire. Théoriquement possible, cette méthode est encore peu utilisée car la technique de la culture est difficile et coûteuse. Tous les efforts consacrés à la recherche sur le sida vont aider à mieux comprendre aussi bien l'évolution du cancer que le problème du rejet des transplantations. Par ailleurs, toute découverte dans la lutte contre le cancer va aider à enrayer l'épidémie de la terrible maladie des temps modernes qu'est le sida.

Le virus responsable de la maladie est aujourd'hui isolé et clairement identifié. Désigné au départ sous le nom de HTLV-111 (human T-lymphotropic virus-111) aux États-Unis, et LAV (lymphaden-opathy-associated virus) en France, il est maintenant connu internationalement sous le nom de «virus d'immunodéficience humaine», ou par le sigle VIH.

Le VIH infecte les lymphocytes T4, ou lymphocytes T auxiliaires, capitaux pour la régulation des mécanismes immunitaires. Si tous les lymphocytes T auxiliaires sont détruits, l'organisme ne peut plus se défendre contre certaines affections pulmonaires graves ainsi que contre le cancer, et le sida s'ensuit.

Il n'existe pas actuellement de test simple qui permette de découvrir si une personne est atteinte du sida. On dispose cependant des moyens voulus pour savoir si une personne a été ou non exposée au virus et si elle a développé des anticorps. Quatre-vingt-quinze pour cent des personnes qui ont été en contact avec le virus, soit par rapports sexuels ou par le sang, vont développer des anticorps facilement décelables. Par contre, 5 % ne produisent pas d'anticorps, même en étant porteuses du VIH. Le test ELISA est le test sanguin utilisé pour détecter la présence d'anticorps. En présence d'anticorps, l'enzyme qui lui a été ajoutée réagit en changeant de couleur.

Les groupes à risque que l'on a jusqu'ici identifiés comprennent les homosexuels, les utilisateurs de drogues par voie intraveineuse, les Haïtiens, les hémophiles et les transfusés. Grâce à certaines mesures, on a déjà réussi à éliminer presque totalement les risques de contamination par transfusion sanguine. Chaque don de sang est automatiquement soumis au test ELISA: le sang qui se révèle positif est aussitôt rejeté. Malheureusement, le test ne permet pas de découvrir les 5 % des personnes porteuses du VIH qui n'ont pas développé d'anticorps. Néanmoins, depuis que la Croix-Rouge a entrepris le dépistage systématique des anticorps sur chaque don de sang, les cas de transmission du virus aux transfusés ont pratiquement disparu.

Le virus du sida se transmet par le sang, le sperme et les sécrétions du col de l'utérus. On l'a également découvert dans l'urine, le lait maternel, les larmes et la salive, mais on ne connaît aucun cas précis de transmission du sida par ces vecteurs. On sait, par contre, que le virus a déjà été transmis à son bébé par une mère infectée, à travers le placenta ou peu après la naissance.

Au départ, on croyait que le virus du sida ne se transmettait que par des relations sexuelles anales. Aujourd'hui, on a la certitude qu'il peut également être transmis par des contacts sexuels vaginaux. Aucun cas de transmission par des relations sexuelles orales n'a été confirmé jusqu'à maintenant. Des chercheurs ont découvert toutefois que le virus du sida se propage comme le virus de l'hépatite B. Or, depuis que l'on sait que le virus de l'hépatite B a déjà été transmis, chez des homosexuels mâles, essentiellement par des rapports oraux, on présumait déjà que le virus du sida pouvait également être transmis par voie orale. Par ailleurs, on a acquis la certitude qu'il suffit d'un seul contact sexuel pour contracter le sida, ce qui indique combien le virus est contagieux. Aucune donnée ne permet pour l'instant d'en évaluer les risques d'infection après un premier contact.

Le condom est proposé comme moyen de protection contre l'infection. Une étude en laboratoire, publiée par le journal de l'Association médicale américaine (*Journal of the American Medical Association*) a en effet démontré que le virus du sida ne peut pas traverser l'enveloppe d'un condom, qu'il soit en peau véritable ou synthétique. Une autre étude clinique, conduite par l'université de Miami, a elle aussi prouvé l'efficacité du condom. Elle a démontré, par exemple, qu'en utilisant le condom, seulement 1 partenaire sur 10 d'un sidéen ou d'une sidéenne a développé des anticorps. Contraste frappant, sans condom, ce sont 12 personnes sur 14 qui développent des anticorps. Ces études laissent à penser que si l'on ne fait pas usage de préservatif, le sida va continuer à exercer ses ravages et que, sauf la continence, il n'existe en effet, pour l'instant, aucun moyen de protection plus efficace que le condom.

Les seules relations sexuelles sans risque (sécurisexe) sont celles qui sont pratiquées avec un ou une partenaire qui n'a jamais été exposé au VIH. Lorsqu'une personne a déjà eu des relations sexuelles avec d'autres partenaires, il y a toujours un risque théorique que ces derniers aient été exposés au virus, même si les résultats des tests anti-VIH sont négatifs. C'est encore le condom qui assure la meilleure protection. Des relations sexuelles non protégées ou le partage des seringues sont, de nos jours, des pratiques inacceptables.

Certains magazines populaires ont vanté les mérites du spermicide Nonoxynol-9, qui aurait la propriété de neutraliser le virus du sida, mais aucune étude sérieuse n'en a encore fourni la preuve. Des études en laboratoire ont démontré que des détergents, des savons, l'alcool et la stérilisation ont réussi à tuer le virus du sida. Selon ces études, le désinfectant le plus efficace est une solution à 0,5 % d'hypochlorique, qui est un agent chimique de blanchiment pour la lessive.

Ce qui est peut-être le plus inquiétant dans le cas du sida, c'est qu'il existe des personnes qui sont porteuses du virus et qui l'ignorent. Si elles n'ont pas développé suffisamment d'anticorps, leurs tests sanguins restent négatifs bien qu'elles soient contaminées et contaminantes.

Quatre pour cent des 100 000 premiers cas de sida aux États-Unis étaient reliés à des activités hétérosexuelles; pour les 100 000 cas suivants, la proportion a atteint 6 %. Même si la transmission par contact hétérosexuel augmente, la grande majorité des gens qui contractent aujourd'hui le sida se rencontrent parmi les homosexuels et les toxicomanes qui partagent des seringues.

Nouvelle encourageante, cependant, pour les familles des sidéens: des recherches scientifiques ont démontré que les contacts familiaux (excluant les rapports sexuels) n'exposent nullement à la contamination. Dans les familles étudiées, aucun enfant n'a été contaminé, ni par des baisers ni par l'utilisation commune de la cuisine ou de la salle de bains.

Développement de la maladie

Les personnes qui ont été exposées au virus du sida développent, au cours d'une période variant entre une semaine et six mois, des anticorps et deviennent séropositives. Aussi est-il prudent, après une relation douteuse, de subir un test ELISA pour dépister la présence possible d'anticorps. Si le test est positif, la personne a été exposée au virus; si le test est négatif, la personne n'a probablement pas été infectée, quoique la séropositivité peut se déclarer n'importe quand à l'intérieur d'une période de six mois après l'exposition au virus.

Il est recommandé aux personnes qui se révèlent séropositives après avoir passé le test ELISA de subir un second test ELISA, puis de faire reconfirmer le diagnostic par un autre test appelé Western Blot. Ce dernier test permet d'identifier une autre protéine virale du VIH. Même si les deux tests sont positifs, cela ne signifie pas nécessairement que la personne souffrira du sida. Les tests ne confirment pas si la personne est infectée et contagieuse. Ils indiquent tout simplement que la personne a été exposée au virus du sida. Les seules données dont nous disposons actuellement sur le pourcentage de porteurs d'anticorps qui jusqu'ici ont contracté le sida proviennent d'une étude conduite pendant trois ans auprès d'homosexuels de New York. La maladie, nous révèle l'étude, s'est développée chez 34,2 % des hommes séropositifs. Mais les experts sont convaincus que le pourcentage aurait été beaucoup plus élevé si l'étude s'était poursuivie sur une plus longue période. En fait, on estime qu'entre 30 et 70 % des personnes séropositives vont contracter le sida.

Une personne peut être porteuse du VIH pendant des années sans ressentir de malaise. En Angleterre, une étude récente (1994) portant sur 111 patients hémophiles a indiqué que 25 % des hommes peuvent espérer vivre pendant 20 à 25 ans après avoir été déclarés séropositifs. En Californie, une étude semblable a indiqué que 15 % de la population séropositive pouvait espérer vivre encore pendant vingt ans. Les gens dont le test anti-VIH est positif sont prévenus qu'ils peuvent transmettre la maladie.

Les symptômes du sida se manifestent de différentes façons.

La plupart des sujets séropositifs commencent par développer un ensemble de manifestations cliniques et biologiques appelé l'ARC qui constitue un état intermédiaire entre celui des sujets séropositifs asymptomatiques et celui des sujets atteints de sida. On parle d'ARC pour les individus qui présentent au moins deux signes cliniques et deux signes biologiques pendant une période d'au moins trois mois.

Les manifestations cliniques sont les suivantes:
1. Fièvre (plus de 38 °C ou 100,4 °F);
2. Sueurs nocturnes;
3. Amaigrissement de cinq kilos (ou 10 % du poids initial);
4. Diarrhée;
5. Fatigue;
6. Gonflement des ganglions dans deux régions du corps autre que l'aine.

Les signes biologiques peuvent comprendre:
1. Une diminution des globules rouges, une diminution des globules blancs et une chute du nombre des plaquettes (petites cellules du sang nécessaires à la coagulation normale);
2. Élévation des réactions immunes comme la gammaglobuline, qui est la protéine contre laquelle sont dirigés les anticorps qui luttent contre la maladie;
3. Absence de réponse cutanée au test de la tuberculine et aux autres tests de la peau.

La maladie se manifeste souvent par des infections causées par des levures, des infections buccales inexplicables, des zonas qui se traduisent par des vésicules pigmentées et douloureuses aux terminaisons nerveuses du corps.

Certaines personnes qui souffrent des symptômes associés au sida peuvent en mourir. D'autres vont par la suite contracter le sida, qui est toujours mortel.

Certains patients contractent le sida sans avoir souffert d'aucun des symptômes de l'ARC. Les malades vont alors souffrir d'une forme spéciale de pneumonie, la pneumonie *pneumocystis carini* (PPC), ou du sarcome de Kaposi, qui est un rare cancer de la peau. Avec le sida, la pneumonie ressemble à n'importe quelle autre pneumonie, mais les sidéens parviennent rarement à la surmonter. Ainsi en est-il du cancer.

Un petit pourcentage de personnes séropositives, lorsqu'elles contractent le sida, commencent à souffrir de complications neurologiques. En fait, certains sujets ne souffriront que d'infections cérébrales (perte progressive de concentration accompagnée de troubles moteurs et de comportement). Une étude conduite auprès de sujets souffrant uniquement de symptômes neurologiques a révélé que la moitié d'entre eux a contracté le sida avéré et que l'autre moitié d'entre eux est décédée sans avoir manifesté aucun autre symptôme de la maladie.

Le sida est fatal, mais on ne peut pas prévoir combien de personnes séropositives contracteront la maladie. Quand il y a eu exposition au VIH, des médicaments comme la zidovudine (AZT ou Rétrovir) peuvent retarder la séropositivité et le développement des symptômes, réduire les symptômes et prolonger la vie. D'autres médicaments semblables à l'AZT seront bientôt disponibles et d'autres en sont encore au stade de l'élaboration.

Ces éléments positifs devraient amener des changements dans les lois qui régissent le test anti-VIH. Le droit d'un patient de décider de ne pas se soumettre au test anti-VIH était défendable quand aucune thérapie n'était possible. Mais le maintien de ce droit est aujourd'hui injuste à l'égard des travailleurs de la santé qui peuvent offrir un traitement prophylactique après une exposition accidentelle au VIH.

Autres MTS

Il existe d'autres infections qui sans être véritablement des maladies transmises sexuellement, se propagent de façon similaire.

L'hépatite

L'hépatite B n'affecte pas les organes sexuels, mais elle se propage de façon similaire au sida et elle peut également causer la mort par la nécrose du foie. L'hépatite B peut se transmettre par des aiguilles infectées ou par le sang, mais le virus peut également être transmis sexuellement. Il existe un vaccin contre l'hépatite B qui devrait être administré à tous les partenaires sexuels de personnes qui souffrent d'hépatite B ou qui sont porteuses du virus. Le vaccin est préparé avec le plasma du virus de l'hépatite B. Étant donné que les donneurs sont souvent des homosexuels, le public craint, en recevant le vaccin, de contracter le sida. En fait, il n'y a aucun danger, mais cette crainte fait partie des idées fausses que l'on entretient au sujet de l'hépatite B, qui, je tiens à le préciser, est beaucoup plus contagieuse que le sida.

Autrefois, les médecins connaissaient seulement deux sortes d'hépatites virales. La première était l'hépatite infectieuse, que l'on appelle aujourd'hui l'hépatite A, et l'autre hépatite, dite de la seringue, désignée aujourd'hui sous le nom d'hépatite B. On a ensuite identifié deux autres virus, le ni-A et le ni-B, plus le virus de l'hépatite D qui est un virus incomplet et qui n'agit qu'en présence du virus de l'hépatite B.

L'hépatite A

Le virus de l'hépatite A se communique par l'eau, le lait ou des aliments tels que des crustacés, contaminés par des matières fécales renfermant le virus. (Il se peut, si la coquille est intacte, que la cuisson ne puisse détruire le virus qui se trouve à l'intérieur des crustacés.) Après une période d'incubation de quatre semaines, une légère fièvre se déclare, accompagnée de fatigue, de perte d'appétit, de nausées et de vomissements, de maux de tête et de douleurs musculaires. Une semaine plus tard, l'urine brunit et les selles deviennent plus claires. Le malade se plaint de douleurs et de lourdeurs au côté droit, en haut de l'abdomen à droite du foie, tandis que la peau et le blanc des yeux deviennent jaunes. Après plusieurs semaines, la plupart des patients se remettent lentement de leur maladie et sortent immunisés contre les attaques futures du virus.

L'hépatite B

Cinq pour cent de la population mondiale, soit quelque 200 millions de personnes, souffre de façon chronique du virus de l'hépatite B. Le virus est présent dans les sécrétions des personnes atteintes, soit dans la salive, les larmes, la sueur, le sperme, les sécrétions vaginales, le lait maternel, l'urine et les selles. Cependant, le virus est spécialement transmis par des aiguilles contaminées, par les relations sexuelles ou lors de l'accouchement.

L'incubation varie de un à trois mois, mais peut durer, quoique rarement, jusqu'à six mois. La période d'incubation est plus courte si le virus est inoculé par une coupure ou une piqûre, et elle est plus longue si le virus est transmis sexuellement ou oralement.

L'hépatite B peut être aiguë ou chronique. S'il s'agit d'une hépatite aiguë, la guérison survient, comme dans le cas de l'hépatite A, après deux ou trois mois. Cinq à 10 % des personnes qui ont souffert d'une crise aiguë demeurent infectées par le virus. Dans le cas de l'hépatite chronique, le patient commence à ressentir un malaise général persistant. Il arrive parfois qu'une cyrrhose se déclare ou qu'un cancer se développe.

Il existe aujourd'hui un vaccin anti-hépatite B. Le vaccin est préparé à partir du plasma des porteurs du virus de l'hépatite B, dans lequel se développe une protéine à enveloppe virale. Le plasma est bouilli et traité chimiquement pour détruire les autres protéines, puis on lui ajoute de la formaline. Ce procédé élimine tout danger de contamination par le virus du sida qui pourrait être présent dans le plasma, tout en conservant au plasma les propriétés qui lui permettent de fournir un vaccin anti-hépatite B efficace.

La protection offerte par le vaccin anti-hépatite B donne aux personnes vaccinées la force de développer des anticorps protecteurs. Il peut arriver qu'un sujet en état de faiblesse ne puisse engendrer d'anticorps. Le cas peut se produire notamment pendant une opération ou au cours de relations sexuelles où, exposé de façon accidentelle au virus de l'hépatite B, l'organisme n'a pas le temps d'avoir une réaction immunitaire; on injecte alors au patient un sérum hyperimmun ou un sérum fourni par des patients qui ont déjà synthétisé des anticorps. Un tel traitement peut faire avorter une crise d'hépatite.

La gale et les morpions

La gale, qui se manifeste par de vives démangeaisons, est causée par la présence sous la peau d'un acarien, insecte minuscule. La gale peut se transmettre par contacts intimes avec une personne infectée. Une application de Kwellada, pendant 10 à 12 heures, est généralement suffisante pour guérir l'infection.

Les morpions, qui causent également de vives démangeaisons, sont des poux qui se logent dans les poils du pubis. Ils se propagent essentiellement par contacts intimes. Le traitement est simple: administration de Lindane ou simplement badigeonnage au piperonyl butoxide, moins irritant et tout aussi efficace.

L'eczéma marginé de Hebra

L'intérieur du haut de la cuisse et la région de l'aine sont souvent le siège d'infections causées par une teigne (*Tinea cruris* ou par un champignon *Candida*). Ces infections provoquent une infection de la peau, connue sous le nom d'eczéma marginé de Hebra. En l'absence d'un traitement antifongique ou antilevure, une infection bactérienne secondaire peut se produire, suite au fait de se gratter la peau.

Les infections à champignons et à levures peuvent se répandre d'une partie du corps à une autre, mais elles sont peu contagieuses et leur transmission est rare, même par contact sexuel.

Les infections à champignons

L'infection de la vulve et du vagin causée par des champignons est assez fréquente. Mais ce n'est pas une maladie qui se transmet essentiellement par rapports sexuels. Elle se développe à cause des facteurs suivants: prise d'antibiotiques oraux, diabète, prise de contraceptifs, port de slips en matières synthétiques plutôt qu'en coton. L'infection se manifeste par de vives démangeaisons vaginales et des pertes épaisses et blanches. L'infection peut être transmise à l'homme, chez qui les symptômes se limiteront à une légère inflammation du gland et du sillon balano-préputial. Avec un onguent fongicide, tels le miconazole (Monistat 7) et le clotrimazole (Canesten), ou le nystatine (Mycostatin ou Nilstat), l'infection disparaît.

Les médicaments antifongiques couramment utilisés sont le miconazole (Monistat 7) en crème vaginale 2 % pendant sept jours; le miconazole en suppositoire vaginal 200 mg chaque jour pendant trois jours; le miconazole en suppositoire vaginal 100 mg pendant sept jours; le clotrimazole (Canesten) en crème vaginale 1 % pendant 7 à 14 jours; le clotrimazole en crème vaginale 100 mg pendant 7 jours ou deux fois par jour pendant 3 jours ou le clotrimazole en une seule application de 500 mg.

La femme peut également souffrir de pertes vaginales causées par la bactérie *Gardnerella vaginalis*. Ces pertes, à forte odeur de poisson, se répandent après les relations sexuelles. On ne sait pas si cette infection peut être transmise à l'homme.

Les médicaments recommandés contre cette infection sont le métronidazole (Flagyl) en dose orale de 500 mg deux fois par jour pendant 7 jours; le métronidazole 2 g en un seule dose; la clindamycine (Dalacin) en crème 2 % pendant 7 jours; le métronidazole en gel vaginal 0,75 % deux fois par jour pendant 5 jours; la clindamycine 300 mg deux fois par jour pendant 7 jours.

Certains indices laissent supposer que le cancer du col de l'utérus pourrait être d'origine sexuelle. Cette supposition repose sur des
données recueillies au cours d'une étude effectuée auprès de 10 000
religieuses, sans activité sexuelle. On a constaté, par ailleurs, que la
fréquence du cancer du col de l'utérus augmentait chez les femmes
qui ont de nombreux partenaires sexuels. Rien cependant ne permet d'affirmer que la verge pourrait réellement causer cette forme
de cancer, quoique le papillomavirus pourrait bien en être la cause.

Questions et réponses

- **Puis-je contracter un herpès d'une personne qui ne présente
aucune vésicule?**

Le risque de transmission est sûrement moins élevé quand il n'y a
aucun signe visible d'un herpès, mais il existe encore. Un à quinze
pour cent des gens affectés par un herpès de type 2 transmettront le
virus même s'ils n'en présentent aucun signe visible. Il est donc possible que vous soyez infecté sans le savoir par vos partenaires sexuels.

- **Quelle différence y a-t-il entre le virus de l'herpès de type 1 et
celui de l'herpès de type 2?**

Seule une légère différence chimique au niveau des protéines,
détectable en laboratoire (et uniquement par des analyses très complexes), permet de distinguer ces deux types l'un de l'autre. Une
différence plus marquée se manifeste dans le type de maladie qu'elles
provoquent. L'herpès de type 1 provoque des vésicules surtout autour
de la bouche, et celui de type 2 des vésicules sur les organes génitaux.

- **La tétracycline peut-elle me guérir d'une infection à chlamydia?**

Oui. Elle le peut maintenant, mais elle ne le pourra peut-être pas
demain. Il existe à l'heure actuelle des formes de blennorragie qui
résistent à l'action de la pénicilline, spécialement en Asie du Sud-Ouest.

- **Devrais-je prendre de la tétracycline au lieu de la pénicilline pour traiter une blennorragie?**

Un traitement à la tétracycline éliminerait probablement l'infection à chlamydia qui a pu être contractée en même temps. Mais il y a des formes de blennorragie qui résistent à l'action de la pénicilline et de la tétracycline.

- **Puis-je souffrir de végétations vénériennes autrement que par contact sexuel?**

C'est peu probable. Autrement dit, il a été démontré que 60 % des partenaires de patients qui avaient des condylomes ont développé des végétations vénériennes en moins de trois à six mois. La période d'incubation de ce virus s'étend de un à six mois.

- **Je n'ai pas à m'inquiéter de la syphilis puisque cette maladie a été éradiquée.**

Ce n'est pas aussi simple. Dans certaines régions du monde, comme en Europe de l'Ouest et en Amérique, on diagnostique plus de nouveaux cas de syphilis maintenant qu'il y a une génération.

- **Puis-je éviter une MTS en me lavant soigneusement à l'eau et au savon après une relation sexuelle?**

Non. Le condom demeure le moyen de protection le plus sûr.

- **Les scientifiques français n'ont-ils pas élaboré un traitement efficace contre le sida? N'y a-t-il pas un nouveau médicament réputé efficace?**

Les résultats préliminaires des travaux des scientifiques français ont indiqué que la cyclosporine A, un médicament immuno-dépresseur, pouvait aider les patients aux prises avec le sida. Les résultats ont été moins probants lors du suivi médical des patients.

L'AZT et d'autres médicaments actuellement testés ou en pré-paration pourront retarder la progression du sida, mais jusqu'à maintenant, rien ne peut guérir le sida.

- **Les personnes qui transmettent une MTS en toute connais-sance de cause peuvent-elles être poursuivies?**

Plusieurs causes de cette nature font actuellement l'objet de poursui-tes judiciaires. Les jugements des cours de première instance seront sûrement portés en appel et il faudra des années avant d'en arriver à un verdict final. J'imagine que les personnes qui ont trompé sciemment leurs partenaires sexuels seront poursuivies. Il ne reste pas moins qu'il sera très difficile de prouver la responsabilité des porteurs de MTS qui s'ignorent. On sait, en effet, que plusieurs personnes qui souffrent des trois MTS les plus répandues – la blennorragie, la chlamydia et l'herpès – ne présentent aucun symp-tôme et agissent bien souvent en toute bonne foi.

- **Le sida est-il plus contagieux que l'hépatite B?**

L'hépatite B est plus contagieuse mais le sida, lui, est mortel.

CHAPITRE X

Les femmes

Quelle que soit l'impulsion à laquelle ils obéissent, qu'elle soit d'ordre évolutionniste, social ou simplement sexuel, les hommes et les femmes vivent souvent en couple. Il n'est donc pas étonnant que les organes génitaux des femmes influent sur le rythme et le cycle de la vie des hommes. Et pourtant, la plupart des hommes ignorent presque tout du fonctionnement du corps féminin. Comme le professeur Higgins dans *My fair Lady*, ils se plaignent en disant: «Pourquoi les femmes ne sont-elles pas plus semblables aux hommes?» Mais c'est que les femmes sont différentes des hommes, tant sur le plan anatomique que sur le plan hormonal. Ainsi donc, messieurs, si vous désirez les aimer, il serait peut-être bon de tenter, à tout le moins, d'apprendre à connaître un peu mieux leur physiologie.

Une question de conformation

Les femmes sont particulièrement sujettes aux infections urinaires, à cause de la conformation de leur urètre. Si elles pouvaient vider leur vessie par le nombril, comme cela était originellement prévu, elles échapperaient à bien des infections. Mais le conduit qui reliait au départ la vessie au nombril a été obturé et remplacé par l'urètre qui draine la vessie par le bas. Les femmes ont maintenant un méat urinaire qui se trouve juste au-dessus du vagin.

Le canal urinaire, chez la femme, est aussi sensible et aussi délicat que la muqueuse nasale. Il court le long du vagin qui est, quant à lui, aussi résistant que le cuir et aussi flexible que le caoutchouc. L'ouverture du canal débouche à quelques centimètres seulement de l'anus. Étant donné que les bactéries essaiment facilement, la proximité du méat urinaire de l'anus et du vagin accroît les risques d'infection au cours des rapports sexuels. Les bactéries de l'anus et du vagin atteignent facilement l'urètre. Lors des attouchements et du coït, il arrive souvent que les bactéries qui se trouvent dans l'urètre soient entraînées jusqu'à la vessie, où elles trouvent un milieu propice à leur prolifération. Les bactéries constituent 55 % du poids déshydraté des fèces, et ces bactéries sont la principale cause des infections urinaires.

Par conséquent, les hommes devraient prendre garde de ne pas introduire de bactéries fécales dans l'urètre de la femme. Ils devraient éviter, par exemple, de toucher l'anus et l'urètre avec le même doigt. Dans les pratiques bucco-génitales, la langue ne devrait jamais toucher l'anus. Tout toucher un peu rude de la zone urétrale peut causer des traumatismes douloureux. Il ne faut donc jamais oublier que l'urètre est délicat et que les bactéries fécales, bien qu'elles soient microscopiques, peuvent causer des infections urinaires douloureuses.

Si les précautions prises par les hommes, au cours des rapports sexuels, peuvent réduire les infections urinaires chez la femme, elles ne peuvent toutefois pas les éliminer complètement. Chez les femmes particulièrement sujettes aux infections de la vessie, les bactéries fécales vivent en fait sur la vulve, près du méat urinaire. Par contre, les femmes moins sujettes aux infections de la vessie semblent posséder un mécanisme de défense qui empêche les bactéries fécales de proliférer à proximité des voies urinaires. De toute façon, environ le quart des femmes âgées de 20 à 40 ans vont souffrir au moins une fois d'une infection de la vessie (cystite) et 80 % de ces dernières en souffriront très probablement plus d'une fois.

ORGANES GÉNITO-URINAIRES DE LA FEMME

Utérus

Vessie

Symphyse pubienne

Urètre

Vagin

Rectum

La cystite de la lune de miel

La plupart des cas de cystite de la lune de miel sont causés par les rapports sexuels. On ne sait pas exactement pourquoi certaines femmes sont plus sensibles que d'autres à ce type d'infection. Ce que l'on sait pertinemment, cependant, c'est qu'il ne s'agit pas uniquement d'une question d'hygiène, bien que la mauvaise habitude de s'essuyer, avec le papier hygiénique, de l'anus vers le vagin, au lieu d'aller du vagin vers l'arrière, puisse être un facteur d'infection. Tout ce que l'on peut affirmer, comme je l'ai déjà dit précédemment, c'est que certaines femmes possèdent un meilleur mécanisme de défense et un système immunitaire qui détruit les bactéries alors qu'elles prolifèrent chez d'autres personnes.

Il est important, lorsque l'on a diagnostiqué une cystite, de découvrir quelle bactérie fécale est en cause, afin de pouvoir prescrire le médicament approprié. On recourt pour cela à la culture des urines récoltées à mi-temps entre le début et la fin de la miction. Les bactéries d'hôpital sont très tenaces et résistent à la plupart des antibiotiques usuels. Pour les détruire, il faut recourir à des antibiotiques puissants, administrés par injections intraveineuses ou intramusculaires, selon les résultats obtenus par des tests de laboratoire complexes. En général, les infections urinaires qui se développent à la maison ou dans un milieu similaire peuvent être traitées par la plupart des antibiotiques, administrés sous forme de pilules, et les tests de laboratoire, bien qu'ils soient utiles, ne sont pas essentiels.

Depuis quelques années, le traitement aux antibiotiques qui, auparavant, s'étalait sur une période de 10 à 14 jours, a fait place à un traitement plus court, de seulement trois à cinq jours; on a même essayé, avec un certain succès, un traitement qui se résume à une seule dose massive de six pilules d'antibiotiques. On prescrit dans ces cas-là une association de triméthoprime-sulfa-méthoxazole ou de l'amoxicilline, pénicilline semi-synthétique. Un traitement de courte durée risque moins d'être abandonné par la patiente en cours de route; avec le traitement habituel, plus long, les femmes avaient tendance à cesser de prendre les antibiotiques dès qu'elles se sentaient mieux.

Aux femmes qui souffraient de cystite, les médecins prescrivaient naguère des antibiotiques, tout en leur recommandant d'uriner immédiatement après chaque relation sexuelle, comme on utilise la chasse d'eau dans les toilettes après usage. Mais il arrivait que, malgré ce traitement, l'infection persiste et depuis peu nous avons appris pourquoi. C'est que les bactéries qui causent la cystite adhèrent à la paroi de la vessie et ne peuvent être complètement évacuées à la miction.

Pour tuer la flore bactérienne, je recommande maintenant à mes patientes de laver leur vulve chaque jour avec un antiseptique tel que la Providine. De plus, je prescris une pilule d'antibiotique, comme la nitrofurantoïne (50 mg), à prendre une demi-heure avant chaque rapport sexuel. La pilule peut être prise après, mais son efficacité est alors réduite.

Une patiente à qui j'avais conseillé ce traitement me demanda:
- Vous me dites de prendre une pilule chaque fois que je fais l'amour.
- Oui.
- Sept fois par jour?
- Vous plaisantez?
- Non, pas du tout. J'ai un nouvel amoureux et nos relations s'annoncent très passionnées.

Je continue à croire qu'elle me faisait marcher.

Je prescris habituellement de la nitrofurantoïne, mais ce médicament peut être remplacé par toute autre préparation antibiotique ou bactéricide. Je préfère, quant à moi, la nitrofurantoïne parce qu'elle est spécifiquement conçue pour le traitement des voies urinaires, qu'elle cause moins d'effets secondaires et qu'elle crée moins de résistance chez les bactéries.

Infections urinaires, grossesse, postménopause

Six pour cent des femmes enceintes souffrent d'infections urinaires sans symptômes. Elles n'en savent donc rien. Or, si elles ne sont pas soignées, 40 % d'entre elles vont souffrir de douleurs et d'infections rénales, ce qui n'arrive jamais si elles sont traitées. Il est dont prudent, pour les femmes enceintes, de faire analyser leur urine régulièrement, environ une fois par mois.

Les femmes postménopausées, dont le vagin et l'urètre sont plus secs et plus minces, sont sujettes à des inflammations qui peuvent causer des plaies, par suite souvent de l'irritation du vagin provoquée par le coït. Il est donc recommandé aux hommes, dont la partenaire a un vagin facilement irritable, d'employer des lubrifiants solubles dans l'eau tels que le Lubafex ou le K-Gel. Les lubrifiants non solubles dans l'eau, comme la vaseline ou l'huile minérale, peuvent causer des réactions et sont à éviter.

L'irritation de l'urètre peut entraîner la formation de cicatrices qui risquent de nuire à l'évacuation normale de l'urine. Si la vessie est partiellement obstruée par suite de la présence de cicatrices sur les parois de l'urètre, elle ne parvient plus à se vider complètement et devient, par conséquent, plus sensible aux infections.

Dans ces cas-là, il faut procéder à la dilatation périodique de l'urètre et prescrire un traitement léger mais à long terme aux antibiotiques, tels que la nitrofurantoïne (50 mg par jour, pendant plusieurs mois). Si votre partenaire souffre de ce problème, il faudrait qu'elle suive une thérapie à base d'hormones de remplacement alliant l'œstrogène et la progestérone, comme je l'ai recommandé à la section sur la ménopause au chapitre 8. Il est fréquent que ce traitement soit mal administré du fait que ce sont généralement les gynécologues qui prescrivent les hormones, et que ce sont les urologues qui procèdent à la dilatation de l'urètre et qui prescrivent des antibiotiques.

Il est arrivé souvent que le gynécologue de mes patientes ne voit pas la nécessité, sur le plan gynécologique, de leur prescrire des hormones de remplacement. J'ai donc commencé, depuis peu, à prescrire à mes patientes, pour un temps indéfini, de l'œstrogène Premarin en doses de 0,625 mg pour les 25 premiers jours du mois, et de l'œstrogène Provera en doses de 5 mg par jour, du seizième au vingt-cinquième jour du mois. Je recours aux antibiotiques pour combattre l'infection, et aux hormones pour éviter les récurrences. Je laisse mes patientes entièrement libres de discuter du traitement avec leur gynécologue, mais je tiens cependant à connaître ses objections s'il en a. Grâce à ce traitement, l'état de santé de mes patientes s'est amélioré, mais certaines d'entre elles se sont plaintes de maux de tête. Il a suffi, dans ces cas-là, de réduire la dose d'hormones de moitié pour que les douleurs disparaissent; mais il reste à voir si le traitement va continuer à améliorer l'élasticité du vagin et de l'urètre.

En 1995, une étude a établi une relation entre un traitement aux œstrogènes et le développement du cancer du sein. Cette relation n'est pas nouvelle. Des études antérieures avaient déjà suggéré une telle relation, que des études subséquentes pourraient confirmer ou infirmer. Que devraient faire les femmes? Il est certain que celles qui ont tendance à développer des kystes au sein devraient éviter les traitements aux hormones, tout comme celles dont les antécédents familiaux dénotent des cancers du sein. Les femmes aux seins sensibles devraient aussi éviter les traitements aux hormones. D'un autre côté, les femmes qui ont vu leur vie s'améliorer à la suite d'un traitement aux œstrogènes devraient y penser deux fois avant de l'abandonner. Après tout, le cancer n'est pas la conséquence inévitable d'une thérapie aux œstrogènes.

La vessie instable (pollakiurie)

Il est possible que votre partenaire ressente certains symptômes — fréquent et urgent besoin d'uriner et lourdeur dans le bas-ventre — sans souffrir d'aucune infection. Cela se produit fréquemment. La vessie acquiert assez rapidement et facilement de mauvaises habitudes. Ainsi, un urgent besoin d'uriner causé par une infection bactérienne peut persister longtemps après la guérison de l'infection. Par ailleurs, un fréquent et urgent besoin d'uriner qui a commencé à se faire sentir dans une période de grand stress peut durer longtemps après que la crise de stress s'est résorbée. Ce fréquent et urgent besoin d'uriner, qui se produit même s'il n'y a ni bactéries dans les urines ni infection sur les parois de la vessie, est désigné sous le nom de pollakiurie, ou parfois de vessie instable.

Je crois que la difficulté que nous éprouvons à corriger ce désagrément vient des idées fausses que nous entretenons au sujet du système nerveux. Tout commence au niveau collégial, où les jeunes Nord-Américains apprennent qu'il existe deux systèmes nerveux: l'un contrôlable et l'autre non. On leur apprend, par exemple, que les mouvements imprimés aux doigts sont transmis par les muscles qui sont commandés par le système nerveux contrôlable, soumis à la volonté de l'homme. Ils apprennent, d'autre part, que des organes tels que la vessie sont commandés par le système nerveux incontrôlable. Ils apprennent aussi qu'ils peuvent actionner le sphincter et interrompre l'écoulement de l'urine à leur guise, mais que c'est le système nerveux incontrôlable qui règle les mouvements de la vessie, qui fonctionne donc de façon autonome et automatique. Aussi, quand la vessie développe un fréquent et urgent besoin de se vider, nous n'arrivons pas à comprendre comment il pourrait nous être possible de faire appel à notre volonté pour en modifier le comportement. Plusieurs médecins doutent même qu'il soit possible de le faire. Ils prescrivent alors des pilules pour décontracter les muscles de la vessie. Pourtant, plusieurs de mes patients ont réussi à modifier le fonctionnement de leur vessie sans prendre de médicaments. Ils ont appris, méthodiquement, à allonger l'intervalle entre chaque miction de quelque cinq minutes par jour. Après quelques mois, les résultats obtenus se sont révélés comparables à ceux que l'on obtient à l'aide de médicaments. Les civilisations orientales ne semblent pas partager le même complexe que nous au sujet du système nerveux incontrôlable. En fait, le message que nous transmettent le zen et le yoga peut se résumer ainsi: «Oui, vous pouvez contrôler votre système nerveux, quel qu'il soit.» Naturellement, il est plus facile de prescrire quelques pilules ou de recourir à la psychothérapie.

Quand une patiente a une vessie instable et qu'elle ne parvient pas, par un acte de volonté, à corriger son besoin fréquent et urgent d'uriner, il est possible, avec l'aide de médicaments, de corriger la situation en l'espace de deux mois. Le médicament le plus couramment prescrit est l'oxybutynine (Ditropan) pris à raison de 5 mg, deux fois par jour. Ce médicament provoque inévitablement l'assèchement de la bouche et de la gorge. Lorsque la patiente ne peut supporter ces effets secondaires, j'essaie le flavoxate (Urispas) qui peut décontracter certains muscles, ou le chlorhydrate de dicyclomine (Bentylol), antispasmodique destiné principalement à inhiber la suractivité de l'intestin.

L'hystérectomie

L'ablation chirurgicale de l'utérus est une opération qui relève du gynécologue et, en tant qu'urologue, je n'ai aucune voix au chapitre. Mais là où je dois intervenir, c'est lorsque l'on conseille à l'une de mes patientes de subir une hystérectomie non pour enlever un utérus malade mais pour corriger un problème urinaire. S'il est vrai qu'un gros utérus peut sembler peser sur la partie supérieure de la vessie, il ne cause que rarement, sinon jamais, de problèmes urinaires.

Certains spécialistes ont tendance à pratiquer, en même temps que l'hystérectomie, ce qu'on appelle une opération préventive de la vessie. J'estime, quant à moi, bien que l'ablation de l'utérus puisse endommager les supports de la vessie et de l'urètre, que l'ablation de la vessie ne devrait se pratiquer que si la patiente souffre de véritables problèmes de la vessie.

L'ablation de l'utérus n'affecte pas nécessairement la sexualité féminine de façon négative. Il n'en reste pas moins que certaines femmes estiment que leurs orgasmes diminuent d'intensité après l'hystérectomie. Depuis que l'on sait que, durant l'excitation sexuelle et au cours de l'orgasme, les muscles pelviens se contractent et l'utérus change de forme et de position, il est facile de comprendre que la femme privée de son utérus puisse vivre une expérience sexuelle altérée.

Après avoir subi une hystérectomie, la femme se sent parfois psychologiquement diminuée. Dans ces moments-là, elle a besoin, pour retrouver une vie sexuelle normale, d'être particulièrement soutenue et comprise par son conjoint.

L'incontinence d'effort

Les problèmes d'incontinence urinaire d'effort qui peuvent survenir un certain temps après une hystérectomie sont des complications que l'on passe souvent sous silence. Les médecins préfèrent souvent ne pas inquiéter leurs patientes au sujet de ces problèmes qui ne vont peut-être surgir que plusieurs années après l'ablation de l'utérus (bien que ce soit la perte de certains supports de la vessie, sectionnés au cours de l'opération, qui en vienne à causer cette incontinence d'effort). Ce type d'incontinence se constate également chez des femmes de plus de 50 ans qui fument beaucoup, qui souffrent d'un excès de poids et qui ont donné naissance à plus de deux gros bébés. Les exercices de Kegel, qui font travailler les muscles du sphincter, préviennent les problèmes d'incontinence d'effort et guérissent les cas qui en sont à leur début. La patiente doit apprendre à interrompre l'écoulement de l'urine au milieu du jet, ou tout au moins à essayer de le ralentir. Si elle réussit, c'est qu'elle contracte le bon muscle. Un autre exercice consiste à serrer les fesses. Pour obtenir des résultats, la patiente doit contracter les muscles du sphincter 100 à 200 fois par jour.

Aux femmes qui souffrent d'incontinence d'effort légère et à celles qui veulent à tout prix éviter l'opération, je recommande un traitement alliant exercices et médicaments. Les deux médicaments recommandés sont l'imipramine (Tofranil), un antidépresseur, et le pseudoéphédrine (Sudafed), un décongestif. Ces médicaments agissent sur les récepteurs du nerf situé à la tête de la vessie. Le tonus du muscle augmente en même temps qu'augmente la résistance à l'écoulement de l'urine.

La sexualité et le contrôle urinaire

Il y a des femmes qui ne peuvent arriver à l'orgasme sans uriner. À toutes celles qui m'ont consulté à ce sujet, j'ai dû me contenter de répéter toujours le même conseil: «Tout ce que vous pouvez faire, c'est de protéger le matelas, rien de plus.»

Je reçus un jour à mon cabinet une jeune femme de 25 ans qui mouillait encore son lit. Elle venait de se fiancer et la date de son mariage approchait à grands pas. Elle voulait savoir ce qu'elle pouvait faire, avant la nuit de noces, pour corriger ce problème embarrassant. Elle ne souffrait d'aucune infection et ne présentait aucun problème. Je lui prescrivis de l'imipramine (Tofranil), que l'on utilise dans les cas légers d'incontinence d'effort ou dans les cas d'énurésie chez les enfants, mais je l'avertis aussi qu'il y avait peu de chances que le médicament puisse faire effet, étant donné le peu de temps qui restait avant le mariage.

Je lui fis la suggestion suivante: «Si vous mouillez votre lit au cours de la nuit de noces, dites à votre mari que ce sont ses prouesses sexuelles et vos orgasmes qui en sont la cause.»

Le premier jour de son voyage de noces, je reçus d'elle un appel téléphonique: «Ça a marché», dit-elle et elle raccrocha.

J'ignore toujours ce qui a marché: le médicament ou la suggestion que je lui avais faite!

Je dois dire que ma suggestion, dans ce cas précis, représentait une solution exceptionnelle pour un problème extrême. En général, je ne recommande pas d'échappatoire de la sorte. Je crois plutôt aux échanges francs et honnêtes entre partenaires. Il existe des différences fondamentales, tant anatomiques que physiologiques, entre les deux sexes et je crois que les hommes et les femmes ont avantage à mieux connaître les problèmes auxquels leur partenaire doit faire face. Une meilleure connaissance de l'autre permet de mieux l'apprécier et de mieux le comprendre. Le conjoint et la conjointe qui sont au courant des problèmes de santé de l'autre deviennent de meilleurs partenaires sexuels.

Questions et réponses

• **Un test par ruban étalonné est-il aussi valable qu'une culture d'urine pour détecter une infection vésicale?**

Ce test peut donner beaucoup d'informations si l'échantillon d'urine est récent et que la lecture est prise exactement une minute après l'écoulement. Il indique si l'urine est acide ou alcaline, si elle contient du sucre, des protéines, des globules rouges (erythrocytes) et des globules blancs (leucocytes). Si le test révèle la présence de nitrites, c'est une preuve indirecte d'infection. C'est un test valable, mais seule une culture d'urine permet d'évaluer la gravité de l'infection et les antibiotiques qu'elle nécessite.

• **Le fait de marcher sur un plancher de ciment froid peut-il provoquer une infection de la vessie?**

Les pieds froids, les courants d'air et la constipation ont été cliniquement reconnus comme étant des facteurs qui prédisposent la vessie aux infections. Les raisons de cette relation ne sont pas clairement établies.

- **L'ingestion prolongée d'antibiotiques pour traiter une infection chronique de la vessie peut-elle endommager le corps de la femme?**

Une allergie aux médicaments peut se développer en tout temps et provoquer chez des patientes des étourdissements, des maux de tête et d'estomac, des crampes abdominales et des éruptions cutanées. Les allergies peuvent également modifier la formule sanguine et entraîner une diminution du nombre des globules blancs et des plaquettes. Certaines des bactéries développent parfois une résistance à certains antibiotiques. Malgré ces risques, le traitement à long terme aux antibiotiques est efficace contre l'infection chronique et il est, sauf de rares exceptions, absolument sans danger.

- **Est-il dommageable de n'uriner qu'une ou deux fois par jour?**

Alors que certaines femmes se plaignent d'uriner trop souvent, d'autres craignent de ne pas uriner assez fréquemment. On sait, par exemple, qu'une femme qui a hérité à sa naissance d'une grosse vessie n'a besoin d'uriner qu'une fois ou deux par jour. Mais chez celles qui, par refus d'obéir à l'appel de la nature, ont agrandi leur vessie à un point tel que ses muscles peuvent perdre leur pouvoir de contraction, il devient impossible (ce qui est rare chez les hommes) de vider leur vessie par les voies naturelles; elles doivent utiliser le cathéter plusieurs fois par jour.

- **Les problèmes de la vessie peuvent-ils être causés par la ménopause?**

Alors que chez une jeune femme, le vagin a une épaisseur d'environ 30 cellules, il n'en a plus que 6 chez la femme plus âgée. Si la femme plus âgée sent au vagin des démangeaisons, de l'irritation et de l'inflammation, et si son vagin est particulièrement mince, c'est qu'elle souffre de vaginite dite atrophique. L'atrophie du vagin ne provoque pas d'irritations de l'urètre ou de la vessie, mais l'atrophie de l'urètre peut en causer. Ces modifications du vagin et de l'urètre, causées par une carence d'œstrogène, se corrigent par l'administration d'hormones de remplacement.

- **Peut-on pratiquer une greffe de la vessie?**

On ne pratique jamais une greffe de la vessie prélevée chez une autre personne. On préfère façonner un nouveau réservoir avec une partie du petit ou du gros intestin. Il s'agit d'une opération majeure, mais qui donne des résultats très satisfaisants.

- **L'opération qui permet de supprimer l'incontinence d'effort peut-elle affecter la capacité de jouissance sexuelle d'une femme?**

Il est possible de supprimer l'incontinence urinaire d'effort par une opération très simple qui consiste à faire quelques points de suture au point G, situé sur la paroi antérieure du vagin, à 10 cm de l'ouverture extérieure. Considéré comme une zone érogène, bien que cela ne soit pas scientifiquement prouvé, le point G ne risque cependant pas de perdre sa sensibilité à cause des points de suture car les nerfs demeurent intacts.

- **Qu'est-ce qu'une hystérectomie partielle?**

Il y a quelques années, afin de réduire les blessures que l'hystérectomie pouvait causer à l'urètre et à la vessie, certains spécialistes pratiquaient une hystérectomie partielle, c'est-à-dire qu'ils enlevaient l'utérus sans en enlever le col. Les médecins croient maintenant que la femme ne devrait jamais accepter de subir une hystérectomie partielle, à cause du grave danger de cancer que représente le col de l'utérus laissé en place.

• **L'ablation de l'utérus peut-elle se pratiquer par le vagin plutôt que par l'abdomen?**

L'ablation de l'utérus se pratique généralement par l'abdomen, mais elle peut aussi se faire par le vagin. La femme a le droit de faire connaître sa préférence, mais le choix de la technique opératoire dépend avant tout de la forme du pelvis et de la condition de l'utérus. Si le pelvis est large, il est possible de pratiquer une hystérectomie par le vagin. Mais une telle opération est déconseillée si le pelvis est étroit, car on risque alors d'abîmer les voies urinaires.

Si l'hystérectomie est pratiquée dans un cas de cancer de l'utérus, il faut pratiquer une dissection des nodosités lymphatiques pour étudier l'étendue de la maladie, et c'est donc l'hystérectomie abdominale qui est la seule solution possible.

• **Une femme à qui on propose une hystérectomie devrait-elle consulter un second spécialiste?**

L'hystérectomie est généralement pratiquée pour l'une des cinq raisons suivantes:
1. Cancer de l'utérus, des ovaires ou du vagin;
2. Hémorragie, pendant l'accouchement, qui met la vie de la mère en danger;
3. Prolapsus de l'utérus qui forme une protubérance dans le vagin;
4. Saignement irrépressible causé par la présence d'un fibrome de l'utérus;
5. Présence de métastases ou infections graves qui se sont propagées jusqu'à l'utérus.

Si l'hystérectomie est conseillée pour toute raison autre que celles que je viens de donner, il est sage dans ce cas-là de consulter un second spécialiste.

CHAPITRE XI

L'incontinence urinaire

Le passage des ans laisse sa marque sur la tuyauterie d'une vieille maison; souvent les tuyaux sont bloqués et les joints coulent. De la même façon, la «tuyauterie» d'un corps vieillissant peut être affectée. Il en résulte souvent une rétention urinaire (incapacité de vider la vessie) et une incontinence urinaire (perte involontaire d'urine). Trente pour cent des personnes âgées qui vivent à la maison souffrent d'incontinence, comme en souffrent plus de 50 % des personnes âgées en institution. Cela signifie qu'au Canada et aux États-Unis, de onze à quatorze millions de personnes souffrent d'incontinence et qu'en l'an 2000, aux États-Unis, il se dépensera plus de six milliards de dollars en couches pour adultes et autres vêtements protecteurs. Deux fois plus de femmes que d'hommes souffrent d'incontinence urinaire.

Ainsi, si en tant que payeur de taxes, vous vivez dans une société où vous êtes appelé à partager le coût d'un tel fardeau, ou si vous prévoyez héberger chez vous une personne âgée, ou si votre hérédité vous permet d'espérer vivre vieux, il vous sera utile de bien comprendre ce qu'est l'incontinence urinaire.

L'odeur pénétrante de l'urine stagnante est très désagréable. Elle est causée par une bactérie dont la fonction est de décomposer l'urée de l'urine en ammoniaque. La bactérie appelée *Proteus mirabilis* est la principale responsable, mais d'autres bactéries peuvent aussi décomposer l'urée en dioxyde de carbone et en ammoniaque. Curieusement, avant l'invention du microscope, lorsqu'on a pu observer les micro-organismes, on croyait que la décomposition de l'urine en ammoniaque causait de l'infection, et non l'inverse.

Sans aucun doute, c'est l'odeur nauséabonde qui fait de l'incontinence urinaire un tel problème médicosocial paralysant. L'incontinence urinaire confine à la maison des citoyens par ailleurs alertes et en bonne santé, loin des interactions sociales et des activités communautaires. Elle empêche les personnes âgées d'être les bienvenues dans les maisons de leurs amis et de leurs connaissances et même chez les membres de leur famille. Souvent, on refuse de les admettre dans les centres d'accueil et les maisons de santé.

L'incontinence peut être continuelle, comme un robinet défectueux dont l'eau tombe sans arrêt goutte à goutte, ou intermittente, avec des périodes sèches. L'incontinence continuelle peut se produire lorsque le muscle vésical ou le sphincter urétral ont été endommagés ou détruits; lorsque le sphincter ne peut s'ouvrir et que la vessie, n'arrivant jamais à se vider, reste pleine et finit par déborder: c'est l'incontinence par regorgement; ou lorsque l'urine s'écoule par une fistule, un orifice dans le système urinaire.

Les mictions nocturnes incontrôlées (énurésie), l'incontinence par impériosité et l'incontinence d'effort sont des exemples d'incontinences intermittentes. Les différents types d'incontinence peuvent chevaucher ou se produire concurremment. Les médecins qui traitent des patients qui souffrent d'incontinence leur demandent souvent de tenir un journal de leurs mictions – en notant la fréquence des mictions et la quantité d'urine évacuée à chaque miction – pour les aider à clarifier la situation. Voici comment les médecins classifient les différents types d'incontinence.

L'énurésie (mictions nocturnes incontrôlées)

On donne le nom d'énurésie à l'émission involontaire d'urine pendant le sommeil (mouiller son lit). Entre 2 et 4 ans, l'enfant acquiert le contrôle de ses mictions diurnes et entre 4 et 6 ans, le contrôle de ses mictions nocturnes. Lorsqu'un enfant ne contrôle pas ses mictions nocturnes quand il commence à fréquenter l'école, les parents s'en inquiètent, et leurs inquiétudes augmentent l'anxiété de l'enfant. La plupart des enfants parviennent à ne plus mouiller leur lit, si leurs parents sont patients. Il n'est pas indiqué de prendre des mesures draconiennes trop rapidement, ce qui pourrait être psychologiquement nuisible à l'enfant.

Traitement

Comme je l'ai écrit plus haut, les enfants réussissent presque toujours à perdre l'habitude de mouiller leur lit. Pour accélérer la résolution du problème, les parents devraient limiter l'ingestion de liquides par l'enfant après le repas du soir, s'assurer que l'enfant vide complètement sa vessie avant d'aller au lit et réveiller l'enfant pour qu'il urine une autre fois avant qu'eux-mêmes ne s'installent pour la nuit. Le traitement suivant permet de guérir nombre de patients. Dans les cas d'énurésie tenace, je prescris une dose de 25 à 75 mg d'imipramine (Tofranil) au coucher. L'imipramine a des effets secondaires, mais ils surviennent rarement. Lorsque l'imipramine ne suffit pas, j'ajoute de l'oxybutynine (Ditropan), un médicament utilisé pour relâcher les muscles vésicaux. Souvent, une combinaison d'imipramine et d'oxybutynine permet de régler le problème. On a commercialisé récemment un médicament qui réduit la production d'urine. Il s'agit d'une hormone antidiurétique présentée en vaporisateur nasal qu'on utilise pendant la nuit. Il porte le nom de vaporisateur nasal d'acétate de desmopressine (VNAD). Il donne de bons résultats mais je ne l'ai que peu expérimenté sur mes patients. J'ai aussi très peu d'expérience des appareils électroniques qui transmettent un léger choc électrique à un enfant en train de mouiller son lit. Dans certains cas, c'est efficace, mais cela peut aussi être psychologiquement nocif pour certains enfants.

L'incontinence d'effort

Certains efforts, comme un accès de toux, un éternuement ou un exercice physique peuvent exercer une pression sur la vessie. Les muscles vésicaux et le sphincter ne suffisent plus alors à la tâche. Normalement, la jonction entre le col de la vessie et le canal de sortie, l'urètre, est maintenue en position par un ligament suspendu à l'os pubien. Une pression soudaine sur la vessie n'est pas transmise à l'urètre parce que le ligament forme un nœud au début de l'urètre. Ce ligament peut avoir été étiré, endommagé ou détruit chez la femme lors d'un accouchement. Le col de la vessie et l'urètre subissent alors une descente. Il en résulte une urétrocèle, qui provoque une incontinence d'effort, parce que la pression sur la vessie devient une pression sur l'urètre.

Diagnostic

Les symptômes de l'incontinence d'effort et de l'incontinence par impériosité (voir les pages 251 à 253) chevauchent souvent ou se produisent concurremment, ce qui peut amener une erreur de diagnostic. Il est important que le médecin fasse bien la distinction entre ces deux types d'incontinence, parce que les mesures correctives qui s'appliquent à l'une ne s'appliquent pas à l'autre. Plus particulièrement, les techniques chirurgicales qui permettent de corriger l'incontinence d'effort ne s'appliquent pas aux cas d'incontinence par impériosité. Ces deux types d'incontinence se rencontrent chez les hommes et chez les femmes, mais plus fréquemment chez les femmes.

Pour minimiser les erreurs de diagnostic, on procède à une cystoscopie ou à d'autres tests plus élaborés appelés examens urodynamiques.

Cystoscopie

La cystoscopie est un examen diagnostique effectué par un urologue. J'effectue cet examen sous anesthésie locale et, en règle générale, les hommes le trouvent beaucoup plus pénible que les femmes. Cela s'explique par le fait que l'urètre est beaucoup plus long chez l'homme (environ 20,5 cm) que chez la femme (environ 4 cm). De plus, parce qu'elles consultent régulièrement un gynécologue, les femmes sont plus habituées à un examen des organes génitaux.

Je demande au patient de se coucher sur le dos, les pieds dans les étriers. Cette position est familière aux parturientes. Une fois que les organes génitaux ont été lavés et rincés, j'instille 5 ml d'un anesthésique local incorporé à un gel dans le canal urinaire par le méat urinaire. J'insère ensuite lentement le cystoscope (que j'ai déjà décrit comme un minuscule télescope de la grosseur d'un crayon) dans le canal urinaire. Une colonne d'eau facilite l'insertion. Lorsque le cystoscope s'approche du sphincter et du col de la vessie, la pression de la colonne d'eau est insuffisante pour provoquer l'ouverture du sphincter et l'instrument entre en contact avec la paroi du sphincter. Le patient ressent ce contact qu'il peut trouver pénible, voire douloureux. S'il y a hypertrophie de la prostate, l'instrument entre aussi en contact avec la paroi de l'urètre, causant des sensations encore plus pénibles. Mais dès que le cystoscope a pénétré dans la vessie, l'inconfort disparaît. Un échantillon d'urine est prélevé et la totalité de la paroi interne de la vessie peut être examinée.

Lorsque le sphincter a été endommagé, je peux constater qu'il ne se referme pas même lorsque je demande au patient d'arrêter délibérément la miction.

Examens urodynamiques

Test d'écoulement

Au lieu d'uriner dans la cuvette, le patient se vide complètement la vessie dans un récipient qui indique le volume de l'urine écoulée par unité de temps. Le taux d'écoulement maximum, qui devrait être supérieur à 15 ml/s, fournit des informations concernant des obstructions possibles ou des faiblesses des muscles vésicaux. Un taux d'écoulement réduit ou un écoulement intermittent se rencontrent souvent chez les hommes dont la prostate est hypertrophiée et obstructive.

Profil de la pression urétrale

Lors de cet examen, un technicien qualifié, une infirmière ou un médecin introduit un petit cathéter d'environ 3 mm de diamètre dans l'urètre. Le cathéter enregistre la pression requise pour vaincre la résistance d'un influx de liquide par une série d'orifices dans le cathéter, à différents niveaux de l'urètre. Un patient dont le sphincter est endommagé offre moins de résistance à cet influx. C'est un examen valable, mais il peut entraîner des complications, comme une infection ou une égratignure de la paroi de l'urètre. De plus, les résultats ne peuvent être reproduits, contrairement à d'autres examens, tel l'électrocardiogramme.

Cystométrogramme

On remplit la vessie d'eau distillée ou de dioxyde de carbone et on insère un cathéter qui enregistre la réaction des muscles vésicaux. Normalement, les muscles vésicaux ne se contractent pas avant que la vessie soit presque remplie. À ce moment, le cathéter enregistre une série de contractions. Les patients qui souffrent d'incontinence par impériosité présentent des contractions non appropriées bien avant que la vessie soit remplie. On leur donne le nom de contractions non inhibées.

Certains laboratoires modernes d'urodynamique offrent des examens encore plus élaborés. Ainsi, des examens aux ultrasons peuvent être effectués pendant que la vessie se vide ou se remplit. Une aiguille peut être placée dans le muscle du sphincter anal pour enregistrer la relation entre l'activité du muscle volontaire et celle des muscles vésicaux. Normalement, lorsque ces derniers se contractent, le muscle du sphincter se relâche. Si les deux muscles se contractent simultanément, une miction normale ne peut se produire.

Les examens urodynamiques sont en évolution. Ils peuvent aider à résoudre un problème complexe mais certains urologues, prétextant le fait que les résultats ne peuvent pas être reproduits, font peu de cas de ces examens.

Traitement

La gravité d'une incontinence d'effort est variable. Elle va d'une perte de quelques gouttes d'urine lors d'une activité énergique, comme une partie de tennis ou des exercices aérobiques, à une perte de quelques tasses lors d'une activité quotidienne normale. De toute évidence, dans ces deux cas extrêmes, le traitement n'est pas le même. L'incontinence d'effort se rencontre beaucoup moins chez les hommes que chez les femmes, mais de plus en plus d'hommes en sont affectés parce qu'elle se produit souvent après une prostatectomie radicale (ablation totale de la prostate), une opération de plus en plus courante.

Aux patients qui souffrent d'une légère incontinence d'effort, je demande de développer le muscle du sphincter en le contractant régulièrement. Aucun patient n'est trop âgé pour ne pas être capable d'augmenter la force du muscle du sphincter. S'il éprouve des difficultés à apprendre comment contracter le muscle, j'organise des sessions de *biofeedback*, où le patient apprend petit à petit à influer sur le signal en contrôlant de façon consciente la fonction mesurée. Lorsque cette activité ne suffit pas, je prescris de l'imipramine (Tofranil). Occasionnellement, un patient aura besoin d'une combinaison de Tofranil et de pseudo-éphédrine (Sudafed). Je ne suis pas convaincu que des injections pour augmenter la résistance (voir à la page 256) soient profitables. Chez les femmes, une sévère incontinence d'effort est corrigée par chirurgie.

L'incontinence par impériosité

Normalement, une personne qui sent le besoin d'uriner a le temps de se rendre aux toilettes. Mais quand il y a incontinence par impériosité, l'envie est tellement intense et la sensation d'envie si tardive que le temps manque pour enlever ses sous-vêtements et encore faut-il avoir eu le temps de se rendre aux toilettes.

L'incontinence par impériosité se produit lorsqu'il y a un dérangement dans la vessie, comme un calcul ou une infection;

lorsqu'une maladie comme la tuberculose, le cancer ou la cystite interstitielle affecte la paroi de la vessie ou lorsqu'il y a une rupture d'une connexion nerveuse, causée par un coup ou par un cancer, qui empêche les messages de se rendre du cerveau à la vessie. La plupart des réseaux nerveux qui vont du cerveau au centre spinal du contrôle de l'urine assurent des contractions normales des muscles vésicaux. Ainsi, toute blessure affectant ces réseaux aura pour conséquence des contractions anormales et excessives des muscles vésicaux. La même conséquence se produit lorsque les réseaux nerveux n'ont pas atteint leur pleine maturité. Dans un sens, les enfants qui ne contrôlent pas encore leurs mictions souffrent de ce type d'incontinence, un peu comme une contraction réflexe du genou, exagérée et incontrôlable.

Diagnostic

Comme nous l'avons indiqué plus haut, une cystoscopie et des examens urodynamiques permettent de faire la distinction entre une incontinence d'effort et une incontinence par impériosité. (Ces examens diagnostiques sont présentés aux pages 248 à 250.)

Traitement

Pour pouvoir traiter une incontinence par impériosité, il faut en chercher les causes sous-jacentes et les identifier. Ainsi, une incontinence par impériosité due à la présence d'un calcul vésical peut être guérie en retirant le calcul ou en traitant l'infection.

Le plus souvent, la maladie n'est pas évidente et tout ce qu'on peut trouver parfois, ce sont des contractions intempestives et excessives des muscles vésicaux, détectées au cystométrogramme. Normalement, ces contractions sont inhibées; c'est pourquoi, quand elles se produisent, on leur donne le nom de contractions non inhibées. Les patients qui souffrent d'incontinence par impériosité réussissent assez bien le réapprentissage du contrôle des muscles vésicaux, surtout s'ils tiennent un journal détaillé de leurs mictions. La plupart des patients ont besoin en plus de médicaments myorelaxants, comme le flavoxate (Urispas) ou de médicaments qui agissent indirectement par le système nerveux, comme l'oxobutynine (Ditropan) et la dicyclomine (Bentytol). Le Ditropan est sans doute le médicament le plus populaire. Une dose de 5 mg deux ou trois fois par jour s'avère efficace. La pleine dose ne doit être atteinte que lentement et graduellement pour minimiser l'assèchement de la bouche et de la gorge. Les patients plus âgés tolèrent moins bien le Ditropan. Pour eux, une dose de 15 mg de propanthéline (Pro-banthine) est plus appropriée. Ce traitement doit être poursuivi pendant au moins deux mois pour en arriver à une modification du comportement des muscles vésicaux.

L'incontinence par regorgement

Dans l'incontinence par regorgement, le sphincter est fonctionnel mais les muscles vésicaux ne parviennent pas à vider la vessie. Elle se remplit à pleine capacité et l'excès d'urine regorge. La vessie ne se rompt pas à moins qu'elle subisse un coup violent quand elle est pleine. L'incontinence par regorgement se produit lorsqu'un calcul, une tumeur, une prostate hypertrophiée ou tout autre dérangement empêche l'évacuation de l'urine. Elle peut aussi survenir lorsque le nerf relié à la vessie est endommagé (suite à un coup, par exemple) ou lorsque les muscles vésicaux sont surtendus (comme lorsque le besoin d'uriner n'est pas satisfait.) Les téléphonistes qui n'avaient pas le droit de quitter leur poste pendant leur travail ont souvent souffert de surtension des muscles vésicaux. Et des muscles surtendus perdent leur capacité de se contracter.

Diagnostic

Théoriquement, il est facile de diagnostiquer une incontinence par regorgement. Pour la plupart des gens, une vessie pleine et distendue peut facilement être observée, palpée et vidée. Mais chez les patients très obèses, une vessie très remplie peut être dissimulée sous une montagne de graisse.

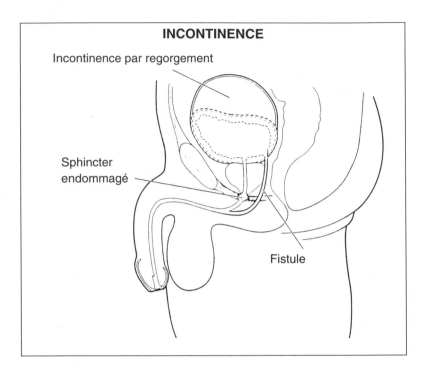

INCONTINENCE

Incontinence par regorgement

Sphincter
endommagé

Fistule

Traitement

Le traitement de l'incontinence par regorgement est relativement simple. Il suffit d'enlever l'obstacle (physique ou structurel) qui empêche l'écoulement, tel un calcul, un étranglement ou une prostate hypertrophiée. Lorsque l'obstacle est là depuis longtemps, les muscles vésicaux ont subi une surtension prolongée et l'élimination de l'obstacle ne peut à elle seule régler le problème. La vessie doit être régulièrement vidée à l'aide d'un cathéter ou d'une sonde jusqu'à ce que les muscles vésicaux se remettent à fonctionner normalement. J'ai vu des muscles vésicaux amollis revenir à la normale après plus d'un an d'utilisation régulière d'un cathéter.

L'incontinence totale

Lorsque l'urine s'écoule par une fistule ou que le sphincter endommagé ou détruit empêche son écoulement naturel, il y a incontinence totale.

Une fistule vésico-vaginale, qui n'affecte que les femmes, en est un exemple. Par un trou dans la paroi de la vessie, l'urine s'écoule dans le vagin. L'incontinence suite à une prostatectomie en est un autre exemple, l'urine s'écoulant à travers un muscle endommagé ou détruit.

Diagnostic

Au premier coup d'oeil, il ne semble pas particulièrement difficile de diagnostiquer une incontinence totale. Comment peut-on ne pas observer que l'écoulement de l'urine ne suit pas son trajet normal? En fait, ce n'est pas aussi simple. Je me souviens d'un petit garçon dont l'incontinence avait déconcerté plusieurs médecins. Il urinait normalement mais ses vêtements étaient toujours mouillés. Son problème était causé par un troisième rein qui faisait écouler son urine directement dans l'urètre sans l'emmagasiner dans la vessie.

Chez les femmes, il est difficile de diagnostiquer une incontinence totale due à un sphincter endommagé. Chez la femme, le sphincter ne présente pas une structure distincte, comme chez l'homme. L'urètre féminin intrigue toujours les urologues. Où est le sphincter et comment les femmes peuvent-elles retenir leur urine?

Traitement

Une fuite continuelle d'urine qui s'écoule autrement que par le canal urinaire présente un problème de mécanique. Il suffit de rapiécer la fuite. Mais parfois, cela ne suffit pas. La fuite peut parfois se produire dans des tissus cancéreux. Dans ce cas, l'ablation d'un rein peut s'avérer nécessaire. Ou encore, si la fuite se produit au niveau ou en dessous de la vessie, l'écoulement peut être court-circuité à l'aide d'une greffe d'une section de l'intestin grêle, obturée à une extrémité et ouverte vers l'extérieur à l'autre extrémité, où un sac recueille l'urine. C'est la boucle iliale ou la technique de Bricker, du nom du médecin qui l'a popularisée.

La résistance à l'écoulement urinaire au niveau du sphincter peut être diminuée en paralysant un nerf de contrôle à l'aide d'un anesthésique local. Un effet permanent peut être obtenu en substituant un phénol ou un alcool à l'anesthésique local.

Lorsque l'urine s'écoule autrement que par sa voie naturelle parce que le sphincter a été endommagé ou détruit, le problème est encore plus difficile à résoudre. Parfois, lorsque la fuite n'est pas trop prononcée, on peut essayer d'établir un meilleur équilibre entre les forces de rétention et les forces d'expulsion. Ainsi, on peut diminuer ces dernières en augmentant le volume de la vessie à l'aide d'une greffe d'une section de l'intestin grêle. Le Ditropan aide aussi à diminuer ces forces d'expulsion.

On peut aussi augmenter la résistance du sphincter en ajoutant à ce dernier une substance qui crée un blocage partiel. Dans ce but, on a déjà utilisé du Téflon, mais on ne l'emploie plus depuis qu'on a constaté que des particules allaient se loger dans les poumons. Aujourd'hui, on utilise plutôt du collagène bovin, extrait des tissus des vaches. Le produit est injecté sous la partie interne de l'urètre près du sphincter. Un certain nombre de patients sont allergiques à ce produit très dispendieux. On a essayé d'utiliser des adipocytes (cellules grasses) extraits des tissus adipeux du patient lui-même, mais les effets de cette technique ne durent pas longtemps.

Quand tous les autres moyens s'avèrent inefficaces, on peut envisager la pose d'un sphincter artificiel. Le sphincter artificiel, élaboré en grande partie par feu le Dr Brantley Scott, de Houston, Texas, fonctionne de la même façon que le brassard gonflable d'un sphygmomanomètre, utilisé pour mesurer la tension artérielle. La section gonflable du sphincter artificiel est enroulée autour du col de la vessie ou de l'urètre. Lorsque la section est gonflée, l'urine reste dans la vessie; lorsqu'elle est dégonflée, l'urine s'écoule par l'urètre. En théorie, le sphincter artificiel fonctionne bien. En pratique, il y a certains problèmes: des fuites peuvent se produire quand la section n'est pas suffisamment gonflée, et quand elle est trop gonflée, des particules érodées de l'appareil peuvent passer dans les voies urinaires. Je crois que le sphincter artificiel idéal, placé tout juste à l'intérieur de la section du canal urinaire située au-dessus de la couche musculaire de la vessie, pourrait fonctionner avec une pression beaucoup moins élevée. Son élaboration est encore à venir. En attendant, en dernier ressort, on peut utiliser un étui pénien ou une pince de Cunningham. Dans le premier cas, le patient porte un condom régulier percé à son extrémité et relié à un sac par un tube creux de caoutchouc flexible. Quant à la pince de Cunningham, elle ressemble à une épingle à linge rembourrée qui enserre le pénis. Elle a résolu le problème de certains patients, mais peut entraîner des complications, notamment des blessures dues à la pression de la pince sur le pénis.

Questions et réponses

- **Pourquoi considère-t-on l'utilisation des couches pour adultes comme un moyen meilleur que l'emploi d'un cathéter et d'un sac pour gérer une incontinence?**

Chez les patients qui utilisent des couches, les infections urinaires sont peu probables mais elles se produisent toujours chez les patients qui utilisent un cathéter.

- **Peut-on injecter des collagènes aux patients dont l'incontinence est due à une prostatectomie radicale?**

Il n'y a aucune raison qui l'empêche. Le traitement par injections réussit toutefois beaucoup moins bien chez les hommes que chez les femmes.

- **Les hommes peuvent-ils souffrir d'une incontinence d'effort?**

C'est très rare, sauf chez les hommes qui ont subi une ablation de la prostate.

- **Peut-on neutraliser la mauvaise odeur de l'urine?**

Il existe certains comprimés qui minimisent l'odeur normale de l'urine. Mais l'odeur d'ammoniaque ne peut pas être supprimée.

- **Quel est le meilleur produit pour minimiser les irritations de la peau dues à l'urine chez les patients qui souffrent d'incontinence?**

Les crèmes vendues à cet effet se valent toutes les unes les autres.

- **Est-il inévitable qu'en vieillissant, je doive courir de plus en plus souvent vers les toilettes et que j'éprouve de plus en plus souvent des pertes d'urine?**

Malheureusement oui. Mais quand cela est possible, l'incontinence ou le besoin d'uriner fréquemment doivent être traités.

CHAPITRE XII

Les infections des voies urinaires

Il y a environ cinquante ans, plusieurs pensaient que la découverte de nouveaux médicaments antimicrobiens (les sulfamides, la pénicilline et d'autres antibiotiques) annonçait la fin des maladies d'origine bactérienne comme la pneumonie, la méningite et les infections urinaires, de la même façon que la vaccination avait éradiqué la variole. Hélas, comme ils se trompaient! Certes, la vaccination a éradiqué la variole, mais les médicaments antimicrobiens n'ont pas éradiqué les infections bactériennes. Au lieu de cela, leur production a engendré une industrie de plusieurs milliards de dollars qui au mieux n'a réussi qu'à empêcher le problème d'empirer.

Une infection urinaire est une infection bactérienne des reins, de la vessie, de la prostate ou de l'urètre. Les bactéries entrant dans les voies urinaires par le méat et par l'urètre, peuvent infecter tout l'appareil urinaire. J'ai déjà abordé ce sujet dans différents chapitres de ce livre: infection de la prostate ou prostatite (chapitre IV), infection de la vessie ou cystite (chapitre X) et infection de l'urètre ou urétrite (chapitre VIII).

Les infections urinaires sont largement répandues. On traite six millions de cas par année aux États-Unis, qui coûtent plus d'un milliard de dollars chaque année. Vous n'êtes peut-être pas au courant, cependant, des campagnes publicitaires habiles menées par les compagnies pharmaceutiques pour prendre leur part du marché. Ce chapitre peut peut-être vous aider à mieux évaluer la pertinence des conseils que vous prodigue votre médecin.

Le patient

Les bébés non circoncis sont prédisposés aux infections urinaires parce que des colonies de bactéries peuvent se développer sous le prépuce. Les infections urinaires affectent quatre fois moins les garçons circoncis à leur naissance. À l'âge adulte, les hommes souffrent de prostatite (infection de la prostate), souvent associée à une infection urinaire. Les hommes plus âgés dont la prostate est hypertrophiée ou cancéreuse souffrent souvent d'une infection urinaire, reliée à une évacuation incomplète de la vessie lors des mictions.

Les fillettes d'âge préscolaire souffrent plus souvent d'une infection urinaire que les garçons parce que leur urètre, plus court que chez les garçons, les rend plus vulnérables. Les femmes sexuellement actives sont vulnérables parce que les colonies de bactéries établies sur la peau entourant le vagin envahissent la vessie. Les femmes enceintes sont aussi vulnérables pour des raisons encore assez peu connues et enfin, les femmes postménopausées peuvent aussi en souffrir parce qu'elles ont perdu la protection qu'assurent les œstrogènes.

Le diagnostic

Le diagnostic d'une infection urinaire est basé sur l'histoire médicale du patient, sur son examen et sur l'examen de son urine. Mais dans certains cas, les symptômes et les rapports de laboratoire peuvent induire le médecin en erreur.

D'une manière typique, le patient qui consulte son médecin se plaint de brûlures en urinant, de fréquents et urgents besoins d'uriner, de douleurs dans le bas-ventre et parfois, de douleurs dans le bas du dos. Ces symptômes classiques d'une infection de la vessie sont les mêmes que pour les maladies suivantes: une tuberculose génito-urinaire, un type particulier de cancer de la vessie appelé cancer intra-épithélial (cancer *in situ*), un dérangement de la vessie appelé cystite interstitielle et un calcul vésical.

L'examen du patient est important parce qu'il permet de faire la distinction entre une infection du rein et une infection de la vessie; plusieurs schèmes ont été proposés pour faciliter cette distinction. La durée du traitement est fort différente: il peut durer trois jours dans le cas d'une infection de la vessie mais il peut durer de deux à six semaines dans le cas d'une infection du rein. Dans une infection du rein, la douleur est ressentie haut dans le dos, la région des reins est plus sensible aux coups, et l'infection peut provoquer de la fièvre et des frissons. L'urine peut contenir des grappes de bâtonnets, appelés cylindres hématiques, contenant des restes de leucocytes (globules blancs).

La confirmation par un laboratoire d'une infection au rein peut être dispendieuse et risquée. Ainsi, des échantillons d'urine prélevés directement du rein peuvent être analysés, mais cela implique une cystoscopie, et l'insertion d'un petit tube étroit jusqu'au rein pour prélever un échantillon d'urine peut provoquer une infection. L'analyse de cet échantillon permet de détecter: la présence révélatrice de leucocytes couverts d'anticorps (quoique malheureusement cet examen, ne donnant pas les résultats escomptés, n'est pas effectué dans la plupart des centres hospitaliers); un taux élevé dans l'urine de certains iso-enzymes, comme la déshydrogénase lactique (LDH); des signes que le rein est incapable de concentrer adéquatement l'urine. L'urine peut aussi être analysée après le rinçage de la vessie pour éviter qu'elle n'influe sur les résultats.

Un test par ruban étalonné peut aussi être utilisé pour analyser l'urine. À différents endroits du ruban, on peut noter la présence de sucres, de protéines, d'acidité, d'hématies (globules rouges), de leucocytes (globules blancs) et de bactéries. Mais cette analyse ne permet pas d'identifier la nature des bactéries, ni leur quantité.

Un échantillon d'urine prélevé au milieu de la miction et analysé pour déterminer combien de colonies de bactéries se développeront par millilitre d'échantillon (culture quantitative de mi-miction) demeure un excellent examen dans le cas d'une infection du rein. Les bactéries qui se répandent dans l'urine au niveau du rein inoculent la vessie saine, en s'y installant et en se multipliant. Elles peuvent doubler leur nombre toutes les vingt minutes et la colonie peut dépasser cent mille bactéries.

Une culture quantitative d'urine n'est pas nécessaire dans le cas d'une infection légère de la vessie contractée hors du milieu hospitalier, mais dans ce dernier cas, si l'infection est grave et affecte les reins, cet examen devrait être effectué. L'échantillon d'urine peut être obtenu à l'aide d'une aiguille insérée dans la vessie par un point de ponction situé dans le bas-ventre. Cette technique rencontre une forte résistance que je comprends difficilement. Pourquoi demander à des internes et des infirmières d'insérer des aiguilles dans des veines minuscules et d'éviter de le faire dans le cas de la vessie qui est grosse comme une orange? L'aiguille utilisée pour une ponction urinaire n'est pas plus douloureuse que celle utilisée pour une ponction sanguine.

Un échantillon d'urine dont la culture indique 2000 bactéries ou plus est considéré comme significatif d'une infection urinaire chez un patient qui en présente les symptômes. La nature des bactéries est aussi importante. Ainsi, les bactéries responsables de la cystyte présentent souvent à leur surface une ou deux centaines de filaments ou tentacules, qui leur permettent d'adhérer à différents tissus, comme ceux de la région anale, du vagin, de l'urètre et de la vessie.

Le traitement

Pour traiter une infection urinaire, on fait appel à des médicaments antimicrobiens. À partir d'une longue liste de médicaments disponibles, le médecin doit choisir celui qui est le plus approprié et décider de la durée du traitement. Certains médecins s'en tiendront à un médicament qu'ils connaissent bien et qui les a bien servis pendant des décennies, et n'en essaieront pas d'autres, peu importe le nombre de nouveaux médicaments disponibles. D'autres médecins voudront expérimenter le plus nouveau médicament sur le marché, croyant donner ainsi à leurs patients les soins les plus à la page.

Voici comment je procède. Le traitement que je recommande aujourd'hui n'est peut-être pas celui que je recommanderai demain. Il y a sans doute du vrai dans l'adage suivant: «Ne soyez pas le premier à essayer une pratique nouvelle, ni le dernier à abandonner une pratique ancienne».

D'un médecin à l'autre, les avis sur les mesures à prendre en cas d'infection urinaire sont fort variés. Ces mesures vont des remèdes éprouvés de grand-mère à la phytothérapie (traitement des maladies par les plantes) et à la sorcellerie. Aucun régime spécial, ni exercice, ni plante, ni préparation ne permettent de minimiser le risque de contracter une infection urinaire, quoique la constipation peut être un facteur. Dans ce dernier cas, il est recommandé d'adopter un régime à haute teneur en fibres alimentaires, contre la constipation. Il faut aussi éviter d'attraper froid et de garder sur soi un maillot de bain mouillé.

L'ingestion de liquides est un autre facteur. Les urologues aiment encourager leurs patients à boire beaucoup d'eau. Un de mes amis urologues sait dire: «Buvez beaucoup d'eau» en douze langues. C'est le meilleur conseil que nous pouvons donner à nos patients, dit-il, et je ne doute pas un instant qu'ils se sentent mieux quand, aux prises avec une infection urinaire, ils boivent beaucoup d'eau. L'écoulement d'une urine diluée est moins douloureux et moins angoissant que l'écoulement d'une urine concentrée. Mais cela aide-t-il le patient? Lors d'une miction, les bactéries sont-elles balayées à l'égout? J'en doute. Comme je l'ai indiqué, les bactéries s'agrippent aux parois des voies urinaires et les meilleures mictions du monde ne parviendront pas à les déloger. En fait, dans une urine de concentration normale, l'urée, produit de déchet de la dégradation des protéines, tue les bactéries, alors que dans une urine diluée, il y a trop peu d'urée. Mais le confort du patient est encore plus important, et le fait de boire beaucoup d'eau contribue sûrement à l'améliorer.

Le jus de canneberge est magique. On a cru pendant longtemps que l'acide hippurique que contient ce jus créait un milieu suffisamment acide pour détruire les bactéries, mais deux verres de ce jus ne renferment pas assez d'acide pour nuire aux bactéries. On a démontré toutefois que le jus de canneberge empêche les bactéries de s'agripper à la paroi de la vessie. Cette qualité antiadhésive ne peut pas être attribuée à l'acide hippurique, l'acide ascorbique ou la fructose, les trois principaux ingrédients que contient ce jus. Sa qualité magique peut provenir d'une combinaison particulière de ces trois ingrédients ou d'autres produits chimiques non encore identifiés qu'il contient. Certaines personnes trouvent trop sucré le cocktail de canneberge disponible dans les magasins. Ils peuvent le remplacer par les capsules de concentré de canneberge qu'on peut se procurer dans les magasins d'aliments de santé.

Quel antibiotique choisir dans les cas plus complexes d'une infection urinaire contractée en milieu hospitalier? Le choix du ou des médicaments appropriés est déterminé en fonction des résultats des urocultures (culture de l'urine) et des hémocultures (culture du sang). Ces résultats sont normalement disponibles en deux ou trois jours, parce qu'ils dépendent de la culture des bactéries sur des plaquettes de gélatine et de l'identification des antibiotiques qui inhibent la croissance des bactéries. Ainsi, le traitement peut commencer dès que les rapports de laboratoire sont disponibles. Depuis vingt-cinq ans, le traitement le plus populaire consiste à prescrire un antibiotique aminoside, tel que la gentamicine, la nétilmycine ou la tobramycine, combiné à l'ampicilline. Récemment, un nouveau traitement, à base de céphalosporines de la troisième génération a vu le jour, et encore plus récemment, à cause de la difficulté d'éliminer les bactéries de type pseudomonas, un autre traitement à base de quinolones, comme la ciprofloxacine, la norfloxacine, ou l'ofloxacine, des médicaments oraux, est devenu disponible. Après deux jours de ce traitement, une médication d'une durée minimale de deux semaines est prescrite en fonction des résultats des cultures.

C'est dans les cas d'infection légère, contractée hors du milieu hospitalier, que le choix des médicaments est le plus vaste et que les représentants des compagnies pharmaceutiques peuvent le plus influencer sur le choix des médecins. Plus de cinq des six millions d'infections urinaires diagnostiquées chaque année aux États-Unis sont des infections légères.

Personnellement, le plus souvent, je prescris une combinaison de trimethoprime-sulfame-hoxazole (Septra ou Bactrim), ou de la nitrofurantoïne (Macrodantin) en cas d'allergie aux sulfamides ou des quinolones (Noroxin, Cipro ou Floxin) en cas d'infection sévère ou récurrente. Je ne prescris jamais de quinolones aux femmes enceintes. Je préfère leur prescrire de la pénicilline (Amoxil), quoique des infections secondaires à levure peuvent se produire.

La durée du traitement est encore un sujet de controverse. Pour une infection urinaire légère, la durée est passée de quinze à dix jours, puis à sept jours, puis à une prescription de six comprimés instantanés. Le traitement actuellement le plus populaire dure trois jours.

Je crois toutefois que les infections urinaires qui impliquent les reins ne sont pas adéquatement traitées. À mon avis, les traitements d'une durée de deux semaines, tels que les recommandent les manuels de médecine, ne sont pas suffisants. Certaines études expérimentales portant sur les pyélonéphrites (inflammations du rein) ont démontré que des résidus bactériens peuvent rester dans le rein pendant cinq à six semaines.

Le tissu rénal interne constitue un environnement inhabituel pour les bactéries; il favorise la prolifération des bactéries ouvertes en forme de L. Il inhibe aussi les mécanismes de défense naturelle qui permettent aux leucocytes en maraude d'avaler les bactéries. Je n'hésite donc pas à prescrire un traitement de six semaines quand une infection urinaire risque de se propager aux reins. Je préfère alors trop traiter que de ne pas assez traiter.

Généralement, quand il est question d'infection urinaire, on omet de mentionner la prostatite (infection de la prostate) et l'urétrite (infection de l'urètre), même si la prostatite et l'urètre font partie des voies urinaires.

Nous avons traité de la prostatite au chapitre IV. Les urocultures et les hémocultures peuvent aider à diagnostiquer une prostatite aiguë, mais non une prostatite chronique. Il n'y a pas si longtemps, un jeune homme souffrant d'impuissance m'a consulté pour obtenir l'avis d'un deuxième spécialiste. Son urologue l'avait traité, sans succès. En dernier recours, il lui avait recommandé un implant pénien. Je détectai une prostatite bactérienne chronique. Son incapacité d'érection l'accablait tellement (il commençait une nouvelle relation amoureuse) qu'elle minimisait les autres symptômes. Il recouvra ses capacités sexuelles après que j'eus traité sa prostatite.

Nous avons aussi traité de l'urétrite au chapitre VIII, portant sur les MTS. Dans le passé, toutes les urétrites non blennoragiques étaient qualifiées d'urétrites non spécifiques (UNS). Aujourd'hui, on reconnaît que la plupart des UNS sont causées par les chlamydiae. Les cultures d'urine de routine ne permettent pas de diagnostiquer une blennoragie ou une infection à chlamydia. Des prélèvements de l'urètre effectués à un centimètre du méat doivent être envoyés au laboratoire pour y détecter la présence de chlamydiae et des échantillons d'écoulement pour y détecter une blennoragie. Si les examens ne sont pas soigneusement effectués, un résultat négatif peut être erroné (la maladie est bien présente mais les résultats de l'examen sont négatifs), ce qui peut entraîner un délai du traitement pour le patient. Si le prélèvement urétral est fait trop vigoureusement, il peut être fort douloureux et avoir pour conséquences une hémorragie, une cicatrice ou un étranglement de l'urètre. Un examen d'urine pour détecter une infection à chlamydia a récemment été élaboré. Il est tout à fait le bienvenu.

Conclusion

Les infections urinaires sont fréquentes et généralement, leurs symptômes sont évidents. Elles peuvent aussi exister en l'absence de tout symptôme. Il faut les traiter comme toutes les autres maladies. Un diagnostic posé dès le début de l'infection et un traitement approprié peuvent éliminer avec succès l'envahissement des bactéries.

Questions et réponses

- **Dans quelles circonstances une infection urinaire ne nécessite pas une culture d'urine?**

On connaît trois types d'infections urinaires: une infection légère aiguë, une infection légère rénale aiguë et une infection grave. Pour une infection légère aiguë, une culture d'urine peut ne pas être nécessaire.

- **Qu'entend-on par infection urinaire grave?**

Lorsqu'une infection urinaire est associée à un dérangement rénal, une obstruction, des calculs, des corps étrangers ou des traitements antérieurs non appropriés, on parle alors d'infection urinaire grave (ou sévère).

- **Puis-je guérir une infection urinaire en buvant beaucoup de jus de canneberge?**

Le jus de canneberge peut inhiber le développement d'une infection urinaire mais il ne peut guérir une infection déjà installée.

- **Une personne qui porte une sonde vésicale devrait-elle suivre un traitement aux antibiotiques?**

Une personne qui porte une sonde à demeure développera une infection en moins de quarante-huit heures si l'urine s'écoule dans un sac ouvert. Si l'urine s'écoule dans un sac fermé, le taux d'infection est de 50 % après deux semaines. C'est pourquoi il est préférable de cathétériser l'urètre de façon intermittente plutôt que d'installer une sonde vésicale à demeure.

Lorsque les symptômes d'une infection urinaire apparaissent chez un patient qui porte une sonde à demeure, des médicaments antibactériens sont nécessaires. Mais l'administration fréquente d'antibiotiques ou de médicaments antibactériens peut provoquer le développement de bactéries résistantes. Parfois, on administre des médicaments antibactériens pour prévenir une infection urinaire qui pourrait être catastrophique et dans ce cas, des bactéries résistantes constituent le moindre des deux maux.

• **Les campagnes intensives de promotion des compagnies pharmaceutiques n'ont-elles pas pour conséquence une surconsommation de médicaments antibactériens?**

Sans aucun doute, ce risque existe. On fait souvent l'erreur d'utiliser des médicaments antibactériens quand des symptômes irritants se manifestent mais qu'il n'y a pas d'infection, ou de prescrire un traitement trop court dans les cas où l'infection s'est propagée au rein ou à la prostate.

• **Dans le cas d'une infection urinaire légère, pourquoi considère-t-on qu'un traitement qui s'étend sur trois jours est meilleur qu'un traitement instantané à dose unique?**

Le taux de récidive est moins élevé.

• **Est-ce que toutes les infections urinaires provoquent la formation de calculs rénaux?**

Dans le cas des infections causées par des bactéries qui décomposent l'urée en ammoniaque, l'urine devient un milieu propice à la formation d'un type particulier de calcul rénal. Parmi ce type de bactéries qui décomposent l'urée, celle qu'on rencontre le plus souvent est le proteus.

Tout calcul rénal qui empêche l'écoulement de l'urine peut provoquer une infection urinaire.

• **Les régimes peuvent-ils affecter les infections urinaires?**

Les régimes proposés en cas d'infection urinaire ne reposent pas sur des données scientifiques.

• **Une infection urinaire peut-elle être transmise à un partenaire sexuel?**

La réponse est non en ce qui concerne une infection du rein, une infection de la vessie et une prostatite. Mais une urétrite, considérée comme une MTS plutôt qu'une infection urinaire, peut certainement être transmise par contact sexuel.

• **Peut-on guérir complètement une infection rénale ou y aura-t-il toujours des dommages permanents au rein?**

La guérison peut être tellement complète que les tests d'évaluation des fonctions rénales et les explorations radio-isotopiques n'indiquent aucun changement. Mais une infection urinaire peut endommager les reins d'une façon permanente. Ces dommages peuvent être détectés par des techniques d'imagerie rénale.

Chapitre XIII

Au-dessus des parties intimes:
les affections du rein

– «Êtes-vous en train de me dire qu'après s'être adonné à un sport de contact, comme le football ou le hockey, tout athlète a du sang dans son urine?» m'a demandé un de mes amis.

«Si nous parlons de quantités minimes de sang, invisibles à l'œil nu, je pense que c'est vrai» lui ai-je répliqué.

«Mais d'où vient ce sang?»

«Du rein, quoiqu'un joggeur peut avoir du sang dans l'urine s'il court la vessie vide. La présence du sang est apparemment due au frottement l'une sur l'autre de deux parois opposées de la vessie. Un ou deux verres d'eau avant de courir, pour «lubrifier» la vessie, permet d'éliminer le problème».

Mon ami n'était pas un adepte du jogging et mon conseil sur la façon d'éviter la «vessie du joggeur» n'a pas semblé l'impressionner.

«Pourquoi le rein saigne-t-il si facilement?» me demanda-t-il en revenant au sujet du début de notre conversation.

«Je crois que personne ne connaît la raison exacte. En ce qui me concerne, la question qui m'intrigue le plus, c'est pourquoi les saignements du rein ne se produisent-ils pas plus souvent et en plus grande quantité. Saviez-vous que 25 % de tout le sang pompé par le cœur s'en va directement dans les reins? C'est beaucoup de sang à filtrer, une quantité énorme, ne croyez-vous pas, si on la compare à quelques petits saignements.»

«De plus, continuai-je, les reins sont maintenus dans leur position – sous la cage thoracique, dans la partie arrière de l'abdomen, devant les muscles dorsaux – par rien de plus qu'une couche de graisse. Aucun tissu ne les ancre à une structure solide, contrairement à un muscle rattaché à un os, par exemple, ou à d'autres organes comme la rate, le foie ou l'intestin, suspendus par des ligaments. Et les reins ne sont pas renfermés dans une cage protectrice, comme le sont les poumons et le cœur. Pour ainsi dire, les reins flottent sur un coussin de graisse.»

Il y a une ou deux générations, les médecins posaient souvent des diagnostics, fort pittoresques d'ailleurs, de «reins flottants». Ils croyaient qu'à la suite d'un mouvement excessif des reins, les uretères pouvaient s'entortiller et causer une douleur semblable à celle que provoque un calcul rénal. Quand l'attaque était sévère, on diagnostiquait une crise de Dietel, qui exigeait une correction chirurgicale. Il est étonnant de constater qu'aujourd'hui on ne pose plus que rarement, sinon jamais, ce diagnostic.

L'anatomie humaine n'a pas changé, ce sont les médecins qui ont modifié leur façon de la percevoir.

Les reins sont des organes situés au-dessus des parties intimes et en sont distants d'une bonne longueur d'avant-bras. Ils sont reliés aux parties intimes par deux longs canaux (les uretères) qui véhiculent l'urine des reins, où elle est produite, jusqu'à la vessie, où elle est emmagasinée. Les reins contrôlent également l'équilibre acido-basique des liquides du corps, en faisant varier la concentration de sel et la quantité d'eau retenue ou expulsée par le corps.

En tant qu'urologue, je pratique des opérations sur le rein, en l'excisant totalement ou en partie lorsqu'il est malade, en le réparant s'il a été blessé, ou en retirant les obstacles qui obstruent les canaux d'évacuation. Un urologue peut aussi pratiquer des opérations sur les glandes surrénales, parce qu'elles sont situées à la partie supérieure des reins, et qu'il est le chirurgien qui connaît le mieux cette région. Certains urologues pratiquent aussi des opérations sur les vaisseaux sanguins des reins, alors que d'autres préfèrent laisser cette tâche aux spécialistes de la chirurgie vasculaire.

Un urologue est un spécialiste de la chirurgie du rein, alors qu'un néphrologue est un spécialiste de la physiologie et de la pathologie du rein. La différence entre eux tient plus à leurs actions qu'à leurs connaissances. Cette dichotomie se répand partout dans le monde médical: il y a des spécialistes de la chirurgie cardio-vasculaire et des cardiologues; des spécialistes de la chirurgie du poumon et des pneumologues; des spécialistes de la chirurgie de l'intestin et des gastroentérologues; des neurochirurgiens et des neurologues. Les rivalités de territoire sont plutôt rares; les spécialistes cherchent à s'aider mutuellement, comme les joueurs offensifs et défensifs d'une même équipe.

Lorsqu'un patient souffre d'une affection rénale qui peut être traitée par des médicaments, une modification du régime alimentaire ou un changement de style de vie, il devrait consulter un néphrologue. Lorsque le rein doit être examiné à l'aide d'un instrument ou nécessite une chirurgie, le patient doit consulter un urologue.

Les affections du rein dont il sera question dans ce chapitre sont: une lésion au rein, les maladies de l'artère rénale, les kystes rénaux externes et internes, les cancers, les calculs rénaux, les obstructions rénales, les maladies des unités de filtration et l'insuffisance rénale; nous traiterons aussi de la dialyse et de la transplantation rénale.

Lésion au rein

Comme je l'ai déjà indiqué, un léger coup sur le rein peut provoquer un écoulement microscopique de sang dans l'urine. Un coup plus sévère peut provoquer une déchirure du tissu rénal. Une accumulation de sang peut alors se produire à l'extérieur du rein. Si l'accumulation est minime, une transfusion sanguine et du repos au lit constituent le meilleur traitement. Même si la déchirure provoque beaucoup de sang dans l'urine, un traitement plus radical n'est pas approprié. Si on tente de réparer la déchirure, il peut en résulter souvent une perte partielle de la substance rénale et parfois, la perte totale du rein blessé. Lorsque les transfusions sanguines ne suffisent pas à maintenir la tension artérielle, une intervention chirurgicale s'impose.

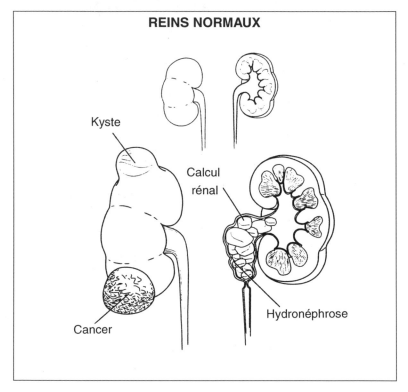

REINS NORMAUX

Kyste

Calcul rénal

Cancer

Hydronéphrose

Lorsque la blessure est causée par un objet pénétrant, comme une lame de couteau ou une balle de fusil, on fait appel plus souvent à la chirurgie, en partie à cause des possibilités d'infection. Je me souviens d'avoir assisté un chirurgien qui opérait un patient blessé d'un coup de feu. La balle avait pénétré par l'abdomen près du nombril, avait traversé le gros intestin et s'était logée près du rein gauche. Nous avons constaté que la balle avait transpercé la veine rénale de part en part, en laissant une déchirure de 2,5 cm sur chaque paroi de la veine. Le patient a survécu mais il a perdu son rein. Il s'était écoulé environ une heure et demie entre le moment du coup de feu et celui où l'épanchement sanguin a été contrôlé. Vous vous demandez sans doute comment il se fait que le patient n'a pas perdu tout son sang, avec une déchirure majeure à une veine où circule plus de 10 % de tout le sang. La raison est double: une telle blessure provoque un spasme de l'artère rénale qui diminue l'afflux de sang vers le rein et l'accumulation de sang dans la couche de graisse empêche l'écoulement de se poursuivre.

J'ai revu ce patient un mois plus tard. Il semblait en pleine forme. Il n'avait vraiment plus l'air cadavérique qu'il affichait sur la table d'opération et j'ai eu peine à le reconnaître.

Maladies de l'artère rénale et hypertension

L'hypertension affecte 10 % de la population adulte de l'Amérique du Nord. Chez ces personnes, les lectures de la tension artérielle sont supérieures à 140 sur 90. Ce dernier nombre, qui mesure la pression diastolique, est considéré comme le plus important; le premier nombre, qui caractérise la pression systolique, reflète le plus souvent la nervosité du moment. Lorsque la pression diastolique est supérieure à 95, des médicaments sont généralement prescrits pour diminuer la tension artérielle.

Pour 90 % des gens qui en souffrent, la cause de l'hypertension est inconnue; on donne à cette dernière le nom d'hypertension essentielle. L'expression «hypertension essentielle» est un euphémisme médical pour «essentiellement inconnue». Pour la plupart des gens de ce large segment de la population qui souffrent d'hypertension légère, on recommande de manger moins salé et de perdre du poids. Mais lorsque la pression diastolique se maintient au-dessus de 95, il faut prescrire des médicaments. Le premier médicament prescrit peut être un diurétique, comme l'hydrochlorothiazide. Ce médicament provoque des mictions plus abondantes, diminuant le volume de liquides dans le corps, y inclus le sang, et permettant ainsi d'abaisser la tension artérielle. Un deuxième médicament, un bêtabloquant comme le propanolol (Inderal), peut être prescrit. Ce type de médicament, dont il existe actuellement une dizaine de sortes, relâche les muscles des parois des artères et par conséquent, abaisse la tension artérielle. Lorsque cette dernière demeure trop élevée, on peut prescrire des médicaments plus forts, comme le méthyldopa (Aldomet) ou la guanéthidine (Ismelin). Comme nous l'avons indiqué au chapitre II, la plupart de ces médicaments contre l'hypertension peuvent entraîner l'impuissance. Lorsque l'impuissance peut être directement associée aux médicaments contre l'hypertension, il peut être indiqué de modifier le traitement et de prescrire plutôt des inhibiteurs calciques comme le diltiazem (Cardizem) ou la nifédipine (Adalat), ou un des inhibiteurs de l'enzyme de conversion de l'angiotensine (IECA), maintenant largement utilisés, comme le captopril (Capoten) ou l'énalapril (Vasotec). Ces deux types de médicaments, les inhibiteurs calciques et les IECA sont devenus des médicaments de première ligne, parce qu'ils sont bien tolérés par les patients et moins associés à une diminution de la puissance sexuelle.

Sur les 10 % de cas d'hypertension qui restent, la moitié des cas sont dus à des déséquilibres hormonaux causés par des maladies des glandes surrénales. L'autre moitié des cas sont dus à des maladies du rein, causées en proportion égale par des dérangements rénaux (comme des calculs, des infections, des kystes, des tumeurs, et comme les maladies des unités de filtration (les tubules)) et les maladies de l'artère rénale. Ainsi, l'hypertension dite rénovasculaire, causée par une maladie de l'artère rénale, ne compte que pour 2,5 % du nombre total de patients souffrant d'hypertension.

Cela représente quand même beaucoup de patients, et ce sujet vaut la peine d'être traité parce que si elle est diagnostiquée à temps, cette hypertension est réversible.

Avant les expérimentations menées par Goldblatt, en 1932, on soutenait généralement que l'hypertension endommageait les vaisseaux sanguins, qui à leur tour réduisaient le débit sanguin. Goldblatt fut le premier à démontrer que c'était l'inverse qui était vrai: une diminution du flux sanguin vers le rein, due à des maladies de l'artère rénale, provoque l'hypertension. Le flux sanguin réduit dégageait une substance dans le réseau sanguin, qui provoquait une hypertension. Des années plus tard, on a identifié la substance chimique responsable de cette hypertension. C'est une enzyme, appelée rénine, produite par une cellule spécifique du rein. Pour neutraliser l'action de cette enzyme, on a élaboré de nouveaux médicaments, dans la classe des IECA, comme le captopril (Capoten) et l'énalapril (Vasotec).

Kystes rénaux

Les kystes rénaux sont des cavités anormales, dont le contenu est liquide, qui se forment à la surface ou à l'intérieur du rein. Il peut y en avoir un ou plusieurs, de différentes dimensions: de la grosseur d'un noyau de cerise à celle d'un gros cantaloup. Comme les examens de l'abdomen aux ultrasons sont de plus en plus courants, on diagnostique de plus en plus de kystes rénaux. Il y a 10 % des gens qui souffrent de kystes rénaux. Un kyste simple, peu importe sa grosseur, s'il est situé à la surface du rein, est rarement accompagné de symptômes ou de dérangements. Dans un tel cas, un suivi médical annuel comportant un examen aux ultrasons suffit. Un kyste géant, de la grosseur d'un cantaloup et même encore plus gros, peut provoquer des malaises ou comprimer les organes adjacents. Dans ces rares cas, il faut ponctionner le kyste, et instiller un produit chimique cicatrisant, comme l'atabrine ou l'alcool absolu. Cette technique ne réussit pas toujours, mais elle vaut la peine d'être tentée.

Trois autres types de kystes sont beaucoup plus préoccupants: le kyste parapelvien, la maladie polykystique du rein et le kyste complexe.

Kyste parapelvien

Un kyste parapelvien est un kyste simple dont la position est embarrassante. Il est situé à l'endroit où les vaisseaux sanguins importants sont rattachés au rein et où l'urine passe du bassinet dans l'uretère. Les médecins hésitent à ponctionner un kyste situé à cet endroit, parce qu'ils craignent d'endommager les vaisseaux sanguins et urinaires. Lorsque ce kyste grossit, il peut obstruer l'écoulement de l'urine. À quelques occasions, j'ai dû procéder à une exploration chirurgicale pour drainer ce type de kyste.

La maladie polykystique du rein

La maladie polykystique du rein est une maladie causée par une anomalie génétique ou le gène dominant défectueux se transmet d'une génération à l'autre. Les enfants d'un sujet atteint risquent dans 50 % des cas d'hériter du gène défectueux. Cette maladie est caractérisée par la présence de plusieurs kystes, non seulement à la surface du rein mais partout dans l'organe. À la naissance, les kystes sont minuscules, mais avec le temps, ils grossissent. Les problèmes commencent à se manifester à l'âge adulte, quand les kystes, en grossissant, détruisent petit à petit les cellules saines du rein. Avec le temps, ce dernier ressemble à une grosse éponge. Des épanchements de sang se produisent souvent dans l'un des plus gros kystes. Quand ces patients atteignent la cinquantaine, leur état nécessite souvent une dialyse ou une transplantation rénale. Mais comme cette maladie ne se manifeste qu'à l'âge adulte, l'anomalie a déjà été communiquée à la génération suivante.

Kyste complexe

Un kyste complexe diffère d'un kyste simple par le fait qu'il peut contenir des vésicules filles ou des dépôts de calcium sur ses parois. Ce type de kyste peut être causé par un cancer. Un kyste simple qui a été blessé et qui s'est peut-être rempli de sang peut avoir l'aspect d'un kyste complexe, ce qui rend plus difficile le choix du traitement approprié. À l'hôpital où j'exerce, les cas de cette nature sont portés à l'attention de toute l'équipe médicale et on tente d'établir un consensus sur la manière de les traiter: ou nous attendons en assurant un suivi médical ou nous décidons d'opérer. Il nous est arrivé de nous tromper. Depuis quelques années, un examen tomodensitométrique (scanner assisté par ordinateur) accompagné d'une injection de colorant, appelé scanner dynamique, permet de poser un diagnostic plus précis.

Cancer du rein

Il existe différents types de cancers du rein. L'un d'eux, appelé tumeur de Wilms, survient presque exclusivement chez les enfants, quoiqu'on peut le rencontrer, mais très rarement, chez les jeunes adultes. L'ablation de la tumeur suivie d'une radiothérapie ou d'une chimiothérapie présente un taux de guérison de 90 %.

Un angiomyolipome est une autre tumeur qui se développe dans le rein. Elle peut grossir et saigner, mais elle est considérée comme bénigne parce qu'elle n'envahit pas les autres parties du corps. Il y a plusieurs années, chaque fois que la tumeur était enlevée et que les rapports du pathologiste confirmaient que la tumeur était un angiomyolipome, on s'empressait de communiquer rapidement les rapports au patient. Aujourd'hui, l'examen au scanner assisté par ordinateur permet de vérifier le diagnostic à cause du taux élevé de graisse que contient la tumeur. Quand la tumeur mesure 7 cm ou moins et ne présente pas de symptômes, plusieurs médecins choisissent simplement de surveiller son évolution, avec des examens périodiques au scanner assisté par ordinateur, et ne suggèrent une intervention chirurgicale que si la tumeur grossit de façon incontrôlable ou que du sang s'y accumule.

Des tumeurs peuvent aussi se développer dans le bassinet, une petite poche où l'urine est temporairement emmagasinée avant de s'écouler dans la vessie par l'uretère. Du rein à la vessie, les voies urinaires sont essentiellement constituées des mêmes cellules. Ainsi, ces tumeurs sont du même type que celles qui se développent dans le rein, le bassinet ou l'uretère et sont pires que celles qui se développent d'abord dans la vessie. Cela s'explique par le fait que les parois des sections des voies urinaires qui sont situées au-dessus de la vessie sont plus minces et que la tumeur peut s'y répandre plus facilement. Ce type de cancer, appelé cancer à cellules transitionnelles (ou encore cancer urothélial) fait l'objet de la section suivante.

Cancer à cellules transitionnelles (CCT)

Ce type de cancer, qui se manifeste d'abord par un épanchement indolore de sang dans l'urine, a fait l'objet d'une très vaste documentation. Il vient au septième rang des cancers qui affectent les hommes et représente 7 % de tous les nouveaux cas de cancers. Il est moins fréquent chez les femmes, dans une proportion de 3:1. Une exposition prolongée à certains produits, comme le caoutchouc, le cuir, les plastiques, la peinture, le charbon, l'encre d'imprimerie et les colorants textiles, augmente le risque de contracter ce type de cancer. Ainsi en est-il du tabac; certains produits chimiques, comme la naphtylamine-2 et les nitroamines, présents dans la fumée de cigarette, provoquent des cancers de la vessie.

La gravité d'un CCT est déterminée à partir de deux facteurs: la phase où est rendu le cancer (combien est-il avancé?) lors de son dépistage et son degré de prolifération (à quelle vitesse les cellules cancéreuses prolifèrent-elles sur la lame du microscope?). Un cancer est à la phase A quand seules les cellules superficielles sont atteintes; à la phase B, quand les muscles ont été envahis; à la phase C, quand la maladie s'est répandue au-delà des muscles mais est encore confinée à son site d'origine; à la phase D, lorsque la maladie s'est largement répandue. La tumeur peut être excisée à l'aide d'un instrument inséré dans l'urètre lorsque le cancer n'a pas infecté la moitié de l'épaisseur des couches musculaires.

Après l'ablation de la ou des tumeurs, certains médicaments peuvent minimiser les risques de récidive. Pendant une à six semaines, on instille dans la vessie un médicament, comme le BCG (Bacille de Calmette-Guérin), utilisé pour vacciner la population contre la tuberculose. C'est sans doute le traitement le plus efficace, mais on peut prescrire aussi d'autres médicaments, comme la mitomycine

(Mutamycin), la doxorubicine (Adriamycin) et l'interféron alpha-2b (Intron-A).

Parfois, il faut enlever une partie de la vessie ou la vessie entière. Dans ce dernier cas, le patient doit porter en permanence un sac urinaire pour le restant de ses jours, ou apprendre à insérer une sonde, à intervalles réguliers, pour vider sa vessie artificielle, fabriquée à partir d'une section de son intestin.

La radiothérapie et la chimiothérapie intraveineuse sont aussi utilisées pour traiter les cas avancés de CCT. Même si les protocoles de traitement sont de plus en plus standardisés, les examens permettant la détection des infections bactériennes ne sont pas encore assez précis pour aider à déterminer la médication appropriée.

Tous les urologues sont appelés à traiter des patients aux prises avec un CCT. J'ai des patients dont le cancer de la vessie n'a jamais connu de récidive mais chez qui j'effectue chaque année une cystoscopie. Plusieurs patients ont souffert de récidives distinctes, certains, jusqu'à cinquante récidives. Mais ils sont plus chanceux que les patients dont les tumeurs sont fortement enracinées et deviennent envahissantes.

La chimiothérapie intraveineuse toxique n'est pas toujours efficace, mais elle peut l'être. Je me souviens d'une de mes patientes préférées; elle souffrait à l'origine d'une tumeur de la grosseur d'une tangerine, dont les racines étaient bien incrustées dans les muscles vésicaux et dans les tissus hors de la vessie. L'ablation chirurgicale était contre-indiquée mais la chimiothérapie à base de cisplatine avait complètement éradiqué le cancer. Je peux encore voir la région où le cancer s'est développé, mais six ans après le début du traitement, il n'y a plus de signes de la maladie. Un autre patient avait souffert de plus de soixante récidives de tumeurs de la vessie, certaines d'entre elles affectant les sections inférieures de l'uretère. Des excisions répétées de ces tumeurs et une chimiothérapie de la vessie ont favorisé la guérison, et il n'y a pas eu de récidive depuis trois ans.

Adénocarcinome

On donne le nom d'adénocarcinome à une tumeur maligne qui se développe dans un rein. De tous les cancers du rein, c'est le plus fréquent et le plus mortel. L'histoire médicale de ce type de cancer, le plus imprévisible de tous les cancers, est exceptionnelle. Certaines tumeurs produisent une hormone qui stimule un excès de production d'hématies (globules rouges) et d'autres tumeurs produisent une hormone qui augmente à des niveaux dangereux le taux de calcium dans le sang. Certains de ces cancers s'étendent uniquement au cerveau, aux poumons et aux os, sans affecter une autre partie du corps. D'autres tumeurs prolifèrent directement dans le système veineux, permettant à un caillot formé de cellules cancéreuses de se propager du rein au cœur. Parfois, des chirurgies héroïques de ces tumeurs et de leurs excroissances dans les cavités du cœur ont assuré la guérison. C'est aussi parfois le seul traitement approprié pour ces types de cancers, parce que la radiothérapie et la chimiothérapie sont inefficaces. Dans le cas d'une de mes patientes affectée d'une tumeur qui s'était propagée au cœur, on a dû recourir à un cœur artificiel pendant que la tumeur était excisée. Il y a cinq ans de cela; elle n'a eu aucune récidive et est redevenue une excellente skieuse.

Aujourd'hui, heureusement, les examens aux ultrasons permettent un diagnostic plus précoce, avant que les symptômes n'indiquent une maladie avancée. Les trois signes qui permettent de diagnostiquer ce type de cancer sont: la présence indolore de sang dans l'urine, la présence d'une masse palpable et une douleur dans la région de la tumeur. La méthode TNM (T pour tumeur, N pour nodosité et M pour métastase) permet de préciser la phase où en est rendue la tumeur. En phase 1, la tumeur est confinée au rein; en phase 2, elle s'est répandue à l'extérieur de la capsule fibreuse du rein mais elle est confinée à la couche de graisse où le rein «flotte»; en phase 3, la tumeur s'est répandue dans les veines rénales ou les ganglions lymphatiques adjacents; en phase 4, l'infection s'est répandue au-delà des ganglions lymphatiques. Cette classification est quelque peu théorique et moins significative que dans les cas du cancer de la prostate ou de la vessie, parce qu'il n'existe pas de traitement efficace lorsque le cancer est en phase avancée. Faut-il procéder à une chirurgie quand le cancer présente des métastases? Cette question provoque une vive controverse. Certains experts croient qu'une intervention chirurgicale prolonge rarement sinon jamais la vie et n'ajoute rien à la qualité de vie. D'autres croient que l'ablation de la tumeur mère minimise suffisamment la progression des métastases pour qu'un certain espoir soit donné au patient, en ajoutant qu'une tumeur laissée à elle-même est inévitablement cause de saignements sévères et de douleurs.

Récemment, on a exploré différentes façons de traiter les cancers du rein qui se propageaient dans des régions du corps éloignées de leur lieu d'origine. Steven Rosenberg, du *National Cancer Institute* du Maryland, a dirigé une équipe qui étudiait l'utilisation de produits biologiques artificiels fabriqués à partir d'une technique génétique. Jusqu'à maintenant, des expérimentations limitées de différents médicaments, comme l'interleukine 2 (IL-2), les lymphocytes T suppresseurs et les lymphocytes T facilitateurs ont donné des résultats remarquables dans dix à trente pour cent des cas.

Pourquoi plus de cancers n'ont-ils pas été guéris grâce à ces médicaments génétiquement fabriqués? La réponse est assez simple: prélevez chez un patient quelques cellules cancéreuses, inactivez-les, puis réintroduisez-les ou provoquez la formation d'anticorps dans un animal quelconque ou même dans un milieu de culture. Cela ne fonctionne pas parce que les modifications génétiques provoquées par un cancer sont trop subtiles pour être détectées par les mélanomes et des cancers du rein, la plupart des cancers qui se manifestent spontanément chez un être humain ne peuvent pas être «reconnus» par son système immunitaire, et par conséquent, toute manipulation immunologique est impossible.

Calculs rénaux

Les urologues passaient généralement 10 % de leur temps à traiter des patients souffrant de calculs rénaux. Quand un calcul rénal obstruait les voies urinaires, la souffrance était atroce et s'il était doublé d'une infection, ce qui se produisait souvent, une intervention chirurgicale urgente s'imposait. C'était un des rares cas urgents en urologie. Cela a changé complètement depuis quelques années. Maintenant, on pulvérise les calculs au moyen des ultrasons. L'enlèvement des calculs qui ne se pulvérisent pas ne nécessite plus une large incision de 25 cm. On utilise plutôt une sonde (de la grosseur d'un crayon) insérée dans le rein par ponction percutanée qui brise le calcul, en retire les fragments et permet l'évacuation de l'urine.

L'appareil à ondes de choc a révolutionné la façon de traiter les calculs rénaux. Les ondes de choc sont produites par une succession rapide de décharges électriques, un peu comme le fait une bougie dans un moteur d'automobile, sauf que les décharges se produisent dans l'eau. Les ondes électro-hydrauliques vaporisent le liquide entre les électrodes, créant des ondes de choc qui se propagent de façon circulaire. Comme les étincelles se produisent dans un contenant ellipsoïdal, les ondes de choc sont réfléchies vers un point focal situé à l'extérieur de l'ellipse, un peu comme les rayons solaires que l'on concentre à travers une loupe pour embraser un morceau de papier. L'instrument est placé de façon que le calcul, dans le rein ou dans l'uretère, soit situé au point focal.

Comme toute innovation médicale, cet instrument n'est pas une panacée pour tous les calculs rénaux. Comme je l'ai indiqué plus haut, certains calculs, comme les calculs cystiniques et certains calculs calciques, sont extrêmement durs et ne se brisent pas bien quand ils sont bombardés d'ondes de choc. Mille à six mille chocs sont nécessaires pour briser chaque calcul. Certains calculs se brisent en calculs plus petits et ils sont difficiles à éliminer. Et même quand l'utilisation des ondes de choc a été couronnée de succès, des poussières de calculs peuvent parfois obstruer les voies urinaires ou de l'hypertension et des dérangements fonctionnels du rein peuvent survenir après coup. Malgré ces aspects négatifs, l'utilisation des ondes de choc a avantageusement remplacé la chirurgie brutale, qui n'était pas exempte non plus de complications. Je n'hésite pas à recommander ce type de traitement à mes patients.

Les très gros calculs, qui mesurent plus de 3 cm de diamètre, sont d'abord «dé-groupés», en insérant dans le rein une sonde semblable à celle qu'on utilise pour examiner l'intérieur de la vessie. On utilise ensuite les ultrasons ou le laser pour briser le calcul, un peu comme un marteau pneumatique brise un trottoir. Les fragments sont ensuite retirés ou enlevés par rinçage. Un tuyau de la grosseur d'un cathéter est laissé en place, du rein vers l'extérieur. Les débris, qui ressemblent à du sable, peuvent être enlevés par rinçage au cours des jours qui suivent le traitement grâce à une irrigation continuelle du système urinaire. Lorsque des fragments plus gros sont encore présents, l'instrument à ondes de choc ou l'extraction à l'aide d'un mince instrument flexible complète le travail. L'utilisation des ondes de choc et l'extraction des fragments ne nécessitent généralement pas d'anesthésie.

Lorsque les calculs mesurent de 1 à 3 cm, un mince tuyau en forme de J est inséré pour faire un «pont» entre le rein et la vessie. On procède ensuite à un traitement aux ondes de choc, suivi d'une radiographie deux semaines plus tard. Dès que tous les fragments ont passé, le tuyau est enlevé. L'utilisation d'un tel tuyau n'est pas nécessaire dans le cas des calculs qui mesurent moins de 1 cm.

Le traitement aux ondes de choc peut aussi être utilisé dans le cas des calculs urétéraux. Parfois, la position d'un calcul dans l'uretère rend ce traitement difficile, parce que les ondes de choc ne se propagent pas à travers les os.

Même si l'appareil à ondes de choc représente un développement majeur en médecine, il peut être qualifié de technique de fin de ligne, comme l'a été le poumon d'acier pour combattre la poliomyélite, dont les résultats étaient beaucoup moins satisfaisants que ceux du vaccin Salk. Dans le cas des calculs, nous avons besoin de l'équivalent d'un vaccin, qui pourrait prévenir leur formation.

Les recherches dans ce sens ont progressé quelque peu. Dans quelque 10 % des cas, on peut déterminer la cause de la formation des calculs et appliquer les mesures correctives appropriées, qui permettent de minimiser sinon d'éliminer le problème. Mais 10 % ne représente pas une grande proportion.

Types de calculs rénaux

Il y a trois types de calculs rénaux qui affectent le corps humain. (En fait, il y en a beaucoup plus que trois, mais tous les autres types de calculs se rencontrent tellement rarement qu'il ne vaut pas la peine de les mentionner.) Il y a les calculs contenant du calcium, qui représentent 70 % de tous les calculs; les calculs associés à une infection de l'appareil urinaire causée par les bactéries qui décomposent l'urée, qui représentent 20 % des calculs; les calculs causés par un mauvais fonctionnement du métabolisme du corps, composés d'acide urique et de cystine, qui représentent 10 % des calculs.

Examinons les caractéristiques de ces types de calculs selon un ordre croissant de leur fréquence.

Calculs cystiniques

Ils ne représentent que 1 % de tous les calculs. Ils se développent quand l'organisme ne peut pas retourner dans le réseau sanguin la cystine, un acide aminé qui se forme dans l'urine à l'intérieur du rein.

Incidemment, le rein se comporte plus comme une poche remplie de monnaie que comme un classeur dont on peut tirer la fiche voulue à n'importe quel moment. Tout comme il vous faudra peut-être vider votre poche avant de trouver la pièce que vous désirez (une pièce d'un cent ou de dix cents), le rein déverse dans le filtre tout le flux sanguin, à l'exception des globules, et récupère une à une certaines substances voulues, qui sont ensuite retournées dans le sang.

Dans le cas d'un calcul cystinique, la protéine appelée cystine ne peut pas être récupérée et retournée dans le sang. Cela peut se produire suite à une anomalie spécifique où lorsqu'il y a des pertes dans les urines d'autres acides aminés qui caractérisent une maladie rénale rare appelée syndrome de Fanconi. Certains médicaments empêchant la formation de calculs cystiniques ont été élaborés, comme la Pénicillamine-D et le Théola. Ces médicaments peuvent être efficaces, mais ils sont dispendieux et entraînent des effets secondaires.

Calculs d'acide urique

Les calculs d'acide urique, qui représentent environ 10 % de tous les calculs, se produisent suite à une destruction cellulaire massive, causée par le traitement de certains cancers, comme les lymphomes et les leucémies. Ils peuvent aussi survenir dans des circonstances habituelles chez les gens génétiquement prédisposés à cette maladie. Le médicament appelé allopurinol diminue la formation d'acide urique dans le sang, et une substance chimique qui précède la formation de calculs devient le déchet final. Lorsque des calculs d'acide urique sont déjà formés, le fait d'alcaliniser l'urine aide à les dissoudre. L'acide urique se dissout quatorze fois plus facilement dans une urine alcaline que dans une urine neutre ou acide.

Calculs d'origine bactérienne

Lorsque les bactéries, et plus particulièrement le proteus, infectent l'urine, elles transforment l'urée en une substance chimiquement instable qui pour se stabiliser «avale» les molécules d'hydrogène environnantes. La diminution d'hydrogène rend le milieu hautement alcalin, favorable à la formation de calculs. Les calculs d'origine bactérienne représentent 20 % de tous les calculs. Le traitement de l'infection urinaire empêche la formation de nouveaux calculs. Lorsque des calculs d'origine bactérienne sont déjà formés, le traitement de l'infection ou des tentatives d'acidification sont inefficaces; les calculs doivent être retirés.

Calculs calciques

Soixante-dix pour cent de tous les calculs rénaux contiennent du calcium. Ils surviennent lorsque le sang ou l'urine, ou les deux, renferment trop de calcium.

Parfois, on sait pourquoi les taux de calcium sont trop élevés. Ainsi, un patient peut boire trop de lait, ou encore, il peut y avoir une surabsorption par le sang du calcium provenant de l'intestin, suite à une ingestion excessive de vitamine C. Pour des raisons moins claires, une maladie appelée sarcoïdose ou un empoisonnement au béryllium sont aussi associés à une augmentation de l'absorption par le sang du calcium provenant de l'intestin.

De trop grandes quantités de calcium peuvent aussi être excrétées dans l'urine lors d'une augmentation de la mobilisation du calcium des os, comme cela se produit lors d'une parathyroïdie ou d'une maladie primaire ou secondaire des os, comme la maladie de Paget, un cancer des os, ou une immobilisation prolongée du corps après un accident. L'acidose rénale, le diabète, une hyperactivité de la thyroïde et des injections de cortisone sont aussi des conditions cliniques associées à un excès de calcium dans l'urine. Mais la raison la plus courante pour expliquer un excès de calcium dans l'urine est «idiopathique», ce qui signifie: «nous ne connaissons pas la raison.»

Pour établir la différence entre un excès de calcium dû à une surabsorption par l'intestin et un excès dû à une surproduction dans le rein, on administre au patient à jeun une dose supplémentaire de calcium, qui affectera les substances surabsorbant le calcium dans l'intestin mais non les substances surproduisant le calcium dans le rein. Quand cette distinction est faite, on peut décider des contre-mesures appropriées. Ainsi, on recommande un régime à faible teneur en calcium. Aux patients dont les reins libèrent trop de calcium, on prescrit de l'hydrochlorothiazide, un médicament qui favorise le retour du calcium dans le sang. Mais même quand la distinction ne peut pas être faite, l'hydrochlorothiazide s'est avéré efficace pour diminuer le risque de formation ultérieure de calculs.

Pendant que ce médicament retourne dans le sang le calcium qui a pu être libéré de l'urine, le taux d'acide urique dans le sang augmente, parce que cet acide prend le même chemin. Par conséquent, on peut avoir à prescrire un deuxième médicament, l'allopurinol.

Ici se termine la description de ces types de calculs rénaux. Si vous avez déjà souffert de calculs dans un rein, le risque de récidive dans le même rein est de 20 à 25 % et dans l'autre rein, de 10 à 15 %. En lisant ces données, certaines personnes concluront qu'un taux de non-récidive de 75 % est excellent et choisiront de ne rien faire. D'autres s'inquiéteront d'une possibilité de récidive dans une proportion 1:4 ou 1:5. À ces personnes-là, je fais les recommandations suivantes:

1. Buvez suffisamment de liquides pour produire 2 l d'urine par jour. Mesurez votre quantité quotidienne moyenne en urinant dans une bouteille. Pas d'estimation. Vous pourriez être étonné de constater combien grande ou combien petite est votre quantité quotidienne d'urine.

2. Passez un test sanguin de routine, pour déterminer spécifiquement vos taux de calcium, de phosphates, de parathormone et d'acide urique.

3. Faites faire une analyse de vingt-quatre heures d'un échantillon d'urine.

4. Si les résultats du test sanguin et de l'analyse d'urine permettent de détecter une anomalie, consultez votre médecin.

5. Si les résultats sont normaux, vous n'avez pas à modifier votre régime alimentaire, mais n'abusez pas du lait et des produits laitiers, comme le fromage et la crème glacée.

6. Si de nouveaux calculs se développent à intervalles réguliers, prenez des boissons au citron, ou de l'hydrochlorothiazide ou des médicaments contenant du magnésium.

Obstructions urinaires

Les voies urinaires peuvent être obstruées à tous les points de leur parcours – aux niveaux du rein, de la vessie ou du point de sortie de l'urine. À l'intérieur du rein, l'obstruction peut survenir à différents endroits, mais la plupart du temps, elle se produit à la jonction du bassinet et de l'uretère, et provoque une dilatation du bassinet appelée hydrophrénose.

L'hydrophrénose peut être douloureuse, particulièrement lorsque le rein affecté emmagasine plus de liquide qu'il ne peut en traiter. L'augmentation de pression peut alors endommager et détruire le rein. La condition peut aussi être stable, lorsqu'il y a dilatation sans augmentation de dommages au rein. Le degré de douleur ou d'inconfort et les résultats des radiographies et des explorations radio-isotopiques permettent de décider d'éliminer ou non l'obstruction partielle.

La technique la plus couramment utilisée consiste à exciser le tissu de la jonction et de refaire la jonction. L'examen du tissu excisé a porté certains experts à croire que le problème était dû à la faiblesse de certains muscles de cette région. D'autres chercheurs croient que le problème ne réside pas dans les muscles mais se situe plutôt au niveau de la transmission des messages électriques à travers le système.

Comme la plupart des urologues, j'ai procédé à un très grand nombre de corrections chirurgicales, en utilisant différentes techniques et en pratiquant différents types d'incisions de la peau. Récemment, j'ai adopté une technique qui vient d'Espagne qui consiste à pratiquer une incision verticale dans le dos. La peau, la graisse et les ligaments sont coupés mais les nerfs et les muscles sont épargnés. C'est la technique qui me satisfait le plus.

Quand une obstruction a provoqué la formation d'une cicatrice sur le tissu, cette dernière est excisée à l'aide d'instruments semblables à ceux qu'on utilise pour extraire un calcul. Il devient de plus en plus évident que cette technique peut être utilisée en premier, dans le cas d'une jonction bassinet-uretère qui n'a jamais été opérée.

Maladies des unités de filtration

Il y a plus d'un million d'unités de filtration, appelées néphrons, dans chaque rein. Leur nom scientifique est glomérules et leur inflammation porte le nom de glomérulonéphrite. C'est la cause la plus fréquente de l'insuffisance rénale.

Cette maladie a fasciné les médecins pendant plus de cent ans et petit à petit, beaucoup de ses secrets ont été révélés. Dans sa forme la plus courante, la maladie évolue comme suit: il se produit une infection de la gorge par une bactérie spécifique appelée streptocoque. Le corps combat cette bactérie par une réaction immunitaire, en fabriquant des anticorps. Ces anticorps, de petites protéines dont la production est déclenchée par un antigène, se fixent aux bactéries. Les particules immunocomplexes, constituées d'anticorps et de la bactérie, se fixent alors au niveau des glomérules. L'accumulation de ces particules peut provoquer une inflammation, un peu comme une écharde dans le doigt. Dans 90 % des cas, le corps vient à bout de l'inflammation, les lésions aux glomérules disparaissent et la guérison du patient est complète. Dans 10 % des cas, les lésions aux glomérules s'aggravent progressivement dans les deux reins qui ne peuvent plus remplir leur rôle, se ratatinent et finissent par devenir des organes inutiles, remplis de cicatrices.

Jusqu'à présent, nous n'avons pas pu modifier le cours de ces événements, mais les recherches des moyens de guérir sinon de contrôler la maladie se poursuivent. Nous savons déjà qu'elle n'est pas causée par tous les types de streptocoques, mais seulement par les streptocoques d'un type immunologique spécifique. Nous savons aussi qu'une réaction immunitaire inadéquate aux globules blancs provoque une maladie inflammatoire appelée lupus érythémateux, qui peut détruire le rein de la même façon que les streptocoques. Nous avons pu déterminer que les particules immunocomplexes se fixent à différents endroits sur les glomérules. Nous avons appris que ces particules peuvent se combiner chimiquement avec d'autres globules blancs ou d'autres produits chimiques qui peuvent détruire d'autres cellules. Nous avons tenté de faire obstacle à ces réactions à l'aide de la cortisone, qui inhibe toutes les réactions inflammatoires et nous avons utilisé des immunodépresseurs en espérant modifier les réactions du corps et des anticoagulants pour diminuer la viscosité. Nous avons appris comment contrôler l'ingestion de liquides à différents stades de la maladie et à modifier le régime alimentaire pour moins éprouver le rein. Nous avons élaboré des moyens pour étudier la progression de la maladie; par exemple, en prélevant des échantillons de tissus de la grosseur d'une aiguille et en les examinant au microscope électronique, qui permet de grossir un million de fois. Il est inévitable qu'un jour ou l'autre, nous pourrons prévenir cette maladie, peut-être à l'aide d'un type spécifique d'immunisation, ou réduire les réactions nocives, peut-être à l'aide de nouveaux médicaments ou empêcher la formation des tissus cicatriciels à l'aide de médicaments auxquels nous n'avons pas encore songé. Au moins, nous n'avons plus à accepter le décès précoce et prématuré d'un patient comme nous devions malheureusement le faire avant que soient élaborées les techniques de la dialyse et de la transplantation rénale.

Dialyse

Il est impossible de faire la distinction entre un rein qui s'est ratatiné suite à une glomérulonéphrite et un rein fortement endommagé par une infection, le diabète ou l'hypertension. Tous les reins dans cette condition se ressemblent: ce sont des organes non fonctionnels inutiles. Mais quand les reins ne fonctionnent plus, la vie du patient peut être préservée grâce à la dialyse, une technique qui supplée les reins. Il y a deux types de dialyses: la dialyse péritonéale et l'hémodialyse.

La dialyse est une technique utilisée pour éliminer les produits de déchet du sang. Dans la dialyse péritonéale, on instille de l'eau dans l'abdomen où elle séjourne pendant un certain temps puis elle est évacuée, en entraînant avec elle les produits de déchet. Dans l'hémodialyse, on fait passer le sang du patient dans un rein artificiel qui le débarrasse des produits de déchet et retourne ensuite le sang purifié dans le corps du patient. Trois séances de trois heures de dialyse chaque semaine suffisent pour suppléer le travail des reins.

La vie d'un patient sous dialyse n'est jamais agréable. La dialyse péritonéale présente toujours un risque d'infection ou de péritonite. Quant à l'hémodialyse, l'appareil immobilise le patient pendant des heures qui semblent interminables. Mais tout de même, la vie peut continuer.

Avant les années 40, la dialyse n'existait pas. Les patients qui souffraient d'insuffisance rénale étaient gardés dans des chambres obscures où on essayait en vain de baisser leur tension artérielle en leur faisant subir des lavements au sulphate de magnésium. Ce traitement était rarement efficace. La maladie évoluait inévitablement vers les convulsions, le coma et la mort.

L'invention du rein artificiel par William Kolff, un jeune médecin allemand, a permis de sauver d'innombrables vies. J'ai toujours été fasciné par le fait que cette invention a vu le jour pendant la Deuxième Guerre mondiale, dans le pays occidental probablement le plus ravagé par la guerre.

Le Dr Kolff assistait à une conférence sur les membranes semi-perméables et il se demandait si les principes qui régissent les mouvements de l'eau et des solides à travers de telles membranes ne pourraient pas s'appliquer au traitement de l'insuffisance rénale. Il a prélevé un échantillon de sang d'un patient à l'article de la mort, l'a déposé dans un sac de cellophane et a plongé le sac dans un bain d'eau qui renfermait les mêmes éléments que le liquide corporel normal. Après un certain temps, il a réexaminé le sang et l'a trouvé exempt de déchets urémiques. Selon toute logique, l'étape suivante consistait à faire couler le sang de façon continue dans un tube de cellophane immergé dans un bain d'eau et de créer ainsi un rein artificiel. Le tube utilisé par Kolff était en fait un boyau qu'il s'était procuré dans une fabrique de saucisses!

Transplantation rénale

Certains patients préféreront peut-être une transplantation rénale à une dialyse. Si le donneur a une bonne compatibilité avec le receveur, les chances que le rein greffé fonctionne d'une façon satisfaisante pendant plus de cinq ans sont de 90 %. Si la compatibilité est moins grande (lorsque, par exemple, le donneur et le receveur ne sont pas apparentés), les chances de succès sont de 70 %, ce qui représente un taux de risque acceptable, surtout si un retour à la dialyse est possible en cas de rejet du rein greffé.

La technique de la transplantation rénale n'a pas changé beaucoup depuis qu'elle a été pratiquée pour la première fois d'un patient à son frère jumeau identique par des médecins de Boston, dans les années 50. Le Dr Kuss, un chirurgien français, a d'abord suggéré de placer le rein d'un donneur dans le bassin contre le sacrum. On croyait qu'un rein placé hors de sa position naturelle fonctionnerait moins bien. C'était une fausse inquiétude, comme l'était la crainte qu'un rein sans ses connexions nerveuses normales pourrait moins bien fonctionner. L'opération chirurgicale consiste à rétablir trois connexions; l'artère rénale du rein du donneur à une artère du receveur, généralement l'artère iliaque interne; la veine rénale du rein du donneur à une veine du bassin appelée veine iliaque; et l'uretère du rein du donneur à la vessie du receveur. Ces connexions vasculaires sont relativement faciles: les donneurs sont généralement de jeunes adultes présentant des vaisseaux flexibles et faciles à manipuler. La connexion doit être effectuée avec beaucoup de soins. Les médicaments immunodépresseurs administrés pour éviter le rejet par le corps du receveur du rein greffé inhibent en même temps le processus de cicatrisation, et des fuites peuvent se produire. Des infections possibles font aussi l'objet d'une attention spéciale.

L'appariement donneur-receveur et l'élaboration de nouveaux médicaments, même s'ils deviennent plus sophistiqués, n'ont pas représenté une percée médicale révolutionnaire au cours des vingt-cinq dernières années.

Les problèmes reliés à la transplantation rénale n'ont pas tous été résolus, mais les résultats obtenus étaient suffisamment valables pour qu'on commence à procéder à la transplantation d'autres organes, dont aucun appareil ne pouvait suppléer les fonctions, comme le cœur, les poumons, le foie ou le pancréas.

Au Canada, la première transplantation rénale eut lieu en 1958, à l'hôpital Royal Victoria, où j'avais fait mon internat et où j'étais devenu, par la suite, membre de l'équipe médicale. J'étais alors entraîné par le courant d'énergie créatrice qui animait les membres de cette institution à cette époque. Cet hôpital a été l'un des premiers à lancer un programme de transplantation où étaient utilisés les reins de personnes décédées qui en avait fait don à la médecine. J'étais encore un résident quand on m'a confié la mission d'aller prélever des organes sur des personnes récemment décédées. D'un hochement de la tête, le cardiologue indiquait que le cœur ne battait plus et que les prélèvements pouvaient commencer.

Christiaan Barnard et la transplantation cardiaque ont modifié tout cela. Les organes prélevés après un arrêt cardiaque étaient souvent endommagés, suite à un manque d'oxygène. Le problème était moins aigu dans le cas du prélèvement d'un rein, parce que l'appareil à dialyse pouvait maintenir le patient en vie jusqu'à ce que le rein soit greffé, mais un tel appareil supplétif n'existait pas pour le cœur. En associant le moment du décès à l'arrêt des ondes cérébrales plutôt qu'à celui des battements du cœur, les médecins pouvaient prélever des organes plus sains pour les transplantations. Le dilemme moral était peut-être résolu, mais pour les médecins impliqués, prélever un organe sur un patient dont le cœur battait encore n'était pas sans les troubler profondément. L'inévitable perte de sang et les lésions à des vaisseaux sanguins importants provoqueraient sans doute un réflexe cervical qui accélérerait le pouls et les pulsations cardiaques. Je ne pouvais m'empêcher de penser que je prélevais un organe d'un corps qui réagissait encore. Peut-on réduire au silence des ondes cérébrales quand la pulsation cardiaque permet d'espérer une guérison possible?

Est-ce que j'étais complice de voies de fait, voire d'un meurtre? À ma courte honte, je dois avouer que nous étions prêts à prélever les reins des condamnés à mort après leur exécution, avant que la peine de mort soit abolie au Canada.

Au cours de mon internat en urologie, j'ai été appelé à participer à la résolution du problème du rejet d'organe. On m'a envoyé à La Jolla, en Californie, pour me familiariser avec la transplantation rénale chez les rats. Le Dr Sun Lee avait élaboré un modèle qui avait été utilisé dans le laboratoire du Dr Frank Dixon pour étudier la glomérulonéphrite. Mon directeur de recherche, le Dr John Dossetor, a émis l'hypothèse qu'en utilisant une portée de rats consanguins comme donneurs et une autre portée de rats consanguins comme receveurs, nous obtiendrions un modèle qui nous permettrait d'étudier les mécanismes de la transplantation rénale et de modifier le phénomène de rejet. Imaginez mon extase quand en résolvant le problème de rejet chez les rats, j'ai constaté que cette solution ne pouvait être appliquée à d'autres espèces. J'ai obtenu un doctorat en médecine expérimentale, mais mon enthousiasme pour la recherche médicale a accusé une forte baisse. J'étais prêt à revenir, à temps plein, à la pratique médicale.

Questions et réponses

• **Une enflure des chevilles peut-elle être causée par un mauvais fonctionnement des reins?**

L'enflure peut être causée par une circulation sanguine déficiente au niveau des chevilles, une insuffisance cardiaque, une ingestion excessive d'eau et de sel, tout autant que d'un mauvais fonctionnement des reins. Dans ce dernier cas, l'enflure survient non seulement dans les chevilles, mais aussi dans les doigts et autour des yeux.

- **Qu'est-ce que la créatinine et pourquoi son taux inquiète-t-il tant les néphrologues?**

La créatinine est le produit de déchet des cellules musculaires. Le renouvellement de ces cellules s'effectue de façon constante dans le corps. Par conséquent, un taux de créatinine élevé indique un malfonctionnement des reins. Le taux d'urée dans le sang, relié à l'action des protéines, est aussi un indicateur, mais il peut être modifié par d'autres facteurs, comme la déshydratation ou la présence de sang dans l'intestin.

- **Si un kyste rénal est le siège d'une tumeur cancéreuse, une ponction n'augmente-t-elle pas le risque de propagation du cancer?**

En théorie, oui. En pratique, les cancers causés par une ponction sont très rares. Mais les ponctions présentent un risque de cancer à cellules transitionnelles.

- **Pourquoi traiter une hypertension qui ne présente aucun symptôme?**

Une tension artérielle trop élevée peut provoquer des maux de tête et augmente le risque d'une attaque cardiaque.

- **Selon le médecin, on a retiré de ma mère une tumeur grosse comme une balle de softball, il y a dix ans de cela et elle est en parfaite santé. Le médecin exagérait-il?**

Les tumeurs rénales peuvent atteindre cette dimension sans entraîner la formation de métastases. Le médecin n'exagérait pas et le cas de votre mère n'est pas rare.

• **Faut-il suivre un régime alimentaire spécial après une transplantation rénale réussie?**

Non, si le rein greffé fonctionne bien. Mais les médicaments anti-rejet doivent être pris tous les jours.

• **J'ai évacué un calcul rénal pour la première fois quand j'avais 42 ans. Mon médecin m'a recommandé de me faire examiner les reins seulement après en avoir évacué un deuxième? A-t-il raison?**

La plupart des médecins recommandent un examen des reins après l'évacuation d'un deuxième calcul. Néanmoins, vous seriez bien avisé de boire quotidiennement suffisamment de liquides pour produire 2 L d'urine.

• **On a identifié mes calculs rénaux comme étant des oxalates de calcium. Dois-je éliminer le lait et les produits laitiers de mon régime alimentaire?**

Cela aurait du sens, surtout si vous en surconsommez, ou si vos examens indiquent que vous absorbez et que vous excrétez des quantités excessives de calcium. Sinon, deux tasses de lait par jour font partie d'un régime de santé équilibré.

• **Un malfonctionnement d'une artère peut-il causer une obstruction à la jonction bassinet-uretère?**

On ne sait pas si l'obstruction peut se produire dans une artère autre que l'artère rénale, mais on tient compte des deux possibilités lors d'une intervention chirurgicale.

• **Comment choisit-on entre une dialyse et une transplantation?**

La dialyse est le seul choix quand on prévoit que le rein pourra redevenir fonctionnel ou que la transplantation est contre-indiquée en raison du vieillissement des artères. La disponibilité d'un donneur et le choix personnel du receveur peuvent aussi influer sur le choix de la transplantation.

CHAPITRE XIV

Soins à apporter
à vos parties intimes

Pas plus que le divorce, les problèmes de santé ne font partie de nos projets d'avenir. Aussi, lorsque nous nous voyons subitement aux prises avec la maladie, tout intelligents, tout prévoyants que nous soyons, nous connaissons un moment d'angoisse et d'affolement, et nous prenons parfois à la hâte des décisions hélas souvent irréparables. Pour plusieurs, cette angoisse, cet affolement atteignent des proportions d'envergure, quand le mal les attaque dans leurs organes génitaux. Maintenant que vous avez lu ce livre presque entièrement, vous êtes plus familier avec l'anatomie et la physiologie de votre système génito-urinaire et avec les affections dont il peut être atteint. Le présent chapitre vous mettra au courant du fonctionnement du monde médical, pour vous apprendre comment agir, en cas de maladie, en toute connaissance de cause.

Le généraliste ou médecin de famille

Ce qui est extrêmement important, je dirais même fondamental, c'est de se sentir à l'aise avec son médecin de famille. Il faut être capable de causer avec lui à cœur ouvert, sans fausse pudeur. Certains préfèrent un médecin très savant qui parle «en termes», mais d'autres préféreront un médecin, savant aussi mais qui a plutôt des attitudes de bon papa. Beaucoup détestent ce genre de

301

médecin qui agit comme un agent de premiers soins (ou même de station-service!) et qui, à la moindre difficulté, réfère facilement ses patients à toute une série de spécialistes. Par ailleurs, il arrive aussi que le médecin assume trop de responsabilités au goût du patient et qu'il ne réfère pas assez tôt au spécialiste. On peut aussi aimer parler de ses problèmes tout à son aise avec son médecin et qu'il nous explique longuement ce dont nous souffrons. Mais d'autres préfèrent que leur médecin leur dise tout net de quoi il retourne sans plus de détails. De toute façon, l'important est de ne pas être intimidé par son médecin et d'être capable de causer avec lui, sans gêne, de ce qui, en général, est de nature très privée. Comme vous ne pouvez pas changer ni le médecin ni son style, si vous n'êtes pas à l'aise avec lui, s'il ne vous inspire pas confiance, n'hésitez pas à aller en consulter un autre.

Quand vous aurez choisi votre médecin, assurez-vous bien que, dans ses relations avec vous, il va se concentrer d'abord et surtout sur votre état. Il doit, bien sûr, s'intéresser par exemple à votre métier, mais si, dès que vous lui dites que vous êtes mécanicien, il se met à vous parler des difficultés qu'il éprouve avec son alternateur, vous pourrez perdre bien du temps à parler de problèmes mécaniques et il ne vous restera plus grand temps de l'entrevue pour lui parler à votre aise de vos problèmes de santé. Il n'y a pas de mal à établir de bonnes relations avec votre médecin, mais il n'est certainement pas mauvais non plus de penser surtout à votre santé.

Soyez bien conscient que le médecin est parfois porté à ne pas vous prendre trop au sérieux et à vous renvoyer à la maison trop facilement. Il est bien établi que, dans 90 % des cas, la visite au médecin de famille a pour objet fondamental les problèmes émotionnels ou le stress. Si le mal n'est pas exprimé clairement dès la première visite, le médecin de première ligne éprouve une tendance naturelle à conclure à un mal d'ordre psychologique. C'est le cas, par exemple, de l'impuissance, que l'on est souvent porté à tenir pour une conséquence normale du stress ou de l'âge. Mais si vous avez l'impression que votre médecin arrive trop vite à cette conclusion, n'ayez pas peur de lui dire que vous n'avez pas le goût que votre pierre tombale porte les mots suivants: «Je vous l'avais bien dit, pourtant, docteur, que j'étais malade pour vrai!»

Le patient est le bras droit du médecin

Parfois, les patients vont prendre des moyens vraiment inouïs pour se nier à eux-mêmes le mal dont ils souffrent. Je me souviens d'un patient qui était venu me voir parce qu'il passait du sang dans les urines. L'examen avait démontré qu'il souffrait d'une tumeur à la vessie. On lui enleva cette tumeur, comme de raison. Tout allait pour le mieux, mais il avait appris que les tumeurs à la vessie peuvent toujours récidiver. Il savait aussi que, s'il voyait passer du sang, il serait bien obligé de constater que son mal recommençait. Il avait tellement peur de cela qu'il décida, pour ne pas risquer de voir qu'il était malade, d'uriner toujours à la noirceur!

À l'extrême opposé, il y a les patients qui, pour un rien, viennent consulter. Un patient qui se met à consommer un peu plus de bière qu'à l'accoutumée, se voit soudain obligé de se lever deux fois dans la nuit, et le voilà qui s'imagine souffrir de la prostate! Ces attitudes extrémistes n'aident pas le patient le moins du monde, au contraire. Pour être bien soigné, il faut garder la tête froide, ne pas s'énerver et décrire son mal à son médecin calmement et le plus clairement possible.

L'histoire médicale

Le patient est une précieuse ressource pour le médecin. Un patient qui a bien préparé sa visite à son médecin de famille sera en mesure de l'aider considérablement à établir rapidement un diagnostic approprié et à prescrire le meilleur traitement. Méfiez-vous du médecin qui ne s'intéresse pas à l'histoire de vos anciennes maladies. C'est qu'il néglige de respecter les fondements mêmes de la médecine, qu'il a pourtant appris à la faculté.

Le médecin sérieux va noter soigneusement dans votre dossier tout ce que vous lui dites de vos maladies et maux anciens. C'est ainsi qu'il apprendra si votre mal actuel est une récidive d'un mal d'autrefois, ou s'il présente un lien avec un problème du passé, ou enfin si c'est une affection tout à fait nouvelle, sans lien avec votre histoire médicale. Il doit aussi avoir une certaine idée de l'histoire médicale de vos parents parce que, comme on le sait, l'hérédité influe beaucoup sur notre santé.

Il est bon de conserver chez soi une liste de ses maladies qui ont nécessité une hospitalisation, en notant bien leur date, leur diagnostic, leur traitement et les résultats de ce traitement. N'oubliez pas que les médicaments prescrits en cas d'hypertension peuvent provoquer de l'impuissance. Les décongestionnants gênent la miction. Vous risquez d'uriner moins et parfois plus du tout. Toute manipulation de l'urètre peut l'infecter. Il est important pour le médecin de savoir s'il y a eu, dans votre famille, du diabète, du cancer, des affections cardiaques, de même que toute maladie qui n'a pas été guérie. C'est ainsi, par exemple, que j'ai vu plus de testicules ectopiques (non descendus) chez des patients dont le père avait souffert de la même affection que je n'en ai vu chez des patients dont le père était normal. De même, les hernies se constatent plus souvent dans certaines familles que dans d'autres. Enfin, sachez bien que, de par sa formation très scientifique, le médecin cherche toujours à trouver une réponse à un problème. Aussi, ne craignez pas de lui décrire les vôtres avec le plus de détails possible. Cela ne peut que stimuler sa curiosité intellectuelle.

Les médicaments et les allergies

Faites une liste de tous les médicaments que vous prenez, sans oublier à quelle dose. Ne vous fiez pas à votre facilité à les décrire, ni à votre mémoire. J'ai déjà eu, et je m'en souviendrai longtemps, la conversation suivante avec un nouveau patient:
– Quels médicaments prenez-vous?
– Je prends une pilule rose le matin, puis une bleue le midi et une blanche le soir.

- Vous connaissez les noms des pilules?
- Non, je me fie à la couleur.
- Puis-je téléphoner à votre pharmacien?
- Je ne me souviens pas chez lequel je suis allé. Son nom est sur le flacon, mais je ne l'ai pas apporté!

Peut-on imaginer quel genre de service peut s'attendre à recevoir ce patient en comparaison avec celui que recevra le patient bien préparé qui apporte une liste complète et détaillée de ses médicaments? Tant qu'il ne connaît pas les médicaments que prend déjà le malade, le médecin ne peut entreprendre de traitement, car il risquerait de prescrire des médicaments dont l'utilisation, en même temps que ceux qu'il prend déjà, serait contre-indiquée ou parfois même très nocive.

Il est bon que le malade établisse également une liste de ses allergies, particulièrement s'il a déjà eu des réactions négatives à certains médicaments ou s'il est sujet à des allergies. Les asthmatiques, les victimes de la «fièvre des foins» et ceux qui sont allergiques aux animaux, aux tapis et à tout autre objet domestique sont susceptibles de manifester une allergie aux médicaments injectés aux fins des tests diagnostiques, tels les colorants utilisés pour visualiser les vaisseaux sanguins ou les voies urinaires.

Votre chirurgien

Si, après avoir consulté votre médecin de famille et bien étudié les diverses solutions qui s'offrent à vous, vous décidez d'avoir recours à un chirurgien, il est bien important de le choisir avec soin. Il est toujours sage de ne pas perdre de vue que même si vous êtes aux prises avec la maladie, cela ne vous enlève pas le droit de décider vous-même. S'il n'y a qu'un chirurgien spécialisé en urologie dans votre ville, cela ne veut pas dire que vous ne pouvez pas aller voir dans une autre ville. Même si votre médecin s'est donné la peine de faire tous les arrangements nécessaires pour que vous soyez opéré par tel chirurgien dans tel hôpital — qu'il vous décrira comme «le meilleur hôpital de tous» —, vous n'êtes aucunement lié par ces arrangements. Vous pouvez avoir mille raisons de ne pas vouloir être opéré par ce chirurgien ou à cet hôpital. Vous ne vous sentez pas à l'aise avec ce chirurgien; pour une raison ou pour une autre, vous n'avez pas confiance en lui; l'une de vos connaissances a été opérée par lui et n'a pas été satisfaite des résultats: en somme, vous avez des doutes. Je crois que même si vos craintes n'ont pas le moindre fondement, même si elles ne sont que pures superstitions, vous feriez bien de suivre votre instinct. Cela pourra sembler impoli, indélicat, tout ce que vous voudrez, mais vous avez le droit strict de faire transférer votre dossier à un autre hôpital ou à un autre médecin.

Les diplômes du chirurgien

Vous vous demandez peut-être s'il est important de savoir à quelle université a étudié votre chirurgien et s'il était bon en classe. Certaines facultés de médecine − comme Harvard ou John Hopkins − ont une réputation mondiale certainement méritée. Mais la réputation d'une université est fondée surtout sur la qualité et la quantité de ses travaux de recherche, et non pas tellement sur la qualité de l'enseignement lui-même. Les professeurs des facultés de médecine sont très rarement choisis pour leurs qualités d'éducateur. On leur assigne ce poste sur la foi de leurs publications et parce qu'il y a un poste à remplir.

Un étudiant particulièrement brillant a avantage à étudier dans une faculté de grande renommée, car il y sera exposé aux toutes dernières recherches en diverses spécialisations. Mais l'étudiant moyen n'y reçoit pas d'aide pour étudier les fondements essentiels de la médecine. En général, dans les facultés qui n'ont pas une immense réputation à soutenir, on enseigne mieux les principes didactiques de base. Après avoir coudoyé une génération entière d'étudiants et de médecins résidents (préparant une spécialisation), j'en suis venu à la conclusion que la formation individuelle dans une bonne faculté a beaucoup plus de valeur que des années passées dans une faculté choisie pour son seul renom. On verra souvent un élève brillant formé dans une faculté peu connue devenir meilleur spécialiste qu'un élève ordinaire diplômé d'une université gigantesque et réputée. De plus, les résultats aux

examens, tout excellents qu'ils puissent être, ne se traduisent pas nécessairement par l'acquisition des qualités humaines nécessaires pour faire
un bon spécialiste. Certaines habiletés — comme la coordination précise de l'œil et de la main si nécessaire lors de l'ablation de la prostate
par le résecteur, ou encore la perception tridimensionnelle, essentielle
dans certains cas de chirurgie du cancer particulièrement exigeants — ne
s'apprennent pas à l'école. Les techniques d'écoute et d'observation
clinique peuvent s'apprendre, mais pas la chaleur humaine et la sensibilité aux inquiétudes du malade, pas plus d'ailleurs que l'empathie, si
essentielle en médecine de chevet.

Quand j'aurai besoin d'un médecin, je me ficherai pas mal du
nom de l'université où il aura étudié, et de ses points aux examens.
J'exigerai cependant qu'il détienne les diplômes et certificats nécessaires.

Mode d'attribution du certificat de spécialiste

Comme chaque pays a sa méthode propre pour former ses chirurgiens et leur accorder le droit de pratique comme spécialistes, il faut
attacher aux titres et aux diplômes prestigieux une importance
relative selon chaque pays.

En Grande-Bretagne

En Angleterre, en Écosse et en Irlande, les candidats résidents en chirurgie passent leurs examens pour se qualifier comme internes ou
résidents en chirurgie dès les débuts de leur formation en chirurgie.
S'ils réussissent ces examens, ils peuvent ajouter à leur nom les initiales
F.R.C.S. *(Fellow of the Royal College of Surgeons).* S'ils ont passé leurs
examens à Edimbourg, ils peuvent y ajouter la lettre *E*; dans l'Irlande
du Nord, la lettre I. Parce que, au Royaume-Uni, les médecins peuvent
passer leurs examens pour le *Fellowship* avant de compléter leur formation, il s'ensuit que le titre de *Fellowship* britannique ne veut pas
nécessairement dire que le médecin qui le porte est un chirurgien de
plein droit, c'est-à-dire qui a terminé sa formation de chirurgien et possède son certificat. Ce n'est qu'une indication qu'il a réussi un examen
qui lui permet de tenter d'être accepté comme *Registrar* dans un

hôpital, sous surveillance, le *Registrar* accède au rang de *Senior Registrar*. Il devient enfin chirurgien à part entière. C'est alors seulement qu'il peut espérer accéder au poste de *Consultant*. Mais ces postes prestigieux sont rares et l'on ne peut y accéder que lorsqu'une vacance se produit, c'est-à-dire, dans la grande majorité des cas, lorsqu'un *Consultant* décède ou prend sa retraite.

Au Canada

Au Canada, il en va différemment. Il faut d'abord décrocher son doctorat en médecine de l'université, puis pratiquer comme résident, après approbation, sous la surveillance constante d'un chirurgien, pendant au moins cinq ans. Lorsqu'il a complété cette formation à l'hôpital, le candidat chirurgien doit passer une série d'examens pour obtenir le titre de *Fellow*. Il s'agit de trois examens, deux sur la pratique clinique et le troisième sur les sciences de base. Il n'est pas rare que le taux d'échec à ces examens se situe entre 25 et 50 %. (L'un de mes vieux professeurs m'a déjà dit que ceux qui avaient de la difficulté à réussir leurs examens devenaient plus tard des tortionnaires lorsqu'ils étaient choisis comme examinateurs.) Ceux qui réussissent leurs examens peuvent ajouter à leur nom les initiales F.R.C.S.(C). Ceux qui ne réussissent pas ont droit à deux reprises. S'ils échouent encore, c'est-à-dire trois fois en tout, ils retournent à la pratique générale*.

---

* *Note du traducteur*: Au Québec, c'est la Corporation professionnelle des médecins du Québec, organisme reconnu par le gouvernement du Québec, qui attribue aux médecins concernés leur certificat de spécialiste.

«Le candidat doit, aux fins d'obtenir un certificat de spécialiste, compléter une (1) année d'internat, puis effectuer les stages et réussir les examens prescrits par le présent règlement», dit le texte officiel de la Corporation (Recueil des lois et règlements, chapitre 2).

Ce principe vaut, en général, pour les médecins diplômés d'une faculté du Québec, du Canada ou des États-Unis.

Dans le cas de la spécialisation qui nous intéresse particulièrement dans ce livre, l'urologie, le médecin candidat doit, pour être admis à porter le titre de spécialiste, se soumettre à une formation spéciale de quatre années (48 mois) comprenant:

a) 12 mois de stages en chirurgie générale;

b) 24 mois de stages en urologie;

c) une année (12 mois) dont le contenu peut varier.

Quant aux médecins immigrants formés dans une université étrangère, ils doivent répondre à certaines conditions particulières prévues par la Corporation avant de recevoir d'elle la «carte de stages» qui les habilitera à suivre, au Québec, cette préparation de quatre années et à être finalement reconnus comme spécialistes par la Corporation professionnelle des médecins du Québec.

Aux États-Unis

Aux États-Unis, on est reconnu chirurgien sur examen organisé par chaque État, et après un stage de cinq ans dans un hôpital reconnu. Ceux qui réussissent l'examen deviennent des chirurgiens *Board Certified*. Ceux qui ne réussissent pas peuvent tout de même pratiquer comme spécialistes, mais doivent ajouter à leur nom la restriction *Board Eligible* et non *Board Certified*. Quand un chirurgien *Board Certified* a pratiqué assez longtemps pour pouvoir présenter une liste respectable d'opérations majeures bien réussies, il peut demander à être reconnu comme *Fellow*, titre uniquement honorifique. Mais il doit d'abord présenter sa liste de cas majeurs, accompagnée de pièces justificatives, et passer un examen oral. Cependant, presque tous sont reconnus comme *American Fellows* (F.A.C.S.). C'est devenu, à ce stade, presque une routine.

Dans ces trois pays (Royaume-Uni, États-Unis et Canada), le chirurgien est un médecin qui a son doctorat universitaire en médecine et qui a ensuite pratiqué dans un hôpital reconnu, sous surveillance d'un chirurgien chevronné, pendant au moins cinq ans. Traditionnellement, il existait une réciprocité considérable entre les trois pays. Les *Registrars* britanniques, les *Fellows* canadiens et les *American Board Certified* pouvaient demander de jouir d'un statut équivalent dans chacun des pays. Récemment, les règles se sont resserrées et chaque pays insiste pour que les chirurgiens immigrants fassent quelques années de résidence, ou d'internat, dans leur nouveau pays avant d'être reconnus sur un pied d'égalité avec les chirurgiens du pays.

La réputation du chirurgien

La réputation dont jouit le chirurgien à l'intérieur de son hôpital ou de sa communauté n'indique pas nécessairement qu'il est exceptionnellement habile ou compétent. Elle peut tenir à son charme personnel, à son affabilité, à sa constante disponibilité, et même à l'importance des honoraires qu'il exige. Au Canada, les programmes universels d'assurance-maladie ont rendu l'élément «honoraires» tout à fait désuet. Les honoraires sont fixes et identiques pour tous. Avant l'assurance-maladie, mon tarif était modéré et j'ai perdu bon nombre de patients pour cette raison même. Ces patients qui m'abandonnaient s'étaient mis en tête que les chirurgiens qui demandaient trois fois plus que moi devaient être trois fois meilleurs que moi! Dans bien d'autres pays, les honoraires sont établis arbitrairement. Il n'existe aucune réglementation professionnelle ou gouvernementale à ce sujet et il est certain qu'ils ne reflètent en rien les services promis ou rendus.

Comment choisir son chirurgien

Il est sûr que ni les études, ni les diplômes et les certificats, ni la réputation mondaine ne vous informent du mode de pratique du chirurgien. J'en suis arrivé à la conclusion que le meilleur moyen, peut-être, de choisir son chirurgien, est de consulter ceux qui le voient agir dans sa vie professionnelle quotidienne, c'est-à-dire les infirmières du service de chirurgie, les anesthésistes, les médecins des autres disciplines qui ont affaire à lui. Qui choisiraient-ils s'ils devaient se faire opérer eux-mêmes? Ils ont vu les chirurgiens travailler sous pression et ils savent comment ils se comportent dans ces cas-là. Ils les voient dans toute leur vérité. Il n'y a sans aucun doute pas de meilleur juge que le personnel hospitalier pour évaluer la qualité professionnelle des chirurgiens.

Hôpitaux universitaires *versus* hôpitaux publics et privés

Pour une intervention chirurgicale majeure, doit-on préférer l'hôpital universitaire à l'hôpital public? Pour répondre à cette question, on doit d'abord et avant tout considérer la qualité professionnelle de l'hôpital envisagé. Il est donc bien évident que, si l'on n'est pas satisfait à ce niveau, l'on doit envisager de changer d'hôpital. Évidemment, on prend pas seul une telle décision. Si on vous fait valoir qu'il n'est pas nécessaire d'en changer, vous choisirez peut-être de rester à l'hôpital public où vous avez été hospitalisé. Si, par exemple, les autorités de cet hôpital vous apprennent qu'on y a pratiqué des centaines de fois l'opération que vous devez subir, et que le taux de complications n'a été que de 6 %, alors que la moyenne générale pour les hôpitaux du pays est de 12 %, cela vous rassurera probablement. Je dois confesser, cependant, que j'ai déjà entendu des médecins jouer un peu avec les chiffres. J'ai été vraiment scandalisé, il y déjà longtemps, quand j'ai entendu, en cour, un chirurgien témoignant dans une cause où il était question d'une fistule vésico-vaginale (fistule ou passage accidentel entre la vessie et le vagin qui ne se guérit que par l'intervention chirurgicale). Il assura le tribunal qu'il avait traité de tels cas des centaines de fois. Or, je savais bien que, sur 10 ans, il peut bien se présenter des douzaines de tels cas dans les grands centres des États-Unis, mais jamais des centaines. Je le lui ai fait remarquer, mais il tenta de me faire comprendre que «nous devrions protéger nos confrères quand ils sont aux prises avec des litiges inutiles». Cet incident me fit beaucoup réfléchir.

Si l'hôpital public vous convainc qu'on y possède l'expérience et la technique nécessaires, vous pourrez décider d'y rester. Évidemment, un environnement familier, un personnel sympathique, la proximité de votre demeure, un meilleur parc de stationnement, des heures de visites plus commodes, etc. constituent de moins bonnes raisons pour rester dans un hôpital qui vous convient moins sur le plan médical.

Les Anglais ont un dicton: «Qui peut agit. Qui ne peut pas enseigne!» Or, si on raisonne ainsi, on sera porté à s'imaginer que les hôpitaux universitaires n'ont que de médiocres chirurgiens. On pourrait bien penser qu'un médecin libre de toute fonction d'enseignant a plus de temps pour peaufiner ses techniques qu'un chirurgien qui doit consacrer une partie de son temps à enseigner, à superviser ses résidents et à exécuter divers travaux administratifs. Mais il existe deux bonnes raisons qui me feraient choisir de me faire traiter dans un hôpital universitaire si je devais subir une grave opération. D'abord, la décision de recourir à l'opération y est plus sérieusement contrôlée. Dans un hôpital non universitaire, il peut arriver qu'il ne se trouve personne pour s'objecter à une opération dont la valeur ou l'urgence mériterait d'être étudiée de près. Dans un hôpital universitaire, tout choix d'un mode opératoire est soumis aux étudiants, aux médecins résidents, et enfin aux autres chirurgiens de l'hôpital. Tout diagnostic un peu trop rapide ou même inexact devient donc objet de débat, ce qui permet d'en relever les faiblesses et peut-être de juger que l'opération serait contre-indiquée. Je me sentirais plus en sécurité dans un hôpital où il y a constamment, 24 heures par jour, un ou plusieurs résidents de garde. Le Dr William A. Nolen, chirurgien reconnu, a écrit que lorsqu'il a dû subir un pontage cardiaque, il a choisi d'être opéré dans un hôpital universitaire, non parce qu'il croyait que le chirurgien était meilleur qu'ailleurs, mais parce qu'il y avait, à cet hôpital, des médecins résidents de garde à toute heure du jour et de la nuit. Cela lui paraissait logique et je partage son opinion.

Il y a une autre question embarrassante dont je dois traiter. Selon certaines personnes bien intentionnées, vous devriez choisir votre chirurgien en fonction de sa vaste expérience dans une spécialité chirurgicale donnée, par exemple, la prostatectomie radicale. Un dirigeant religieux renommé qui avait subi une chirurgie avait émis cette opinion dans un essai qu'on lui avait demandé d'écrire après cette expérience éprouvante. Son gendre, qui était résident en urologie à l'époque, m'a fait lire l'essai. «Ce que pense votre beau-père, lui ai-je dit, c'est que je dois traiter moi-même tous les cas et ne pas permettre aux résidents d'acquérir de l'expérience.»

Le Dr Patrick Walsh qui a inventé une technique de prostatectomie radicale qui permet de ne sectionner aucun nerf, a formulé la même recommandation dans son récent ouvrage. Mais comment pourrons-nous entraîner les chirurgiens de la prochaine génération si toutes les équipes médicales des hôpitaux universitaires suivent cette recommandation? N'est-ce pas comme si nous disions à nos patients: «Que d'autres patients servent de cobayes!»?

Je crois que dans les hôpitaux universitaires, les chirurgies doivent être effectuées par des médecins résidents sous la supervision de l'équipe médicale. Il y a des cas où l'équipe médicale aurait dû intervenir plus tôt, mais généralement, les résultats sont les mêmes, peu importe qui de l'équipe médicale ou des médecins résidents a manipulé le bistouri. La chirurgie est un travail d'équipe et les réussites ou les échecs ne devraient pas être attribués à une personne en particulier.

L'interaction patient-médecin

Certains patients se plaignent systématiquement de leur ancien médecin et j'ai idée qu'ils se plaignent aussi de moi quand ils me quittent pour un nouveau médecin. Certains autres patients ne critiquent jamais leur médecin, et d'autres les craignent toujours. Il y a aussi les patients mornes et les patients toujours gais. Ceux-là font le bonheur des médecins. Les médecins sont des humains et on peut s'attendre à ce qu'ils soient plus facilement agréables avec les patients aimables. Mais le médecin est aussi un homme de l'art, un professionnel soucieux de son métier, et il aime bien que le patient lui apporte son aide pour l'établissement de son diagnostic, et qu'en plus il coopère au traitement.

Je dois bien admettre que je suis ennuyé quand un patient n'arrive pas à me répondre simplement à une question simple:
– Combien de fois devez-vous vous lever la nuit?
– Eh bien, ça dépend, docteur.
– Ça dépend de quoi?
– De combien j'ai bu.
– Dites-moi combien, pour une journée ordinaire.
– Je n'ai pas de journées ordinaires.
– Combien de fois vous êtes-vous levé pour aller aux toilettes la nuit dernière?
– La nuit dernière?
– Oui, la nuit dernière.

– Oh ça, il faudrait le demander à ma femme.

– Pourquoi?

– Elle est meilleure que moi pour noter ce genre de chose.

– Vous êtes-vous levé, au moins?

– Oh oui!

– Mais vous ne pouvez pas me dire combien de fois?

– Voyons, on était quel jour hier?

– Hier, c'était lundi.

– Je pense que c'est dimanche que nous avons reçu mon frère et sa femme. J'ai pris du café, mais je n'aurais pas dû. Je n'ai pas dormi de la nuit. Bien sûr, c'est de ma faute. Je n'étais pas obligé, j'aurais pu refuser. Mais je trouvais que ce n'était pas poli; tous les autres prenaient du café... Qu'est-ce que vous me demandiez?

Si une simple question provoque un échange aussi exaspérant, le médecin sera totalement épuisé et frustré lorsqu'il aura enfin réussi à recueillir tous les éléments dont il a besoin pour écrire une histoire de cas complète et juste, ce dont il a absolument besoin pour établir au moins 90 % de son diagnostic.

C'est aussi très frustrant pour le médecin d'avoir affaire à un patient qui ne suit pas son traitement. Imaginez-vous la réaction du médecin à la fin de l'entrevue suivante:

– Ça ne va pas mieux, docteur.

– Ah, c'est malheureux. J'étais pourtant certain que les médicaments que je vous avais prescrits vous aideraient.

– Bien... il faut dire que je ne les pas tous pris.

– Non?

– La dernière fois qu'un médecin m'a prescrit des pilules, j'ai été tellement malade. J'ai eu peur que ce soit la même chose cette fois-ci. Je n'ai pris que la moitié de vos pilules pendant quelques jours. Elles ne me faisaient pas de bien, alors je les ai abandonnées.

– Je regrette de n'avoir pas su vous convaincre qu'il était important de les prendre toutes.

– Je suis sûr que vous l'avez fait, docteur. Mais j'avais tellement peur. Est-ce que vous pouvez m'en prescrire de nouveau?

Demandez une seconde opinion

Lorsque votre médecin vous suggère de vous faire opérer, faut-il demander une seconde opinion à un autre médecin? J'estime que vous devriez en discuter avec le médecin qui vous conseille l'opération, ne serait-ce que pour voir sa réaction. S'il réagit mal, s'il devient agressif, s'il ne paraît pas très ouvert ou semble se sentir menacé dans son intégrité professionnelle, vous devriez certainement insister pour voir un autre médecin et lui demander son opinion sur le bien-fondé de l'opération. Par ailleurs, si votre médecin est d'accord avec vous et vous offre même de vous aider à trouver un autre médecin, je me demande si une seconde opinion est alors nécessaire.

Dès qu'ils font face à un problème compliqué ou controversé, la plupart des chirurgiens avec lesquels je travaille suggèrent à leur patient d'aller soumettre leur problème à un autre chirurgien pour avoir une seconde opinion, et cela avant même que le patient n'en exprime le désir. Quand ces chirurgiens n'en parlent pas, c'est ordinairement qu'il n'y aurait pas d'avantage à le faire. Pourtant, si, pour quelque raison que ce soit, vous perdez confiance en votre chirurgien, changez de chirurgien. Après tout, il s'agit de votre vie et de votre santé.

Vous-mêmes, qui êtes portés à négliger votre propre santé, êtes sûrement les premiers à prendre pour vos enfants toutes les dispositions possibles afin de les protéger de la polio, de la diphtérie, de la coqueluche, du tétanos, de la rougeole et de tout ce qui pourrait les attaquer. Mais il y a aussi des mesures que vous pouvez prendre pour vous protéger vous-mêmes.

Le monde des hôpitaux et des services de santé est gouverné bien souvent par des lois secrètes, non écrites. C'est ainsi qu'au terme du programme universel d'assurance-maladie du Canada, les médecins sont payés à l'acte médical et non à la qualité de l'acte médical. Un chirurgien qui pratique trois circoncisions selon les règles et deux autres à la diable recevra les mêmes honoraires que le chirurgien qui aura pratiqué cinq circoncisions selon les règles de l'art. Les fonctionnaires du programme d'assurance-maladie peuvent compter le nombre d'actes médicaux, mais ils ne peuvent pas évaluer leur qualité. C'est pourquoi il faut vous assurer que vous avez véritablement besoin de l'opération proposée et que vous avez choisi le bon chirurgien pour la pratiquer. Aux États-Unis, les entreprises privées d'assurance-maladie versent souvent des honoraires plus élevés selon que le médecin a effectué plus ou moins de tests. Par conséquent, un Américain qui désire un bon traitement sans avoir pour autant à se ruiner doit prendre soigneusement note de tous les tests qu'il subit. Il sera ensuite en mesure de demander au médecin pourquoi il a commandé tel ou tel test et en quoi ces tests peuvent aider à lui procurer un meilleur traitement. S'il doit justifier chacun des tests qu'il commande, le médecin restreindra peut-être ses coûteuses exigences. Il ne serait pas mauvais, non plus, d'examiner de près son mode de référence à d'autres spécialistes. Vous réfère-t-il à des copains ou choisit-il des spécialistes pour leur valeur reconnue? Il est souvent sage de se contenter de ce qu'offre un hôpital sans demander des extras. Quand la routine de l'administration de l'hôpital est perturbée, les risques de faux pas dans le service hospitalier s'en trouvent multipliés. Je crois bien que c'est à cause de cela qu'il y a souvent des complications quand les parents d'un médecin sont aussi ses patients.

P.-S.

Surveillez votre santé. La qualité de votre état général se répercute sur celle de vos parties intimes. Ménagez l'ardeur et le potentiel que vous avez reçus à la naissance. Prenez bien soin de vous-même. Suivez un bon régime alimentaire et faites de l'exercice régulièrement; pour la santé, c'est essentiel. En général, les gens fument trop, boivent trop, mangent trop, ne marchent pas assez et restent trop longtemps assis. Ils savent pourtant que ce sont de mauvaises habitudes, de très mauvaises habitudes qui ne peuvent que faire du tort à leur santé. Les fumeurs, par exemple, doivent bien savoir qu'ils risquent non seulement de développer le cancer du poumon, mais aussi celui de la vessie. Le tabagisme a de plus une action constructive sur les artérioles de l'organisme et quand l'artère du pénis est attaquée, l'impuissance n'est pas loin. Il est très recommandé, pour maintenir la bonne santé de la prostate, de manger moins de viande rouge. Il faut la remplacer par du poisson, du blanc de volaille, des aliments riches en fibres, des légumes et des fruits. Si l'exercice est très bon pour la santé, il est par ailleurs essentiel de se faire moins de souci et de fuir le stress comme la peste. Notez tout ce qui touche votre santé et particulièrement les consultations et les interventions médicales que vous êtes appelé à faire ou à subir. Ce que vous pouvez faire de mieux pour être et rester en santé, c'est d'abord de prendre soin de vous-même. Si vous devez voir un médecin, soyez pour lui un patient averti et capable de lui fournir le plus de renseignements pertinents possible sur vos symptômes et sur votre état de santé. Le médecin vous fournira les ressources de sont art, mais c'est vous-même qui demeurez, au dernier ressort, le seul responsable de votre santé.

Index

Le Dᵣ YOSH TAGUCHI est Directeur du programme d'urologie à l'université McGill et urologue à l'hôpital Royal Victoria de Montréal. Il est l'auteur de différents articles dans des revues scientifiques (*Journal of Urology*, *Urology*, *British Journal of Urology*, *CMAJ*, et *Canadian Journal of Surgery*) et dans *Geriatrics*, *Diagnosis* et *The Canadian Doctor*.

Si vous désirez obtenir plus d'informations au sujet d'un problème relié à l'urologie, il est possible de rejoindre le Dᵣ Taguchi sur le réseau internet à l'adresse suivante:

http://www.mediconsult.com

Ce service n'est pas gratuit et il n'est couvert par aucun régime public d'assurance-maladie.